Николай ЛЕОНОВ
Алексей МАКЕЕВ

Комната страха

МОСКВА
2018

УДК 821.161.1-312.4
ББК 84(2Рос=Рус)6-44
Л47

Леонов, Николай Иванович.

Л47   Комната страха / Николай Леонов, Алексей Макеев. — Москва : Эксмо, 2018. — 416 с. — (Русский
бестселлер. Избранное).

ISBN 978-5-04-093218-4

В милиции приказы обсуждать не принято. Матёрым сыщикам
из МУРа Льву Гурову и Стасу Крячко поручили с виду элементарное
дело для начинающих ментов: разыскать мастера по изготовлению
чучел животных. Человек ушёл из дома в неизвестном направлении
и теперь где-то отсиживается. События вместе с тем начали разви-
ваться стремительно. Как только опера приступили к расследова-
нию, стало известно, что жену пропавшего мастера взяли в залож-
ники бандиты и требуют, чтобы она выдала им, где тот скрывается.
Заложницу с боем освободили. И когда Гуров и Крячко узнали, что
именно бандитам нужно от мастера, ужаснулись...

УДК 821.161.1-312.4
ББК 84(2Рос=Рус)6-44

ISBN 978-5-04-093218-4

Комната страха

ПОВЕСТЬ

Глава 1

Гуров сразу узнал это лицо. Фамилия, которую ему заранее назвал генерал Орлов, ничего Гурову не говорила, но вот лицо человека было, безусловно, узнаваемым. Обладая несомненными организаторскими способностями, этот человек успел за последние десять лет многократно засветиться на самых ответственных должностях как в бизнесе, так и в управленческих структурах, пока наконец не оказался на министерском посту. Долго ли он продержится в этом качестве или это будет лишь дополнительным штрихом в его удивительной биографии, не знал, наверное, и сам министр, но можно было по крайней мере надеяться, что теперь публика хорошенько запомнит и его фамилию, а не только моложавое энергичное лицо, которое многократно появлялось на телеэкране.

Полковник Гуров был уверен только в одном — ни в каком из известных периодов своей жизни человек этот не был замешан в событиях криминального свойства, и это делало ему честь. Тем более было немного странно, что теперь, на вершине успеха, ему вдруг понадобилась консультация работника правоохранительных органов. Генерал Орлов выражался именно так — должность начальника главка обязывала его быть осторожным в высказываниях. Правда, Гурову он давно уже доверял как самому себе, а поэтому, начав издалека и напустив туману, в резюме генерал оказался грубовато прямолинеен.

— Одним словом, попросил человек свести его с профессиональным сыщиком. Выразился в том смысле, что на любом участке деятельности предпочитает видеть профессионала, даже если речь идет о поисках носового платка. Афоризм своего рода... Наш министр счел эту мысль глубокой и пообещал, что профессионал будет. Ясное дело, придется посылать тебя. Этот новый министр пожелал встретиться с сыщиком лично, а кто у нас самый представительный? Полковник Гуров, естественно... У тебя и вид, и стать. Костюмчик на тебе — хоть в палату лордов запускай. И жена у тебя — известная актриса. Короче, тебе сам бог велел...

— Носовые платки искать? — невозмутимо произнес Гуров.

— А хоть бы и платки! — сердито пробурчал Орлов. — Когда рекомендует министр, дискуссии не разводят. Да и вроде бы не в платках там дело. Был намек, что человека найти нужно. Но это только намек, понимаешь? Как говорится, то ли он украл, то ли у него украли — дело хозяйское. При личной встрече получишь всю информацию. Завтра он тебя будет ждать у себя в министерстве, в самом высоком кабинете, во второй половине дня. Все уже оговорено, так что возражения оставь при себе.

— Никаких возражений, — сказал Гуров. — Каждому приятно вот так, на халяву, пообщаться с министром, а если еще и поискать что-то надо, так это просто именины сердца.

— Ирония — дело хорошее, — проворчал Орлов. — Только я слышал, что министры ее на дух не переносят. Ты это учти на завтра.

— Обязательно учту, — пообещал Гуров.

— И это, — протестующе махнул рукой генерал. — К министру один поедешь. Не вздумай с собой дружка своего Крячко потащить. С тебя станется. Вы с ним как нитка с иголкой. Для работы это, допустим, хорошо, но больно вид у твоего Крячко непредставительный. Боюсь, как бы у министра от его вида инфаркт не случился. Еще решит, что у нас на его счет сомнения возникли.

— Лично у меня они действительно возникли, — заметил Гуров. — Не нравится мне эта история. Намеки, профессионалы... Как лицо должностное, этот человек понимать должен, что в случае если проблема действительно серьезная, то ему следует действовать по законам и инструкциям, а если пустяк какой-то, то не стоит отрывать от работы этих самых профессионалов. В крайнем случае нанял бы себе частного детектива.

— Ну вот завтра ему об этом и скажи, — милостиво разрешил Орлов. — Я не возражаю. А вообще, я думаю, много времени у тебя это не займет. Определишься с проблемой, а дальше уж будем решать, что делать конкретно. Если пустяки какие-то, то найдем человека, который этим займется. А на сегодняшний день мы демонстрируем готовность к сотрудничеству и взаимопониманию.

— И на завтрашний тоже, — улыбнулся Гуров.

— Завтрашний — тем более, — подтвердил Орлов и тут же подозрительно спросил: — Надеюсь, ты не принял всерьез мои слова про твои будущие разговоры с министром? Больше помалкивай. Ведомство, конечно, не наше, и министр — новичок, но все равно: молчание — золото.

— Я это еще сто лет назад понял, — сказал Гуров.

Он и в самом деле не собирался ничего говорить новоиспеченному министру — не из-за пиетета, а просто потому, что не хотел делать скороспелых выводов. У сильных мира сего бывают причуды, но иногда бывают и неприятности. Наверное, они тоже нуждаются в сочувствии и снисхождении. Гуров решил не забивать себе голову до завтра.

Единственное, что его беспокоило, — не забудет ли сам министр о назначенной встрече? Не отвлекут ли его в последний момент дела государственной важности? Терять время в приемных ему не улыбалось. В конце концов, старший оперуполномоченный по особо важным делам — тоже не пустое место.

Но все опасения оказались напрасными. Новый министр проявил себя человеком слова. Гурову не пришлось ждать ни секунды. Предупредительный выхоленный секретарь, едва взглянув на удостоверение Гурова, тут же препроводил его в святая святых — в кабинет хозяина.

— Валентин Алексеевич вас ждет, — с многозначительной улыбкой сообщил он.

Гуров прошел через тамбур и сразу же увидел то самое знакомое лицо. Строго говоря, увидел он два знакомых лица — но второе глядело на него с большого цветного портрета и являлось изображением президента. Хотя Гуров был вынужден признать, что художник постарался и президент смотрелся почти как живой.

Хозяин же кабинета не только смотрелся, но и действовал очень живо. Едва увидев Гурова на пороге, он лишь на долю секунды изобразил в лице сомнение, а потом расплылся в улыбке и, встав из-за широкого стола, лично двинулся навстречу гостю.

— Да-да-да! — заявил он на ходу. — Я помню! Лев Иванович, кажется? Я ничего не перепутал? Очень приятно! О вас отзываются как о первоклассном специалисте. Это очень важно — быть профессионалом. Этого нам всегда не хватает — настоящих профессионалов! Очень, очень приятно! — Он подошел к Гурову вплотную и дружественным, но осторожным жестом взял его за плечи — так поправляют на стене дорогую картину в тяжелой раме.

Такое начало предполагало довольно интимное продолжение, и Гуров несколько приуныл. Ведь он до сих пор представления не имел, чего от него ждут. Чтобы не ходить вокруг да около, он сразу же решил воспользоваться дружественной атмосферой и задал вопрос напрямик:

— Если позволите, то мне хотелось бы сразу перейти к сути дела, Валентин Алексеевич. В связи с чем вам потребовались услуги профессионального сыщика? Чем быстрее мы решим этот вопрос, тем проще будет нам обоим. Да и делу это наверняка пойдет на пользу.

Министр быстро посмотрел Гурову в глаза, шагнул в сторону и с виноватой улыбкой развел руками.

— Вы попали в самое больное место, Лев Иванович! — с хорошо завуалированным упреком сказал он. — Действительно, мои претензии выглядят несколько эгоистично. Может создаться впечатление, что я пытаюсь заставить работать на себя лично Министерство внутренних дел! Но, поверьте, это не так. Этот путь посоветовал мне не кто иной, как ваш министр. Впрочем, если вам в тягость...

— Нет-нет, продолжайте, — хладнокровно отозвался Гуров. — Просто мне хотелось бы максимально ускорить процесс. Итак, что же у вас случилось?

Валентин Алексеевич быстро замаскировал обиду. Он опять был деловит и доброжелателен.

— Я долго вас не задержу. Просто попытаюсь в общих чертах... Одним словом, произошло странное происшествие. Я, видите ли, немного увлекаюсь охотой. Предпочитаю крупного зверя. Люблю, когда трофеи производят впечатление. У меня дома отличная коллекция чучел. Это, так сказать, производное от основного хобби. Большинство чучел делал мне один и тот же прекрасный мастер — может быть, вы слышали — Ликостратов Сергей Степанович. Берет дорого, причем многим вообще отказывает, но если уж соглашается, то выполняет работу по высшему классу. И вдруг этот человек пропал! А у меня как раз великолепный экземпляр кабана дожидается, так сказать, своего воплощения. Вот представляете мое разочарование? Туша, конечно, в холодильнике, но она же не может находиться там вечно!

— С тушей все ясно, — заметил Гуров. — Наверное, в крайнем случае ее можно отдать другому мастеру. Давайте лучше разберемся с вашим Ликостратовым. Что это значит — пропал? Имеется в виду что-то серьезное?

— Боюсь, что ответ на этот вопрос придется давать вам, — заявил министр. — Я же со своей стороны могу повторить, что Ликостратов пропал, и это означает только одно — его нигде нет. Мои люди искали его под Москвой — у него загородный дом в одном из поселков, — искали в московской квартире, которую он оставил жене после развода, где-то еще искали... Тщетно! Никто не знает, где он. Но ведь так не может быть, чтобы человек исчез без следа и никто не обратил бы на это внимания! Нужно что-то делать!

— Вообще-то существует прописанная в законе процедура, — начал Гуров.

— Знаю я эти процедуры! — махнул рукой Валентин Алексеевич. — В нашей стране важен фактор личного участия. Если не вмешаешься лично, результатов можно ждать бесконечно долго.

— Гм, но мне хотелось бы знать, действительно ли есть основания беспокоиться? — сказал Гуров. — Человек мог куда-то уехать. Например, срочно вызвали на похороны в Сибирь. У вашего мастера имеются родственники в Сибири? Или он мог взять путевку и укатить в солнечную Испанию.

— С его доходами Ликостратов хоть в Новую Зеландию мог укатить, — согласился министр. — Но это исключено. Мне приходилось контактировать с этим человеком довольно часто, и если у него возникали какие-то нестыковки по времени, все оговаривалось заранее. Он очень обязательный и педантичный человек. Просто так сорваться с места, никого не поставив в известность, он не мог категорически. А что касается родственников, то тут я пас. Строго говоря, я не настолько близко знаю этого человека, сами понимаете... Вам придется поговорить с моим референтом. Все подробности узнаете от него. Можете располагать им всецело по своему усмотрению. И прошу вас, не стесняйтесь, Лев Иванович! Понадобится куда-то съездить, побеседовать — в любое время дня и ночи. На этот счет он строго предупрежден. Кстати, ему выделены средства на бензин и все прочее. Вам остается только приказывать.

— Но, вероятно, нам с вами придется еще раз встретиться, — сказал Гуров. — Что-то подкорректировать. Или обсудить результаты поисков, наконец...

— Не думаю, что сумею вот так сразу выбрать для этого время, — озабоченно наморщил лоб Валентин Алексеевич. — Сами понимаете, впрягаюсь в новый для себя хомут. Дело непростое! Но вы можете все необходимое передать через Пивоварова — это фамилия референта. Желаю удачи, Лев Иванович!

Он опять коснулся кончиками пальцев плеч Гурова, точно хотел убедиться, что любимая картина по-прежнему находится в рамках, и снисходительно улыбнулся.

— Рад был бы побеседовать подольше, но это все, что мне удалось выкроить! — с тайной гордостью сказал он. — Увы, этот вечный цейтнот руководителя!

Он, кажется, надеялся увидеть почтение и благоговейный ужас в глазах Гурова, но тот только слегка поклонился и сразу пошел к выходу.

— Если что-то заслуживающее внимания будет действительно обнаружено, — объявил он на пороге, — Пивоварову я сообщу.

Гуров вышел и плотно прикрыл за собой дверь. Он был серьезно раздосадован и уже не скрывал этого. Встреча с руководителем такого высокого ранга, по его мнению, могла бы быть и более толковой. В данном же случае ему пришлось столкнуться с элементарным проявлением руководящего эгоизма, когда малейшее неудобство, причиняемое руководству, возводится в ранг государственной проблемы. Однако резких телодвижений Гуров совершать не собирался. Он дал слово генералу Орлову, и теперь приходилось терпеть.

К его удивлению, референта Пивоварова не пришлось ни разыскивать, ни даже ждать. Напротив, это он уже поджидал Гурова, прохаживаясь по комнате, в которой сидел секретарь.

Пивоваров оказался худощавым мужчиной лет тридцати пяти в отлично сшитом сером костюме и бледно-голубой сорочке, воротничок которой вопреки этикету был расстегнут, а галстук в туалете референта и вовсе отсутствовал. Лицо этого человека было не лишено приятности, но глаза были наполнены такой смертной скукой, что Гурову сделалось даже немного не по себе.

Пивоваров представился — довольно почтительно, но так флегматично, точно они с Гуровым встретились где-нибудь в переполненном аэропорту и через полчаса обоим предстояло улетать в совершенно противоположные концы планеты.

Вдобавок секретарь министра бросил на Пивоварова такой странный взгляд, что это вызвало у Гурова некоторые подозрения.

«Похоже, братец, ты здесь не совсем в фаворе, — подумал он, рассматривая Пивоварова. — Если не сказать больше. Уж не отрабатываешь ли ты положенные две недели, если в ваших кругах вообще имеют значения такие пустяки, как положения Трудового кодекса? А вот то, что ты крутишься возле министра без галстука на шее, — это уже совсем не пустяк...»

Вслух же Гуров сухо сообщил, что надеется получить от Пивоварова полноценную информацию о Ликостратове, и по возможности быстро.

— Меня зовут Лев Иванович, — добавил он. — Не буду возражать, если будете называть меня полковником — возможно, это вас как-то дисциплинирует.

— А я – Николай Иванович, — лениво сказал Пивоваров. — Званий достойных не имеется, поэтому, кроме имени, ничего предложить не могу. Впрочем, можете звать меня попросту — Николаем. Плюс, если нужно,

Н. Леонов, А. Макеев

могу сбегать за пивом или сигаретами — в этом плане прошу не стесняться.

— Меня уже предупредили, что стесняться не нужно, — сердито сказал Гуров. — Но мне не нужны сигареты. А что нужно — я уже сказал.

Пивоваров немного подумал и вдруг предложил Гурову зайти вместе с ним в буфет министерства.

— Всего на пять минут, если не возражаете, — мягко сказал он. — Здесь очень качественные продукты. А некоторые особенности моего организма вынуждают меня то и дело обращаться к диете. Врачи усиленно рекомендовали мне кисломолочные смеси. Вообще-то гадость, но...

Гуров не стал возражать против рекомендаций врачей. Пивоваров тут же приободрился и повел его вниз. Держался он уверенно, но в глазах Пивоварова по-прежнему стояла смертная тоска, и Гурову подумалось, что окружающий мир референт должен видеть непременно в черно-белом варианте, с преобладанием серого.

В большом светлом зале буфета Пивоваров заказал себе чашку простокваши и стакан вишневого киселя и, усевшись за столик, принялся неторопливо поглощать эту странную комбинацию блюд, флегматично посматривая по сторонам. Он и Гурову предложил заказать что-нибудь, но тот ограничился небольшой чашкой черного кофе и, махом проглотив его, предложил Пивоварову заняться делом немедленно.

— Да сколько угодно, — равнодушно ответил референт. — Только позвольте сначала нескромный вопрос. Вы за бабки работаете или по воле начальства? Зная нашего шефа, смею предположить, что бабками тут и не пахнет. Такие, как он, предпочитают «нажимать рычаги». Я угадал?

— Ну, вам лучше знать вашего шефа, — заметил Гуров. — Но хочу напомнить, что я — полковник МВД и работаю не за бабки, а за идею. Хотя в чем-то вы правы — сегодняшний случай из ряда вон выходящий, и без «рычагов» не обошлось. А для вас это важно?

— Это важно для вас, — глубокомысленно заметил Пивоваров, вытирая губы салфеткой. — Не смею вам советовать, но мне кажется, полковник, что вам сейчас лучше всего не торопиться. Усердие не всегда приносит успех. Вы, наверное, знаете это не хуже меня.

Гуров недовольно посмотрел на него.

— Я много чего знаю, уважаемый Николай Иванович, — сказал он. — Не знаю только одного: чего вы здесь крутите? Я от вас жду информации, а вы мне афоризмы зачитываете. Давайте-ка не размазывайте кашу по тарелке, а говорите по существу, куда делся этот ваш чучельник?

Пивоваров с сожалением покосился на него и бросил на столик измятую салфетку.

— Да я и сам не знаю, где он. Неделю назад шеф вызвал меня и говорит: «Что-то ерунда какая-то получается! Я такого зверя завалил, а Степаныч даже знать о себе не дает! Ему уже по всем телефонам названивали — никакой реакции. Тоже мне, премьер-министр!» Это у нас теперь тема такая болезненная. Ущемленное самолюбие — источник прогресса, сами понимаете. И ведь что интересно — немедленно составили и представили список специалистов, которые занимаются таксидермией. На вполне приличном уровне. Не катит. У нас ведь как? Приказ исполняется буквально, как в армии, иначе какое же к нам уважение? Куда деваться — пришлось мне взять ноги в руки и обскакать все точки, где мог засветиться наш чудо-мастер.

— И что же это за точки? — спросил Гуров.

— Ну, начал я с того, что поближе лежало, — ответил Пивоваров. — Навестил бывшую жену. Живет она в Раменках, на Мичуринском проспекте. Молодящаяся дама, злая, как ведьма. Кстати, и род занятий у нее подходящий — она на картах гадает. Таким же озлобленным разведенкам. Кстати, не бедствует. Но о бывшем муже даже слышать не хочет. В общем, ушел я от нее несолоно хлебавши. Дальше я попробовал сынка ее найти. То есть их общего с Ликостратовым сына. Он на другом конце Москвы живет, в Измайлове...

— Вы семьями дружите, что ли? — проворчал Гуров. — А сами вроде бы на самолюбие намекали?

— Когда шеф еще только раскрутку в бизнесе начинал, тогда ему незазорно было и с Ликостратовым водиться, — объяснил Пивоваров. — Потом, конечно, стал отдаляться. А нам куда ж деваться? Шестерки и есть шестерки. Со всякой сволочью приходится дело иметь.

— Это на кого же вы сейчас намекаете? — прищурился Гуров.

На спокойном лице Пивоварова не дрогнул ни один мускул.

— Да никогда мне этот Ликостратов не нравился! — убежденно заявил он. — Дело свое он, конечно, знает. И связи у него среди охотников имеются. Только сейчас ведь охота уже не в том почете, что раньше. И Валентин Алексеевич туда скорее по инерции ездит. Думаю, через месяц-другой он о ней и думать забудет. Неактуально это и даже не слишком расчетливо, принимая во внимание сопутствующие обстоятельства, вроде того же Ликостратова. А раз так — на хрена нам с вами, полковник, суетиться?

— Предлагаете плюнуть на просьбу министра? — небрежно спросил Гуров.

— Именно, — подтвердил Пивоваров. — С высокой колокольни. В конечном счете он же вам за это спасибо скажет. То есть не скажет, конечно, но от лишних неприятностей вы точно будете избавлены.

— До сих пор вся эта история не вызывала у меня никакого интереса, — заявил Гуров. — Но последнее заявление меня, признаться, насторожило. Вы что-то недоговариваете.

— Да я, собственно, все сказал, — удивился Пивоваров. — Ликостратов — скользкий тип, это однозначно. Ну, сами понимаете, человек, нигде не работающий, не может позволить себе загородный особняк и крутой внедорожник. Откуда-то он берет деньги? Понятно, чучела, хорошие знакомства — но этого мало. А такие, как Ликостратов, не брезгливы. Подозреваю, что он никогда не упустит возможность заработать. Сплошной черный нал, короче говоря. На каком-то уровне это приемлемо, но сейчас лучше бы держаться от него подальше.

— Зачем же в таком случае ваш Валентин Алексеевич ищет сближения? — поинтересовался Гуров. — Может быть, вы сгущаете краски?

— Я же говорю, по инерции, — объяснил Пивоваров. — Вот увидите, через неделю он и не вспомнит о Ликостратове. И про чучела свои забудет. Их у него, кстати, и без того предостаточно. А в его сегодняшнем положении всегда можно найти чем заняться.

— Вы как-то странно об этом говорите, — заметил Гуров. — Будто сторонний наблюдатель.

— В каком-то смысле так оно и есть, — кивнул Пивоваров. — Это мое последнее задание. Далее я буду безработным.

— Ну вот видите! Может быть, стоит постараться в таком случае? — сказал Гуров. — Глядишь, и сохраните рабочее место...

— Нереально, — помотал головой Пивоваров. — Для моего увольнения имеются веские причины, а для продления контракта их нет. Думаете, если я найду этого лишнего человека, что-то изменится? Лучше уж я спокойно доживу эту неделю и лягу в дрейф, пока что-нибудь не подвернется. Того же и вам желаю.

— С дрейфом пока ничего не выйдет, — категорически заявил Гуров. — Я уже сказал, что вся эта история мне с самого начала не нравится. Но в таком варианте она нравится мне еще меньше. Она начинает как-то скверно припахивать. Меня пока не интересует судьба неизвестного мне Ликостратова, и карьерные соображения вашего шефа меня тоже мало волнуют. Но я обещал своему начальству разобраться, и я разберусь. Так что будем продолжать поиски. Можете взять себе на добавку простокваши и расскажите, что там было дальше. Вы говорили про сына.

— Сына я тоже не нашел, — спокойно ответил Пивоваров. — Этот фрукт постоянно в разъездах. Так сказали соседи.

— А кем он работает?

— А бог его знает. Самого Ликостратова я видел неоднократно, общался. А вот сынок его для меня — загадка. Он большей частью при матери жил.

— Ясно. После того как сына вы тоже не нашли, что предприняли?

— Ну, тут уж я понял, что придется катить в глушь, — признался Пивоваров. — Терпеть не могу выезжать за пределы Садового кольца, а уж за пределы Москвы тем более.

— И все-таки пришлось?

— Ага, пришлось. Правда, недалеко. Шестьдесят километров от Москвы. Там деревенька была под названием Плетнево. Неперспективная. Русь уходящая, так сказать. Но места хорошие, приятные взору. Инициативные люди подсуетились и воздвигли там новое поселение. Название, правда, сохранили. Кое-какие избушки тоже еще целы. Но в основном там современные коттеджи. Черепичные крыши, глухие заборы, тарелки, гаражи, все как полагается. Уже не менее полусотни строений. Въезд, однако, свободный — ни шлагбаумов тебе, ни фейсконтроля. Правда, охрану они там себе наняли — в центре поселка есть сторожка, где сидят трое, следят за порядком. Если в поселок забредут чужие — шпана какая-нибудь или колхознички подвыпившие, — то они меры принимают. Какие — не скажу, потому что при мне ничего подобного не было. Еще они могут справку дать по местному населению — если, конечно, вы им понравитесь. Но вы-то им точно понравитесь, со своей красной книжечкой. Хотя где живет Ликостратов, я теперь и сам знаю...

— Значит, и у него побывали?

— Не то что у него, но рядом был. Хоромы знатные, хотя, на мой вкус, мрачноватые. Казематом отдают. Может, внутри по-другому, но внутрь я не попал. Ворота на замке, в доме ни огня, и охрана сказала, что вроде бы хозяин дней десять как уехал уже — в неизвестном для них направлении.

— И все?

— А что еще? Потом ему снова звонили — ни ответа, ни привета. Кабан в холодильнике протухает...

— Так это был кабан? — удивился Гуров. — Вроде бы не сезон?

— Ну, это уже другой вопрос. — Пивоваров развел руками. — Не станете же вы обвинять министра в нарушении сроков охоты?

— А интересно было бы попробовать, — улыбнулся Гуров.

— Попробуйте, — предложил Пивоваров. — Тогда уж вам точно будет не до Ликостратова. А кабан, по правде сказать, был знатный. Вепрь, одним словом. Клычищи — во! Так и просятся на стену в гостиной. Боюсь только, что протух он уже.

— Значит, вепрь, говорите? — переспросил Гуров. — Тогда действительно жалко, если пропадет. Значит, прямо сегодня и поедем.

— Куда? — не понял Пивоваров.

— Да в Плетнево, — ответил Гуров. — Нужно же наконец выяснить, куда мастер запропастился.

— В самом деле? — огорченно сказал Пивоваров. — Все-таки не хотите прислушаться к голосу разума? Ну, вам виднее. Только, мне кажется, сегодня уже поздно — за полдень уже давно перевалило. Что же, на ночь глядя ехать?

— Ну так что же, что поздно? — невозмутимо заметил Гуров. — Лучше поздно, чем никогда.

Глава 2

В Плетнево выехали не то чтобы на ночь, но все-таки поздновато. Солнце над шоссе приобрело кровавокрасный оттенок и неуклонно сваливалось к западному горизонту. Молодая зелень вдоль обочин, впитавшая за день немало бензиновых испарений, выглядела вялой и поблекшей. Было довольно жарко — до начала календарного лета оставалось менее двух недель.

Для поездки Гуров взял свою машину, хотя Пивоваров любезно предлагал воспользоваться его новеньким «Фольксвагеном» и даже настаивал на этом. Но Гуров предпочитал проверенные средства передвижения.

Кроме Пивоварова, с ними поехал напарник и друг Гурова полковник Крячко. История с пропавшим таксидермистом представлялась ему не более чем глупым анекдотом, но бросить товарища в трудную минуту он, естественно, не мог.

— Ну, и каждому интересно посмотреть новые края, — заявил он. — Никогда не был в Плетневе. Нужно расширять кругозор.

Гуров не разделял его энтузиазма. Плетнево его нисколько не интересовало, и ехал он туда только с целью раз и навсегда разделаться с неприятным делом. Гуров был убежден, что никакой загадки в исчезновении таксидермиста быть не может и в поселке отлично знают, где тот может находиться. Самым подозрительным в этой связи Гурову представлялось поведение и уклончивость господина Пивоварова, который знал что-то нехорошее о Ликостратове, но предпочитал ходить вокруг да около да напускать в свои объяснения туману. Наверное, для этого у него имелись свои резоны, но Гуров не любил вранья и бессмысленной траты времени, поэтому и отношение к референту сложилось у него весьма скептическое.

Особенно усилился этот скептицизм, когда примерно через полтора часа они встретились с Пивоваровым в назначенном месте. Референт выпросил это время, чтобы, как он выразился, хорошенько подготовиться к поездке. Зачем и как нужно было готовиться к столь заурядному действу, Гуров искренне не понимал до тех пор, пока вновь не увидел Пивоварова. Референт сменил костюм, сорочку и основательно принял на грудь.

Это сразу обнаружилось по его благодушно-ироническому настроению и по крепкому запаху хорошего коньяка, исходившему от референта. Гуров тут же вспомнил про его рассуждения о комплексе причин для собственного увольнения и понял, что, собственно, имелось в виду. Никаких замечаний по этому поводу Гуров высказывать не стал, поскольку Пивоваров казался ему достаточно взрослым человеком, чтобы жить своим умом, но последние крохи симпатии к нему исчезли.

Крячко, напротив, воспринял ароматного референта почти с восторгом и, знакомясь, уважительно покрутил носом. Правда, от замечаний он тоже отказался, но по его погрустневшему взгляду Гуров понял, что в этом случае речь идет об элементарной зависти. Эта слабость была Гурову хорошо известна, и заострять внимание на ней он не стал намеренно.

Несмотря на хмель, Пивоваров компании не испортил. Даже наоборот, обычная флегматичность его куда-то улетучилась, и он всю дорогу развлекал оперативников анекдотами и случаями из жизни, еще более анекдотическими. При этом он умудрился ни разу не коснуться подробностей жизни своего начальства и вообще был в этом отношении чрезвычайно корректен. Гуров понял, что имеет дело с человеком редкой выучки и самообладания, прошедшим хорошую карьерную школу. Если бы не его склонность к напиткам, он наверняка бы имел большое будущее. Впрочем, судя по общему настрою, Пивоваров и сейчас не особенно комплексовал насчет своего будущего.

В Плетнево приехали в семь часов вечера. Было еще совсем светло, и в поселке, если так можно выразиться, вовсю кипела жизнь. Ворота многих владений были распахнуты, по асфальту то и дело прокатывались дорогие автомобили, на окраине деловито урчали грузовики, с которых разгружали стройматериалы. На черепичных крышах горели предзакатные отсветы — в общем, было весело.

Первым делом, остановив машину в центре поселка, Гуров предложил Пивоварову еще раз набрать домашний номер Ликостратова, что тот незамедлительно и исполнил, получив в итоге порцию длинных гудков.

— Нет его, — заключил Пивоваров. — Зря жгли бензин, полковник. И амортизация машины, опять же... Я предлагал свою тачку. Мне-то ведь все равно придется до дна пить эту чашу, а вам-то зачем? Кстати, о чаше. Здесь и магазин есть. Учитывая состав населения, ассортимент вполне приличный. Что, если мы с вами туда заглянем? В конце концов, не так будет обидно, что зря в такую даль мотались. Я угощаю.

— По-моему, хорошая мысль, Лева! — подхватил Крячко. — Как ты полагаешь? Действительно, как представишь, что обратно трезвым ехать, сразу как-то тягостно на душе становится.

— У меня другой взгляд на это, — сердито сказал Гуров. — У нас конкретное дело, а не пикник, между прочим. Раз Ликостратова на месте нет, значит, переходим к следующей части плана. Опрос охраны и соседей. Если вам это неинтересно, я сам этим займусь.

Он выбрался из машины и направился к зданию, в котором располагалась поселковая охрана. Это был небольшой щитовой домик, полностью погруженный сейчас в густую тень росшего поблизости старого вяза. На крыльце домика стоял невысокий плотный парень в черной форме, без головного убора. Через раскрытую дверь из дома доносились звуки музыки — на магнитофоне крутили что-то гитарное, маршеобразное, «мужское», исполняемое с отчаянной хрипотцой и надрывом.

Гуров подошел и поздоровался. Парень благожелательно кивнул, с интересом рассматривая Гурова и машину за его спиной.

— Ищете кого-то? — догадался он.

— Ищем, — кивнул Гуров. — Тут у вас господин Ликостратов проживает. Судя по всему, дома его уже давно нет. Так, может, кто-нибудь в курсе, где он может находиться? В конце концов, у него тут хозяйство. Если он в отъезде, наверное, кто-то должен присматривать?

— А-а, это тот мужик, который заказы на чучела берет? — вспомнил охранник. — Есть такой. Только он часто вообще уезжает. А чтобы кто за его хозяйством присматривал — такого не помню. Может, Жирнов знает? — Он обернулся и окликнул кого-то в глубине помещения: — Слышь, Жирнов! Выдь на минуту! Тут про одного мужика объяснить надо!

Жирнов появился через минуту — широкий, по-медвежьи сутулый, с мрачным недоверчивым взглядом. Он что-то жевал на ходу и вытирал о штаны засалившиеся ладони.

— О чем базар? — хриплым низким голосом спросил он, пристально всматриваясь в лицо Гурова. — Ищете кого-то?

— Ликостратова он ищет, — объяснил первый охранник. — Может, чучело человеку набить надо, а тот как уехал, так и пропал.

— Чего это пропал? — грубовато спросил Жирнов. — Никуда никто не пропал. У нас все на месте. Другой вопрос: по какой такой необходимости вы об нем справляетесь? У нас тут не проходной двор и не справочное бюро. Будьте добры документик представить, тогда и поговорим.

Гуров «представил документик» без разговоров. Жирнов перестал жевать, еще раз вытер руки — на этот раз о форменную куртку — и с величайшей бережностью взял удостоверение.

— Вот, значит, какой компот получается! — глубокомысленно заключил он наконец. — Это, значит, как же понимать — проштрафился наш Ликостратов или вы к нему по личной надобности, товарищ полковник?

— Это уж как хотите, так и понимайте, — отрезал Гуров. — А мне важно ответ на свой вопрос получить.

— Ага, понимаю, — солидно сказал Жирнов и, посмотрев на своего товарища, неожиданно добавил: — А так ведь был он здесь! Ликостратов ваш. Как раз сутки назад и был. Приехал под вечер на «Ниве». У него черная «Нива», новая, такая, как их сейчас выпускают, — под джип, то есть с прибамбасами всякими, ну, вы понимаете... Машина вся в пыли была — я еще подумал: издалека мужик рулит. А он быстро так проехал и к себе. Ну а что там дальше было, я не знаю. Его хату отсюда не видно, но вроде назад не выезжал.

— Так, выходит, он здесь сейчас? — недоуменно произнес второй охранник. — А вот товарищ полковник утверждает, что попасть к Ликостратову не имеет возможности. Не реагирует он на сигналы. Да и я вроде бы его не замечал.

— Ну кто его знает, чего он не реагирует? — философски заметил Жирнов. — Всякие варианты могут быть. Например, запил человек. Или проблемы у него — видеть никого не может. Опять же, сегодня здесь был, а завтра по новой убыл. Тоже может иметь место.

— Убыл? — переспросил Гуров. — Вы хотите сказать, что видели, как Ликостратов уехал?

— Нет, этого я сказать не хочу, — возразил Жирнов. — Чего не видел, того не видел. Но в ту ночь катались тут всякие. Оживленно было, как на Тверской. Но чтобы Ликостратов обратно проезжал — этого точно сказать не могу, потому что не следил. По правде говоря, он ведь при желании мог и другим путем уехать. С той стороны поселка тоже выезд есть. Правда, грунтовка, но погода сейчас нормальная, да и тачка у него подходящая. Вполне мог той стороной уехать.

— Так-так, — задумчиво сказал Гуров. — И часто этот человек вот эдак уезжает-приезжает? Вообще, есть тут в поселке кто-то, с кем он дружен? Кто бы мог быть в курсе его планов? Ну так, по-соседски — все-таки здесь все рядом...

Охранники переглянулись и дружно пожали плечами.

— Да у нас как бы такого не водится, — смущенно признался наконец Жирнов. — У нас тут наоборот — каждый сам по себе. К соседу во двор не заглядывает. Люди-то, по правде говоря, все разные. В том смысле, что разными путями здесь строились. Ну, конечно, есть и знакомые, но этот Ликостратов, по-моему, ни с кем особенно не дружит. Друзья, как водится, в Москве, а сюда люди поспать приезжают. Спальный, типа, район!

— Насчет этого тут хорошо, — мечтательно сказал второй охранник. — Тихо, как в раю! Хотя, конечно, не по-людски, когда все друг друга сторонятся. Но так уж приучили — в чужие дела носа не суй!

— Ну а у нас другая история, — заметил Гуров. — Мы как раз наоборот — везде нос суем.

Он вернулся к машине и пересказал то, что узнал от охранников.

— Ну а я что говорил? — с облегчением констатировал Пивоваров. — Исчез, и ладно. Попутный парус ему в задницу! Мы сделали все, что могли. Поверьте, полковник, сам Шерлок Холмс не сделал бы больше. Так не пора ли нам с вами остановиться? Не хотите отпраздновать окончание работы — ваше дело. В таком случае предлагаю засветло вернуться в Москву, чтобы уже там предаться порокам соответственно наклонностям каждого...

— Послушайте, господин Пивоваров! — с досадой сказал Гуров. — Ваше демонстративное легкомыслие меня раздражает. Мало того, что я вынужден, в сущности, заниматься откровенной ерундой, так я еще должен заниматься ею под аккомпанемент вашего словоблудия! Мне это надоело! Вообще, у меня складывается впечатление, что вы — первый, кто знает что-то о местонахождении Ликостратова, но по каким-то причинам предпочитает эту информацию скрывать. Своему начальству вы можете морочить голову сколько угодно, но с нами этот номер не пройдет. Или вы перестанете морочить нам головы, или я обещаю вам солидные неприятности!

Лицо Пивоварова вытянулось, но это не было проявлением испуга. Референт был скорее удивлен до глубины души резкими словами Гурова.

— Вы на самом деле так думаете, полковник? — недоверчиво протянул он. — В том смысле, что я от вас что-то скрываю? Но это полная ерунда! Я с вами даже более откровенен, чем того требует необходимость. Это ведь я подсказал вам наиболее верную линию поведения, которой вы не пожелали придерживаться. А теперь, зайдя в тупик, вы пытаетесь сделать из меня козла отпущения. Не очень-то это красиво!

— А мы тут не о прекрасном собрались рассуждать, — оборвал его Гуров. — К сожалению. Нам нужно решить, что теперь делать.

— А что тут делать, Лева? — пожал плечами Крячко. — В принципе, Николай Иванович прав — все, что могли, мы уже сделали. Даже получили информацию, что Ликостратов жив и здоров. А где он мотается, это уже не наша забота. Тебя ведь не просили его найти? Конечно, можно было бы установить номер его машины, дать установку на посты ГАИ, но нужно ли это делать? У меня сложилось такое впечатление, что никому это особенно не нужно. Так, минутный каприз! Кстати, сколько, вы говорите, лежит уже туша? Неделю? Так ее можно уже спокойно выбросить. По-моему, для чучела она уже не годится.

— О том, что это каприз, я сразу говорил, — заметил Пивоваров. — И о том, что трофей уже прокис, я тоже намекал. И вообще все это не стоит выеденного яйца. Ей-богу, поедемте домой!

Гуров недовольно покрутил головой. Чувствовал он себя катастрофически глупо. Если в начале этой истории хотя бы имелся какой-то намек на криминал — исчез человек, — то теперь она и в самом деле не выходила за рамки частного недоразумения. Никуда никто не исчезал — просто уехал человек по делам, потом приехал и, возможно, уехал опять. Разве что дела эти вызывали сомнение. Действительно, откуда хоромы? Откуда внедорожник, о котором говорил Пивоваров?

— А кстати, про внедорожник! — вдруг обратился Гуров к референту. — Помнится, вы говорили о какой-то крутой тачке. А тут выясняется, что у Ликостратова обычная «Нива».

— Ага, у него «Лендровер», — уверенно сказал Пивоваров. — Я лично его на нем видел. И неоднократно. А про «Ниву» ничего не знаю. Хотя, в принципе, кто мог ему помешать купить «Ниву»?

— Действительно, были бы деньги, — буркнул Гуров. — Мне этот ваш Ликостратов нравится все больше и больше. Машины меняет, министры его ищут, туши из-за него пропадают...

— Чтоб я так жил — как говорят в Одессе! — со смехом заметил Крячко. — Одним словом, есть чем порадовать министра, Лева. Может, в самом деле пора ехать?

— Сначала все-таки заглянем к нему домой, — решил Гуров. — Лучше один раз увидеть. Вот увижу своими глазами, что дверь заперта, тогда и поедем.

— Ну, дверь-то можно и отпереть, если очень любопытно, — неожиданно сказал Крячко. — Ну так, слегка, никто и не заметит...

— Я тебе отопру! — сердито сказал Гуров. — Начали за здравие, кончили за упокой. Вот всегда у тебя так.

— Да я просто предложил, — мирно ответил Крячко. — Если есть желание...

— Нет у меня такого желания! — рявкнул Гуров, покосившись на референта. — И быть не может. Думай, что говоришь!

— Вы на меня не обращайте внимания, — сказал Пивоваров. — Если считаете нужным, то хоть обыск делайте, меня это не колышет. Только смысла в этом никакого. Если бы Ликостратов был дома, он наверняка бы отозвался. А в его отсутствие чего туда ходить? Нет, не вижу я смысла.

— Чтобы на сто процентов убедиться, — ответил Гуров, усаживаясь за руль. — Вся эта возня мне не по душе, но в недоделанном виде она просто вызывает у меня отвращение. Говорите, куда ехать.

Пивоваров в двух словах объяснил. Они проехали еще метров сто, свернули направо и остановились перед двухэтажным строением, обнесенным желтоватым кирпичным забором. Здание стояло немного в стороне от общего ряда, и ворота его выходили на ровную бетонированную площадку, за которой начиналось то, что можно было назвать «чисто поле». Местность была покрыта изумрудной травой и пересекалась неглубокими овражками. Далеко у горизонта розовели облака, наполненные солнцем. Его багровое пламя отражалось в слепых окнах второго этажа. Со стороны дом казался то ли спящим, то ли необитаемым. В нем действительно ощущалась некая тюремная мрачность, о которой говорил Гурову Пивоваров.

Гуров вышел из машины и без колебаний направился к воротам. Крячко, который уже порядком засиделся, тоже вылез и, лениво потягиваясь, побрел вслед за другом. Меньше всех был заинтересован тем, что происходит, Пивоваров. Он, правда, тоже покинул машину, но никуда не пошел, а, прислонившись к капоту, достал из кармана сигарету, закурил и стал размеренно и меланхолично пускать дым в небо.

Гуров подошел к воротам, поискал глазами и высмотрел кнопку электрического звонка, которую тут же прилежно и нажал. Видимо, сам звонок находился достаточно далеко, потому что Гуров ровным счетом ничего не услышал и на всякий случай еще раз повторил попытку.

— Что, не открывают? — зевая, спросил Крячко и безо всякой задней мысли, машинально толкнул створку ворот.

Она неожиданно легко открылась, и оперативники увидели за ней двор, а во дворе запыленную и забрызганную грязью черную «Ниву». Крячко от удивления так высоко задрал брови и сделал такое забавное лицо, что Гуров едва удержался от смеха. Впрочем, он и сам был порядком удивлен.

— Я любопытный, — сказал он. — И если до сих пор все это меня тяготило, то теперь у меня невольно возникают вопросы. Например, такой — что все это может значить?

— Ну, прежде всего кому-то тут дурят голову, это точно! — убежденно сказал Крячко. — Не знаю кому, но не нам, это точно. Мы-то ведь еще чуть и уехали бы. Нам-то это все по барабану.

Гуров хмуро посмотрел на беззаботно покуривающего возле машины Пивоварова и сдвинул брови.

— Дурят голову, допустим, не нам, но компанию составить предлагают, — сказал он. — И в чем секрет этой игры, я никак не пойму. Господин референт подчеркнуто отстранен, изображает философа, но, по-моему, что-то знает. Господин министр... А впрочем, черт их разберет! Давай зайдем, раз уж дверь открыта. Машина здесь, а хозяин не отзывается. Вдруг с ним беда случилась?

— Какая беда может случиться в этом райском уголке? — пожал плечами Крячко. — Но зайти я не против. Обожаю интересоваться чужой жизнью. Может быть, потому, что редко кто живет хуже меня. Как правило, все живут лучше. Посмотришь на чужое великолепие, и на душе спокойнее становится.

— Это отчего же? — спросил Гуров.

— От недостижимости, — пояснил Крячко. — Я когда чужой уют вижу, сразу прикидываю, в какую сумму и в какой временной отрезок он обошелся. И вижу, что мне можно уже не беспокоиться.

— Я чувствую, здесь тебе будет особенно спокойно, — усмехнулся Гуров. — Заходи!

Но зайти во двор они не успели. Господин Пивоваров, почувствовав что-то необычное, выбросил сигарету и поспешно присоединился к оперативникам.

— Нет, в самом деле! — воскликнул он, недоверчиво переводя взгляд с Гурова на Крячко и обратно. — Вы все-таки решили вскрыть замок? Я, собственно, не против, но честно предупреждаю — зря это. Игра не стоит свеч.

— Не трещите как сорока, — сказал Гуров. — Никто ничего не вскрывал. Ворота были отперты. И, между прочим, машина хозяина здесь. Вон она стоит, полюбуйтесь.

Пивоваров округлил глаза.

— В самом деле! — повторил он. — Машина. Думаете, Ликостратов дома? А что же он на звонки не отвечает?

— Если он дома, спросите его об этом лично, — сказал Гуров. — Мы намерены войти. Вдруг с Ликостратовым что-то случилось? Как у него вообще со здоровьем?

Пивоваров непонимающе наморщил лоб.

— Что? Со здоровьем? — спросил он. — М-м, даже не знаю...

— Ладно, сейчас это уже не имеет значения, — махнул рукой Гуров. — Ворота не заперты. Наверное, мы имеем право полюбопытствовать. Вы ведь прежде здесь практически не бывали, Николай Иванович?

— Ну да, кроме как неделю назад, ни разу не был, — признался Пивоваров. — Да и тот раз, можно сказать, фрагментарно. Вы продвинулись гораздо дальше меня.

— Я тоже так думаю, — кивнул Гуров. — Значит, вперед!

Они вошли во двор, который сложно было назвать чересчур благоустроенным. Все здесь было подчинено голой функциональности — ровная просторная площадка, на которой удобно разворачивать автомобиль, мрачноватый дом, окна нижнего этажа которого для большей надежности затянуты решетками, и больше, пожалуй, ничего.

Попасть внутрь здания можно было двумя путями — через парадный вход и через ворота гаража. Гуров начал, как и положено, с парадного.

Здесь его ожидало не слишком обнадеживающее открытие — дверь была надежно заперта. Не стоило говорить о том, что на звонки по-прежнему никто не отвечал.

— Ну вот и все, — с облегчением сказал Пивоваров, когда убедился, что вторжение отменяется. — Просто забыл запереть ворота, когда уезжал. Никакой мистики.

— Мистика в том, что уехал он не на машине, — заметил Крячко. — Он ее даже в гараж не потрудился поставить. Это в том случае, если он решил поменять ее на «Лендровер». Любой на его месте сделал бы это. А он не стал, и это очень странно.

— Тут все скорее наоборот было, — сумрачно заключил Гуров. — Никто никуда не уезжал. Человек приехал чем-то расстроенный или, допустим, больной. Впопыхах забыл запереть ворота, бросил машину во дворе и прошел в дом. Дверь он закрыл, а потом... Вот что было потом — это важно. Поскольку на звонки он давно уже не реагирует, я начинаю подозревать самое худшее. Очень может статься, что весь секрет именно в этом. Ликостратов никуда не исчезал. Он или тяжело болен, или...

Крячко выслушал Гурова, морща лоб, а потом вдруг направился вразвалочку к воротам гаража и попытался их открыть.

Гуров поймал себя на мысли, что почему-то почти не удивился, когда ворота без малейшего сопротивления открылись. Крячко торжествующе оглянулся.

— Ты, Стас, слово какое-то знаешь, что ли? — проворчал Гуров, подходя ближе. — К чему ни прикоснешься, все тут же открывается. Как это тебе удается?

— Рука у меня легкая, — довольно сказал Стас. — Да нет, просто я подумал, что если он про одни ворота забыл, то и вторые мог из поля зрения выпустить. Бывает, зациклишься на чем-нибудь, а про самое важное забываешь. Главное, из гаража мы теперь в дом попасть можем, и даже постановление прокурора не потребуется.

— Вот только темновато тут, — проворчал Гуров, заглядывая внутрь гаража. — Где-то тут наверняка выключатель должен быть. Ага, кажется, нашел... Сейчас...

Он пошарил рукой по стене и зажег свет. Они увидели довольно просторное, аккуратно убранное помещение, примерно третью часть которого занимал темно-зеленый джип «Лендровер» с московскими номерами.

Ввалившийся последним, Пивоваров сразу его увидел и объявил во всеуслышание:

— А вот и он! Я же вам говорил, что у него «Лендровер»!

Ни Гуров, ни Крячко не отреагировали на его жизнерадостное восклицание. Оба остановившимися глазами смотрели на тело человека, лежавшее на бетонном полу в двух шагах от автомобиля. Этот человек был давно и безнадежно мертв.

Глава 3

— Труп мужчины, среднего роста, одетого в кожаную куртку и черные брюки, лежит ничком на полу головой к западу, — равнодушно-деловой скороговоркой заговорил Крячко. — Из видимых повреждений...

— Кончай трепаться! — оборвал его Гуров и стал медленно обходить тело кругом, стараясь не наступить на возможные следы. — Нашел время шутки шутить.

— Где же ты видишь шутки, Лева? — с укором спросил Крячко. — Когда все так и есть? Посмотри на его голову!.. По всей вероятности, смерть наступила вследствие размозжения черепной коробки вышеупомянутого трупа, причем рана, скорее всего, была нанесена с помощью стальной монтировки, находящейся тут же, возле трупа, и носящей следы крови и поверхностных тканей...

— Да уж, — мрачно сказал Гуров, — что называется, попали! На ровном месте да мордой об асфальт! Где этот референт чертов? — Он сердито оглянулся.

— Я здесь, — шелестящим голосом произнес откуда-то из угла Пивоваров.

Он стоял, привалившись плечом к стене, у самого выхода. Даже со стороны было видно, как сильно побледнело его лицо. От обычной вальяжности и флегматичности даже следа не осталось.

— Господа сыщики, — тоном умирающего сказал он. — Мне нужно хорошенько выпить. Давайте поищем в доме!

— Повело кота на... — буркнул под нос Гуров, а вслух прикрикнул на «поплывшего» референта: — Возьмите себя в руки, Николай Иванович! Вы же мужчина!

А Крячко сочувственно добавил при этом:

— Вы поймите, Николай Иванович, что теперь любой предмет в этом доме может служить уликой. Если мы с вами сейчас что-нибудь здесь выпьем, то вполне можем уничтожить важную улику. Хотя, откровенно говоря...

— Ладно, хватит нам откровений! — резко сказал Гуров. — У нас тут убийство нарисовалось. Дело исключительно серьезное и, надо сказать, весьма неприятное. Попрошу и вести себя соответственно.

— А я о чем? — жалобно простонал Пивоваров. — Если я сейчас не выпью, то у вас тут два трупа будет. Я с детства крови боюсь до судорог. И мертвецов тоже. Со мной на похоронах обязательно обморок случается.

Как бы в подтверждение своих слов, он тут же медленно сполз по стене на пол, сел на грязный бетон и уронил голову на грудь.

— Только этого нам еще и не хватало! — в сердцах сказал Гуров. — Стас, сделай же что-нибудь, пока этот деятель тут все следы не затер! Выволоки его на двор, что ли... Разрешаю немного даже по физиономии смазать — для тонуса. Но не перестарайся смотри!

— Я не перестараюсь, — пообещал Крячко, направляясь к раскисшему референту. — Я в самый раз.

Он бережно подхватил Пивоварова под мышки и поволок вон из гаража. Тот не мешал себя перемещать и только едва слышно попросил по морде все-таки не бить.

— У меня работа такая, — объяснял он печально. — Мне с разбитой мордой нельзя.

Они скрылись за воротами, а Гуров присел на корточки возле трупа. Крячко, в сущности, был совершенно прав — насчет орудия убийства сомневаться не приходилось. Испачканная засохшей кровью, с прилипшими к ней волосами, тяжелая монтировка валялась на полу в непосредственной близости от трупа, да и характер повреждений на черепе жертвы недвусмысленно указывал на применение именно такого тупого и твердого предмета. Удар был нанесен с приличной силой — все лицо убитого перемазано кровью и исковеркано. Трудно назвать даже примерный возраст погибшего.

— Хотел бы я знать, кто это вообще такой? — недовольно проговорил Гуров. — Хотя есть у меня предчувствие, что это не Ликостратов, а совсем наоборот.

Немного подумав, он решил все-таки проверить карманы погибшего и уже протянул было руку, как вдруг снаружи раздался пронзительный визжащий звук, завершившийся короткой паузой, а затем гулким грохотом металла.

— Ну и где эта падла! — во всю силу легких заорал кто-то во дворе.

Голос был совершенно незнакомый Гурову, наглый и пропитой. Но встревожил его не столько голос, сколько последовавший за выкриком шум, уж очень он смахивал на звуки самой настоящей драки — смачные шлепки, хеканье, топтание по асфальту и прочие признаки настоящего мужского противостояния.

Гуров вскочил и без раздумий выхватил из наплечной кобуры пистолет. С определенного момента в этом странном доме все было предельно серьезным, и вряд ли стоило благодушествовать.

Гуров выскочил из гаража. Ворота во двор были распахнуты настежь, а между столбами, как застрявшая в горле кость, торчал незнакомый черный «Мерседес». Разумеется, возник он в этом месте не сам по себе, а по воле каких-то весьма живых хлопцев, которые, покинув машину, уже активно внедрялись на территорию Ликостратова. Гурову некогда было их разглядывать, но то, что парни эти не были интеллектуалами, было ясно сразу. Они предпочитали физические упражнения на свежем воздухе. Чем-то похожим занимались они и сейчас. Во всяком случае, кулаки их так и свистели в воздухе.

Было их четверо, хотя один почему-то уже лежал, зато остальные трое вовсю наседали на яростно отбивающегося Крячко. Полковник, прижавшись спиной к стене дома, держал оборону, раздавая направо и налево крепкие удары, но положение его с каждой секундой становилось все проблематичнее. У него не было даже времени подать голос.

На этом фоне совершенно куда-то потерялся референт Пивоваров, но, по правде говоря, Гуров о нем в эту минуту даже слегка подзабыл. Нужно было выручать друга.

Гуров бросился к дерущимся и на бегу выстрелил в воздух.

— А ну, прекратить немедленно! — заорал он.

И поскольку этот крик остался как бы гласом вопиющего в пустыне, Гурову пришлось прибегнуть к мерам чисто физического воздействия. А проще говоря, хорошенько врезать рукояткой пистолета по бычьему затылку одного из драчунов, оказавшегося к нему ближе всего. Он старался не переусердствовать, но, видимо, ярость, клокотавшая в нем, неудержимо рвалась наружу. От его удара противник сразу же распластался на асфальте, уткнувшись носом в пыль и нелепо раскинув руки.

В ту же секунду ободренный поддержкой Крячко провел удачный хук и привел в состояние грогги еще одного драчуна. Но зато последний, движимый каким-то отчаянным упрямством, успел ногой, обутой в подкованный ботинок, сильно пнуть Крячко в коленную чашечку. Крячко споткнулся и скорчился в три погибели, но в тот же миг Гуров завернул нахалу за спину руку и сунул под нос дуло пистолета.

— А ну-ка, угомонись! — зловеще произнес он. — Мозги вышибу!

Гуров, конечно, слегка преувеличивал свои намерения, но полагал, что некоторая красочность в данном случае не помешает. К тому же он был чертовски зол и, надо сказать, растерян. Никаких мало-мальски разумных объяснений происходящему он не видел, и это страшно его раздражало.

Между тем противник, лишенный возможности двигаться и сопротивляться, что-то мычал, пытаясь избавить свое несимпатичное лицо от неприятного соседства холодного и твердого пистолетного ствола. Гуров не давал ему такой возможности, довольно бесцеремонно наращивая давление, но не из жестокости, а просто желая в корне пресечь дальнейшие попытки сопротивления.

Человек, которого ему удавалось пока удерживать, был, однако, силен и, несмотря на угрозу оружия, никак не желал признать своего поражения. Он не прекращал также и своего возмущенного мычания, в котором постепенно Гуров смог угадать кое-какие осмысленные фрагменты.

— Падла... замочу... пусти, сука!.. — в общем, ничего обнадеживающего.

Гуров оглянулся по сторонам. Тип, которого он сбил с ног, все еще пребывал в горизонтальном состоянии и опасности представлять не мог. Зато уже пришел в себя тот, что с самого начала отдыхал. Желто-розовый синяк под его левым глазом недвусмысленно указывал на причину, по которой он оказался выключенным из событий. Включаться в них ему, видимо, не слишком хотелось, да и пистолет в руке Гурова подсказывал, что свалка перешла на качественно новый уровень, который грозил самыми непредсказуемыми последствиями. Но взять на себя ответственность за принятие решений этот человек был не готов. Он смотрел на гуровского пленника. На него же уставился и следующий воспрянувший участник драки, и Гуров понял, что прижал главаря.

Пришел в себя и Крячко. Он совсем не по-джентльменски двинул кулаком под дых того, кого держал Гуров, а потом, страшно ругаясь, надел на него наручники. Через несколько секунд стало окончательно ясно, что сопротивления не будет — главный был выключен из процесса полностью, а двое его очухавшихся приятелей кое-что сообразили и притихли.

Некоторое время оперативники и парни с разукрашенными физиономиями мрачно и недоверчиво смотрели друг на друга. Потом Гуров сказал:

— Ладно, придурки великовозрастные, может быть, объясните наконец, что это все означает?

Вопрос оказался «придуркам» явно не по силам. Они долго собирались с мыслями, а потом один из них мрачно признался:

— Типа того, ошибка вышла, начальник. Сгоряча это мы... Вообще-то мы с хозяином пришли разобраться.

— Не лучшее время вы выбрали, чтобы ошибаться, — сказал Гуров. — За нападение на сотрудников милиции при исполнении ими служебных обязанностей... А кстати, с чего это вы вообще вздумали напасть?

— А ты правильно сказал — придурки, — объяснил Крячко. — Бог обидел, да и с образованием тут явная напряженка. Два класса и коридор, не иначе. Подлетели на своей тачке, как бешеные, чуть ворота не снесли. Я сразу-то не среагировал, потому что этого задохлика к месту пристраивал. А тут вваливается эта банда и сразу, без разговоров — в пятак! Ну я, конечно, немного расстроился...

— Это я уже видел, — перебил его Гуров. — Руки-ноги у тебя, надеюсь, целы?

— Нога, наверное, опухла, — мрачно сказал Крячко. — Этот гад пнул в самую чашечку. Если лишусь ноги, ему обе поотрываю!

— Согласен, — сказал Гуров. — Но где же референт? Может, он нам сможет что-то членораздельно объяснить?

— Ничего он не сможет, — презрительно заявил Крячко. — Потому что вот этот, с седым клоком, так долбанул его по черепу, что твой референт, Лева, улетел, по-моему, на луну... Во всяком случае, я его больше поблизости не видел.

Референт действительно не подавал никаких признаков жизни и словно растворился в воздухе, поэтому Гуров сосредоточил все внимание на человеке, который лежал в наручниках у него под ногами. Крячко отметил совершенно правильно — у этого типа на лоб среди прочих прядей русого цвета спадала одна, имеющая благородный седой оттенок. Наверное, это было у него врожденным — для настоящей седины парню было еще далеко.

Гуров поманил его приятелей поближе. Они неохотно подчинились, опасливо косясь на пистолет.

— Ну, если языки у вас плохо ворочаются, то давайте по порядку! — распорядился Гуров. — Кто такие? Анкетные данные, род занятий, адреса! И с какой целью здесь появились — выкладывайте все!

— Ну-у... Я вот Микола, — явно смущаясь, сказал один из парней. — А это — Славик. Мы с Пашей Липецким...

— Вот только кликух не надо! — резко прикрикнул на него Крячко. — Отвечай по-человечески — имя, фамилия...

— А это и есть имя, — виновато ответил назвавшийся Миколой. — Вот он и есть Паша Липецкий. Фамилия его такая. — Он кивнул на человека в наручниках.

Тот, словно ожив при звуке своего имени, заворочался на асфальте, захлопал глазами и попытался сесть. Из его горла вырвался хриплый звук, отдаленно напоминающий распространенное матерное ругательство. Крячко наклонился и крепко взял его за шиворот.

— Спокойнее, Паша Липецкий! — сказал он с угрозой. — Будешь выкидывать фортеля, я тебе враз свою ногу припомню. Документы при себе есть?

Человек с седой прядью опять выругался и со злобой уставился на своих товарищей, которые переминались с ноги на ногу, относительно свободные и почти не пострадавшие.

— А вы кто такие? — наконец сумел он сформулировать давно тревожившую его мысль.

— В самом деле, пора объяснить товарищам, на кого они подняли свою неумытую руку, — усмехнулся Крячко и сунул Липецкому под нос свое удостоверение.

Реакция пленника была для него неожиданной.

— Ну правильно, в натуре! — убежденно сказал тот. — Взяли наконец за жопу этого подлюгу? Давно пора! А то я его точно урою, и придется за эту тварь на нарах париться.

Гуров удивленно посмотрел на его разгневанное лицо.

— Вы сейчас о ком, Паша Липецкий? — спросил он. — За зигзагами вашей мысли очень трудно уследить. Попрошу прокомментировать.

— А? — нахмурив лоб, переспросил пленник. — Кого комментировать? Я говорю, правильно вы за этого чучельника взялись. Только мозги людям парит. Злой я на него до невозможности. Потому и вам досталось. Я ведь что думал? Я ведь думал, что вы из его команды, в натуре. Ну и не выдержало сердце!

— Слабое у тебя сердце, Паша! — усмехнулся Крячко. — Вот и у меня оно тоже такое. Слабое, но отходчивое. Так что, если ты все нам сейчас толком расскажешь, я могу даже позабыть про свою искалеченную ногу. А в противном случае можешь поискать в своем мобильнике номер своего адвоката. Последние гроши на него истратишь, и все равно пятерик я тебе обещаю.

— Ну вот, — искренне огорчился Паша Липецкий. — Я вам все, как оно было на самом деле, объясняю, а вы сразу — пятерик... За что пятерик? Человек имеет право на состояние аффекта?

— А чего это тебя в аффект бросило, Паша? — спросил Гуров. — Ты вообще кто по жизни? Документов у тебя с собой, значит, нет?

— Есть документы, — буркнул Паша. — В нагрудном карманчике. Только у меня копыта на замке — сами доставайте.

— Мы не гордые, мы достанем, — сказал Крячко.

Он вытащил у Липецкого из кармана паспорт и внимательно его просмотрел.

— Все сходится, Лева! — сообщил он. — Все на месте — прописка, штамп о браке. Даже дети записаны. Маленькие еще. Когда он в тюрьму сядет, лет пять еще можно будет заливать, что их папа — полярный летчик...

— Да ладно, летчик! — сумрачно проговорил Липецкий. — Я водкой торгую. У меня все законно — лицензия, аренда, кому надо — на лапу всегда отстегиваю. Последняя судимость уже два года как снята. Никому не мешаю, все реально...

— А чем же тебе чучельник не угодил? — спросил Гуров. — И с какой стати ты вдруг нас за его команду принял? Никогда не слышал, чтобы таксидермисты в команды сбивались.

— Чего? Я вам не про таксистов толкую. Я про этого, который чучела кроит. Ликостратов его фамилия. Крутого из себя строит. Лишнего не базарит, бабками сорит, тачки у него... Только все это понты. Я все равно его достану, никуда он от меня не денется.

— Опять ты за свое, Паша! — перебил его Крячко. — Ты толком объясни, чем тебе Ликостратов не угодил. Кстати, таксидермист по-научному — это и есть тот, кто чучела делает, а вовсе не баранку крутит. Это тебе для общего образования.

— Чем не угодил? А вот как вы рассудите? Я этому жлобу три месяца назад тушу привез — вот пацаны подтвердят. Лося! Красавец! Рога — во! Договорились, он мне башку оформит, чтобы на стенку дома повесить. Я ему аванс отстегнул неслабый. И что? Первый раз к нему по-хорошему приехал — не готово. Приехал еще раз. В отъезде. Звоню — завтраками кормит. Работы, говорит, много срочной. А моя работа, значит, несрочная? Я предупредил, что через два дня зайду — чтобы все было. Через два дня — опять в отъезде. На звонки вообще перестал отвечать. Я так понял, что решил он меня кинуть по-наглому. Тогда я сам не поехал — послал своего пацана, Мамая. У нас где Мамай прошел, — ухмыльнулся он, — там еврею делать нечего. Я, между прочим, еврей по батиной линии. Давно бы в Израиль свалил, но там таких не принимают, да и с языками у меня беда. А он упорный — Мамай. Копейку задолжаешь, так он из тебя ее вместе с душой вытрясет.

В этом месте Гуров многозначительно посмотрел на Крячко, но перебивать Липецкого не стал.

— Короче, поехал Мамай, — продолжал Паша, — и не вернулся. А вы говорите, откуда команда! Чтобы с Мамаем разобраться, команда нужна. Ну, мы подождали день и поехали. Мамая освобождать, и вообще... Злые были до упора, сами понимаете. Не осознавали, что делаем. А тут вы подвернулись. Кто же знал?

Н. Леонов, А. Макеев

— Ты водкой так же торгуешь — не осознавая? — спросил Гуров. — Ладно, вставай — я тебе кое-что покажу, Паша Липецкий!

Крячко помог Паше подняться на ноги, и тот, недоверчиво поглядывая на Гурова, побрел за ним в гараж. Крячко никуда не пошел — счел нужным присмотреть за оставшимся воинством, да и нога у него разболелась не на шутку. Но ругал он в основном себя — можно было разобраться с этими недотепами и поумнее, без кулачного боя, все-таки не мальчик уже.

Между тем Гуров ввел Пашу под своды гаража и молча указал на застывшее возле машины тело. Липецкий несколько секунд безо всякого выражения смотрел на труп, а потом вдруг резко побледнел и испустил длиннющую матерную тираду.

— Ну ничего себе! — потрясенно пробормотал он затем. — Он что, в натуре, мертвый? Как же это, а?

— Так вы подтверждаете, что убитый вам знаком? — спросил Гуров. — Когда вы его в последний раз видели живым?

— А? Живым? — Липецкий никак не мог прийти в себя. — Подтверждаю. Мамай это. Наш пацан. То есть Мамаев Игорь его зовут по бумагам. Ни вчера не пришел, ни сегодня. И мобильник, думали, отключил. А он вон, значит, как...

Изложив таким способом свои взбаламученные мысли, Липецкий замолчал, не в силах оторвать взгляда от неподвижного тела на полу.

— Послушайте, Павел, — сказал Гуров. — Вы отдаете себе отчет, в какую неприятную историю влипли? Вы послали своего пацана разбираться с человеком, которого считаете должником. Разбирательство было настолько жестким, что привело в конечном итоге к убийству. Убийца, безусловно, виноват, но и ваши действия носят весьма сомнительный характер.

— Кто же знал? — безнадежно произнес Липецкий. — Я не хотел мочить. Я думал, поговорят по-мужски... Ну, в натуре, что за дела — слово же надо держать! Аванс ведь взял...

— У вас теперь есть только один выход, Липецкий, — сказал Гуров. — Рассказать все без утайки, с самого начала. Мне важно знать все про Ликостратова. Все, что можете вспомнить. Его привычки, связи, все, что вы можете знать о его планах. В этом случае я готов закрыть глаза на вашу, гм, ошибку... Я имею в виду то недоразумение, которое здесь только что произошло. А вот за рукоприкладство в отношении референта министра придется отвечать.

— Какого еще министра? — опешил Липецкий.

— Которому вы лично подвесили, — сказал Гуров. — А эта категория граждан чрезвычайно обидчива, насколько я знаю.

— Ну понятно, — пробормотал Липецкий. — Только что же я могу знать о планах этого гада Ликостратова, если я сам его найти никак не могу? А теперь, когда он Мамая замочил, он вообще, наверное, в бега подался. Искать его надо.

— Золотые слова, — похвалил Гуров. — Весь вопрос в том, где искать. Есть соображения?

— А в доме смотрели? — простодушно спросил Липецкий.

— Думаете, дальше спальни он не побежал? — прищурился Гуров. — Мне так не кажется. Сдается мне, что Ликостратов так быстро постарался отсюда убраться, что даже дверей запирать не стал и от трупа не избавился. Даже машину свою бросил — так торопился.

— Постойте, — наморщил лоб Липецкий. — А где тачка Мамая? Он же на тачке сюда приехал. Он «Ситроен» недавно купил новый, цвет «металлик», все облизывал его, как сучка щенка. А я этой тачки не вижу. Вот вам и ответ на вопрос. «Ситроен» искать надо!

— «Ситроен»? — сказал Гуров. — Так за сутки можно уехать на край света.

— У вас же этот... план-перехват, — подсказал Липецкий. — Команду дайте, и все дела.

— Ладно, команду так команду, — вздохнул Гуров. — Пойдемте на воздух. Трогать здесь ничего не будем.

Они вышли из гаража и тут же увидели референта Пивоварова. Он выглядывал из-за «Мерседеса», а за его спиной неуверенно маячили уже знакомые Гурову лица охранников. В руках у Жирнова грозно темнело помповое ружье. Охранники были встревожены, но на решительные действия явно не покушались. Гуров подумал, что и ружье у них, скорее всего, не заряжено, а может быть, даже и не стреляет вовсе.

— Полковник, я тут принял меры! — нервно выкрикнул из-за «Мерседеса» Пивоваров. — Нужно обезвредить этих негодяев! Вы их уже арестовали?

Под глазом у него синело что-то, похожее на большую сливу. Он прикрывал синяк рукой, но кое-что рассмотреть можно было даже издали.

— Николай Иванович! Идите сюда! — сказал Гуров. — Мы никого не арестовали, но всех уже обезвредили. Вам ничего не угрожает. Можете даже пожать этим негодяям руки. Оказывается, все это было недоразумением.

Пивоваров разочарованно махнул рукой и ушел за ворота. Гуров тоже вышел на улицу и заговорил с охранниками.

— Все нормально, ребята, — сказал он. — Только у меня к вам еще один вопрос. Примерно в то же самое время, когда Ликостратов домой вернулся, не появлялся ли здесь новый «Ситроен», цвет «металлик»?

Жирнов опустил ружье, на секунду задумался.

— А ведь верно, был «Ситроен», — сказал он. — Чуть пораньше приехал. А уехал обратно вскоре после того, как черная «Нива» появилась. Точно, примерно в то самое время все и было.

— А кто в «Ситроене» сидел? — спросил Гуров. — Когда туда ехал и когда обратно?

Жирнов покачал головой.

— Вот этого не скажу, не приглядывался. Да и быстро все это было. А что у вас тут случилось-то?

— Это у вас случилось, — ответил Гуров. — В гараже Ликостратова человека убили.

Глава 4

Следователь Балуев долго тер щеки ладонями, разгоняя кровь, а потом пожаловался вполголоса:

— Устал я что-то сегодня, Лев Иванович! Просто засыпаю на ходу. Говорят, это все от весеннего времени года — авитаминоз и все такое прочее. А ты как думаешь?

Он сквозь полуопущенные веки серьезно посмотрел на Гурова, ожидая ответа. Глаза у него были красные и припухшие. Гуров проследил, как рука Балуева наработанным жестом вытягивает из пачки сигарету, и заметил:

— А я думаю, просто устал, и все. Да еще куришь ты много, Сергей Михайлович. Поневоле устанешь. Ты же все время как на пожаре.

— А как не курить? — возразил Балуев. — С вами закуришь! Вот теперь ты мне еще один труп подбросил. Не думали, как говорится, не гадали, а тут Лев Иванович Гуров нам сюрприз приготовил. Не захочешь, а закуришь.

— Для меня самого это убийство полной неожиданностью стало, — сказал Гуров. — Тоже о чем угодно думал, но никак не о криминале. Зато теперь чего только в голову не лезет! Жаль, ничего толкового. Вот чего я никак не пойму — так это мотивов убийцы. В том случае, если убийца Ликостратов, конечно. Пусть даже погибший угрожал ему, пусть произошла между ними стычка и Ликостратов в порядке самообороны убил. Ну скажи на милость, с какой стати он после этого бросает все свое хозяйство, садится в чужой автомобиль и уезжает неизвестно куда? Это же паранойя какая-то!

Балуев чиркнул спичкой и старательно раскурил сигарету. Потом внимательно посмотрел на Гурова.

— На паранойю не похоже, — сказал он. — Больше на панику похоже. Думаю, дело гораздо серьезнее, чем нам его Липецкий представить хочет. Он мне вообще не нравится. И эта история про лося ничего не доказывает. Бывают такие отморозки, которые за бутылку водки человека готовы зарезать, сам знаешь. А тут аванс и прочее... Однако меня не то удивляет, как вся эта каша заварилась, а то, каким образом ты, Лев Иванович, в самом центре вдруг оказался. Или ты у нас охотой баловаться стал? С какой это стати тебя на чучела вдруг потянуло?

Гуров слегка улыбнулся.

— Да не потянуло меня на чучела, Сергей Михайлович, — сказал он. — Как говорится, на ловца и зверь бежит. Ты извини, я деталей пока объяснять не буду, потому что руководство не считает нужным эту информацию разглашать, но честно скажу, что такого расклада даже я в уме не держал. Явился я в Плетнево по самому невинному поводу. Собственно, Ликострατова я и искал.

— Вот как? Интересно! — скептически скривил губы следователь. — А я-то думал, что ты там английскую королеву искал. А ты, оказывается, Ликострατова... Вот это меня и озадачивает — с чего бы вдруг?

— Да все это выеденного яйца не стоит, — неохотно сказал Гуров. — Нет, честно, глупо все получилось. Ну, попросило руководство. Исчез вдруг Ликострατов. Обещал кое-кому чучело набить и исчез. А заказчик ждать не привык. Вот я на старости лет курьером и заделался.

— Ну, значит, не так уж и глупо получилось, — прищурился Балуев. — Руководство, оно не ошибается. Знает, кого и куда послать. А все же, что это за клиент? Нет ли тут какого-то подтекста?

— Тут все, что хочешь, может быть, Сергей Михайлович, — сказал Гуров. — Только мне настоятельно не рекомендовали путать причину и следствие. Особенно следствие в том смысле, в котором ты его осуществляешь. Ликостратов сам по себе, а та причина — сама по себе. Считай, что я в Плетневе по просьбе знакомого оказался. Ну, ты его знаешь — он тебе показания уже давал — Пивоваров Николай Иванович.

— Ага, этот значит? И давно ты с ним знаком?

— А со вчерашнего дня и знаком. Или даже с позавчерашнего. Какая разница? Для настоящей дружбы важны взаимные интересы, а не сроки.

— И что же за общие интересы у вас с референтом министра? — спросил Балуев.

— Да он же уволен, — сделал удивленные глаза Гуров. — По собственному желанию. И уже не референт, а простой безработный. Любитель охоты.

— Знаю я, до чего он любитель, — проворчал Балуев. — Запах мне послышался от него... специфический. Ну ладно, все это чистая философия, а нам с тобой преступника искать нужно. Надеюсь, ты до конца эту историю намерен довести?

— Если не отстранят, — кратко ответил Гуров.

— А мы никому на мозоль наступать не будем, — успокоил его Балуев. — Тут я кое-кого допросил, и выяснилась такая вещь. Ликостратов — человек многим нужный и связей имеет немало. Но я подумал, может, в первую очередь его среди близких поискать? У него жена имеется, сын взрослый.

— Это я знаю. С женой он в разводе, а сын тоже неизвестно где.

— Тем не менее. Как ни крути, а родная кровь есть родная кровь. Если человеку деваться некуда, он неизбежно к своим близким побежит.

— А если не побежит? — возразил Гуров. — По «Ситроену» Мамаева пока никаких сообщений не имеется. Никто его нигде не видел. Не исключено, что Ликостратов на нем очень далеко подался.

— Ну, вообще-то похоже на то, — признался Балуев. — Та же история, что и с воротами. Сейф открытый бросил, а в сейфе практически пусто. Но вообще в доме необходимо более тщательный обыск проводить. Масса всяких вещей. Чучела эти... При этом никаких деловых бумаг, никакой регулярной переписки. Эксперты сейчас просматривают все, что удалось выудить, — автоответчик, кое-какие записи, машины смотрят — «Ниву» в особенности. Факт, что Ликостратов куда-то далеко ездил. Вопрос — куда? И вопрос не праздный, потому что ради этой поездки он даже собственной безопасностью пренебрег.

— Вообще, странная штука получается, — заметил Гуров. — Только когда человек попадает в поле зрения следствия, выясняется, как мало о нем известно. А меня не покидает ощущение, что Ликостратов не Мамая испугался и не Липецкого. Они, конечно, ребята шебутные, но вряд ли могли настолько испугать человека, чтобы он все бросил и очертя голову рванул неизвестно куда. Тут, по-моему, какая-то третья сила задействована, Сергей Михайлович. Та, о которой нам ничего не известно. А Мамай, он не в добрый час подвернулся просто.

— Ну вот тебе и версия, — сказал Балуев. — Всего-то делов и осталось — найти эту силу. Я, правда, ее не вижу, но тебе доверяю. Найдешь — честь тебе и хвала. А мне хватит, если ты самого Ликостратова найдешь. Мне на себя вешать еще одного «глухаря» неохота.

— А кому охота? — согласно кивнул Гуров. — А ты бывшую супругу Ликостратова на допрос вызывать не пробовал?

— Сразу же, повесткой, — ответил Балуев. — Плюс лично звонил на дом. Ни ответа, ни привета. Автоответчик и полное отсутствие гражданского самосознания. А может, тоже в бега подалась. Знаешь, как бывает? Муж с женой для всех в разводе, а на самом деле такие дела вместе делают...

— Ну уж не думаю, чтобы Мамая они вдвоем убивали, — усомнился Гуров. — А раз так, чего же ей бояться?

И потом, есть информация, что бывшего мужа она на дух не переносит.

— Я на слово не верю, — возразил Балуев. — Если только тебе.

— Если чего будет — я сразу сообщу, — сказал Гуров, заканчивая разговор. — Но и ты про меня не забывай.

— Про тебя забудешь! — саркастически отозвался Балуев.

Гуров вышел из прокуратуры и направился к своему автомобилю. Он предвидел, что начинать все равно придется с родственников Ликостратова, а потому заранее созвонился с Пивоваровым. Все-таки он был знаком с бывшей женой таксидермиста и, видимо, мог находить с ней общий язык. Гуров всегда испытывал предубеждение, общаясь с людьми, которые называли себя экстрасенсами, колдунами и предсказателями. Посредник ему сейчас бы не помешал.

Пивоварова он выбрал по трем причинам. Во-первых, внутреннее убеждение, что бывший референт знает о случившемся больше, чем говорит, не оставляло Гурова. Во-вторых, выбыл из строя верный партнер Крячко, который по совету хирурга сидел дома и втирал в разбитое колено целебные мази. А в-третьих, вопреки первоначальному впечатлению, Гуров начинал испытывать симпатию к незадачливому референту, карьера которого оборвалась так внезапно и несправедливо. Действительно, с нынешнего утра Пивоваров уже не работал в министерстве и вообще нигде не работал. Гуров опасался, что высвободившуюся при этом энергию Пивоваров может теперь целиком направить на реализацию своего хобби, которое и до того подтачивало его благополучие.

Поэтому он не исключал того варианта, что на встречу Пивоваров не явится. Но опасения, к счастью, оказались напрасными. Едва Гуров появился на тротуаре,

Н. Леонов, А. Макеев

как из стоявшего на противоположной стороне улицы ярко-желтого «Фольксвагена» выскочил Пивоваров и замахал ему рукой.

Сегодня Пивоваров был в новом, песочного цвета костюме и розовой сорочке. Он был тщательно выбрит, а на носу у него сидели черные очки. Без них он теперь никуда не показывался.

— Лев Иванович, здравствуйте! — запыхавшись, выпалил он, перебежав через улицу. — Я уже здесь, как договаривались.

— Давно ждете? — сочувственно спросил Гуров.

Он был приятно удивлен — вопреки ожиданиям, от Пивоварова совершенно не пахло спиртным.

— А, ерунда! — махнул рукой Пивоваров. — У меня теперь куча времени. Некуда девать, сами знаете.

— Что же, выходит, конец карьере? — спросил Гуров. — И никакой надежды?

— В этой лавочке — никакой, — подтвердил Пивоваров. — По правде говоря, мы с шефом и так уже плохо ладили — вы знаете, — а после того как мы с вами у Ликостратова труп нашли, я вообще стал нежелательной персоной. С одной стороны, я шефа понимаю — зачем ему такие референты, которых за смертью посылать? Но, с другой стороны, сам виноват. Дружбу можно водить с кем угодно — главное, вовремя остановиться.

— Ну, вот он и остановился, — сказал Гуров. — Насколько мне известно, теперь ваш Валентин Алексеевич даже имени Ликостратова слышать не желает.

— А я хочу вас порадовать, — заявил Пивоваров. — Я уже созвонился с этой дамой, и она милостиво согласилась нас принять.

— Вот как? — удивился Гуров. — Не ожидал, что это так легко у вас получится.

— Сегодня она в хорошем расположении духа. Возможно, нам даже удастся разговорить ее, — заявил Пивоваров.

Дом, где проживала бывшая жена Ликостратова, располагался на обширной площадке, украшенной изумрудно-зелеными газонами. Ближайшим строением было здание школы, откуда доносились веселые детские голоса. Впрочем, едва лишь Гуров вышел из машины, как голоса эти начали стихать, а яркие суетливые фигурки, сновавшие вокруг школы, постепенно исчезли, словно растворившись в воздухе, — видимо, перемена закончилась.

Пивоваров подъехал следом, вышел и, озабоченно поглядывая по сторонам, запер машину. Потом кивнул в сторону дома.

— Четвертый этаж, — сказал он. — Маргарита Альбертовна Вагнер. Как пишут в газетах — черная и белая магия, гадание по картам Таро и приворот... Средневековье, конечно, но людям почему-то нравится.

Поднялись на четвертый этаж, позвонили. Гуров предполагал, что по закону бутерброда намеченная встреча вполне может сорваться и хозяйка найдет сто причин избежать неприятного для нее разговора. Но, видимо, Пивоваров знал, что делает. Гадалка была дома.

Их встретила яркая черноволосая женщина лет сорока, со жгучими восточными глазами, обладавшая специфической резкой красотой, — так иногда изображают в детских сказках злых волшебниц. Лицо ее было уже слегка увядшим, и она оживляла его чересчур ярким макияжем. В целом первое впечатление о ней сложилось у Гурова сложное — по своей воле он вряд ли стал бы искать общения с такой женщиной.

Кажется, она ждала именно их. Обожгла обоих понимающим взглядом и улыбнулась любезной, но абсолютно неживой улыбкой.

— Здравствуйте, Маргарита... Альбертовна! — как-то неловко пробормотал Пивоваров. — Вот привел к вам гостя, как обещал. Очень достойный человек. Профессиональный сыщик, ас своего дела.

— Я и сама вижу, какой это человек! — низким грудным голосом произнесла хозяйка, еще раз окидывая Гурова взглядом и многозначительно усмехаясь. — Мне объяснять не нужно.

«Начинается! — подумал Гуров. — Ворожба и чтение по линиям руки. Сама она видит! Хорошенькое начало!»

Однако вслух этого заявления он комментировать никак не стал — только сдержанно улыбнулся в ответ и поклонился. Маргарита Альбертовна величественным жестом направила их с Пивоваровым в соседнее помещение, которое оказалось большой и мрачной комнатой, оформленной, по мнению Гурова, вполне в духе черной магии, — здесь было совсем мало света и очень много тяжелых занавесей из фальшивого бархата. Мебель тоже была подобрана в соответствующем стиле — старинная, с пузатыми резными ножками. В медном канделябре на стене горели толстые ароматические свечи, распространявшие вокруг сладковатый дурманящий запах. Гуров невольно поискал по сторонам глазами — не найдется ли в этой мрачной обители чего-нибудь совсем уж экзотического — сушеных летучих мышей или человеческого черепа? Но если даже хозяйка и держала в доме что-то подобное, то сейчас все было надежно припрятано. Даже карт, по которым предсказывают будущее, что-то нигде не было видно.

— Прошу садиться, — сказала хозяйка. — Для посетителей у меня вот эти кресла. А я всегда сижу на своем троне...

Последние слова она произнесла с иронической интонацией, но, когда они все расположились в предложенном порядке, оказалось, что в самой выгодной позиции находится хозяйка. Она сидела так, что ее лицо почти полностью было закрыто зловещими тенями, а весь свет, который наличествовал в комнате, падал на лица гостей.

«Недурно! — подумал Гуров. — Этой даме в следственном управлении бы работать. Хватка у нее подходящая. И психолог она, видно, от бога».

— Я думаю, мы можем обойтись без вступлений и ритуалов? — с холодной усмешкой произнесла Маргарита Альбертовна. — Мы все деловые люди, верно? Вы хотели меня о чем-то спросить, господин сыщик?

— Можете называть меня Лев Иванович, — сказал Гуров. — Мне не очень нравится определение «сыщик», особенно когда это слово произносит женщина. А разговор пойдет о вашем бывшем муже, если Николай Иванович вас не предупредил.

— Мне не очень нравится говорить о своем бывшем муже, — в тон ему ответила Маргарита Альбертовна.

— Поймите, ваш бывший муж подозревается в убийстве. Кроме того, есть еще ряд обстоятельств, которые требуют объяснений. Вы долго были в браке с Ликостратовым?

— Более двадцати лет, — сказала хозяйка. — Я понимаю ход вашей мысли. Люди, так долго прожившие вместе, не могут не знать друг о друге всего. Так ведь?

— Ну, примерно так, — согласился Гуров. — В вашей семье все было наоборот?

— В нашей семье было по-всякому, — отрезала Маргарита Альбертовна. — В последние годы, как вы понимаете, мы все более отдалялись друг от друга. Сын давно вырос, стал самостоятельным...

— А чем, кстати, занимается ваш сын? — спросил Гуров.

От его внимания не укрылось, что такой несложный вопрос вызвал у женщины замешательство. Она напряглась, и взгляд ее метнулся в сторону помалкивающего в своем кресле Пивоварова. Маргарита Альбертовна словно искала у него помощи. Пивоваров заерзал и смущенно закашлялся. Гуров покосился на него.

Бывший референт даже в этом помещении, похожем на подземелье, остался в черных очках. Он сидел, положив ногу на ногу, и с деланым равнодушием что-то высматривал по углам. Интересоваться там было абсолютно нечем, но Гурову показалось, что Пивоваров просто старается лишний раз не смотреть на хозяйку. И правда, смотреть на ее черный неподвижный силуэт было не слишком уютно. Но Пивоварову, похоже, вообще не хотелось принимать участие в беседе. С одной стороны, это было вполне естественно, потому что беседа непростая, но, с другой стороны, он — организатор этой встречи и мог бы быть поактивнее.

Кроме того, по некоторым неуловимым жестам и неким едва ощутимым флюидам Гуров предположил, что между Пивоваровым и Маргаритой Альбертовной существует более тесная связь, чем просто шапочное знакомство. Он, конечно, мог и ошибаться, но ощущение этого не покидало Гурова с того самого момента, как они вошли в жилище гадалки.

— Мой сын занимается бизнесом, — ответила наконец хозяйка с некоторой досадой. — Что-то продает, что-то покупает. Я в этом не разбираюсь. Он очень часто бывает в разъездах.

— Вы не знаете, чем занимается ваш сын? — удивился Гуров.

— А вы не знаете современную молодежь?! — воскликнула Маргарита Альбертовна. — Из них лишнего слова не вытянешь. «Все нормально» да «не твое дело» — вот и весь разговор.

— Но вы же видитесь! Наверное, и с отцом он тоже видится. Как-то вы находите друг друга. Ваш сын сейчас, я слышал, в отъезде. Вы ничего не знаете о муже. Но о сыне вы что-то должны знать. Где он? Когда вернется?

— Он уехал — вот и все, что я знаю, — сказала хозяйка. — Примерно неделю назад. Сказал перед отъездом, что вернется дней через десять-двенадцать. Когда он возвращается, он мне звонит. А иногда забывает.

— А вы ему?

— Я не люблю навязываться, — гордо сказала женщина. — Даже собственному сыну.

— Но, по крайней мере, номер его телефона у вас есть? Тогда не откажите в любезности — позвоните ему на этот раз обязательно. Он возвращается поездом? Самолетом?

— Он всегда ездит на собственной машине. Предпочитает не зависеть от расписаний.

В голосе Маргариты Альбертовны явственно слышалось раздражение. Гуров чувствовал, что напряжение в комнате нарастает. От запаха свечей слегка кружилась голова.

— Может быть, гм... Нам стоит вернуться к началу разговора? — неожиданно вмешался Пивоваров. — Не хочу навязывать свою точку зрения, но что нам даст встреча с сыном? Раз он уезжал, все это для него будет неприятным сюрпризом. Может быть, стоит еще раз попробовать вспомнить, кому может довериться сейчас Сергей Степанович?

Говоря это, Пивоваров пялился через очки на Гурова, но говорилось все это для Маргариты Альбертовны — в этом у Гурова не было сомнений. В какую-то минуту она искала помощи у референта, и теперь эта помощь пришла. Пивоваров чувствовал, что разговор о сыне для хозяйки крайне неприятен, и переводил его в другое русло. Он словно хотел напомнить гадалке о том, что она должна была сказать с самого начала. Все это еще сильнее укрепило Гурова в мысли, что на самом деле взаимопонимания между гадалкой и референтом гораздо больше, чем они хотели продемонстрировать.

Слова референта заставили Маргариту Альбертовну взять небольшую паузу, а потом она вдруг сказала просветлевшим голосом:

— Наверное, я могла бы предположить, кому мог довериться мой бывший муж. Речь идет о женщине, которая сыграла роковую роль в нашей жизни. Проще говоря, Сергей Степанович изменял мне с ней. Я слышала, что они расстались, но, пожалуй, он мог обратиться к ней в трудную минуту. Ее зовут Плетнева Анастасия Владимировна. Я могу дать вам ее адрес. Но она проживает не в Москве, а в Подольске.

— Давайте адрес, — сказал Гуров.

Маргарита Альбертовна тихо поднялась и, качнув бедрами, прошла мимо Гурова к выходу. Дверь бесшумно закрылась за ней. Пивоваров заворочался в кресле и пробормотал извиняющимся тоном:

— Своеобразная женщина... Я знал, что с ней будет непросто. Но все же кое-что нам удалось узнать, как вы полагаете? Любовница — это реальный след.

— Жизнь покажет, — сухо ответил Гуров.

Неожиданное многословие спутника настораживало его. Бывший референт все более начинал казаться ему лицом заинтересованным. Этот факт требовалось осмыслить, но в душной атмосфере неуютного помещения думалось плохо. К тому же уже вернулась хозяйка и молча протянула Гурову сложенный вдвое листок плотной бумаги. Он заглянул в него — адрес был написан разборчивым, четким, практически мужским почерком. Профессиональный графолог, наверное, предположил бы у обладателя такого почерка сильный характер, но Гурову и предполагать ничего не нужно было — несгибаемый характер гадалки выпирал из каждого ее жеста, из каждой интонации.

— Спасибо, — сказал Гуров. — Мы проверим этот вариант. Как только появится ваш сын — дайте мне знать, Маргарита Альбертовна. Да и сами, если что вспомните или узнаете, сразу сообщите мне вот по этим телефонам.

Гуров положил на столик свою визитную карточку. Маргарита Альбертовна, не двинувшись с места, безразлично на нее посмотрела, а потом перевела вопросительный взгляд на Гурова. Высказанный вслух, вопрос этот мог звучать так: «Когда же ты наконец уберешься?»

Гуров поднялся и спрятал листок с адресом в нагрудный карман.

— Ну что же, пожалуй, мы с Николаем Ивановичем пойдем, — объявил он. — Кое-какое представление о вашем семействе я получил. Во всяком случае, у меня сложилось впечатление, что теперь я знаю, в каком направлении действовать.

Он с удовольствием отметил, что после этих слов на лбу хозяйки появилась озабоченная складка. Она явно пыталась сообразить, куда клонит Гуров и что такое стало ему понятно. Гурову это показалось забавным — предсказательница чужого будущего изо всех сил пыталась заглянуть в собственное, но ничего, кроме тумана, там не видела. Хорошо, что в этот момент поблизости не было клиентов, — худшей антирекламы и придумать было трудно.

Однако беспокойство Маргариты Альбертовны быстро сменилось радостным оживлением. Она с облегчением восприняла намерение Гурова откланяться и не имела никакого желания его задерживать.

— Вы идете, Николай Иванович, или у вас свои планы? — тут же обратился Гуров к Пивоварову, который явно замешкался и даже еще не поднялся с кресла.

— Нет-нет, я с вами! — Референт поспешно вскочил и присоединился к Гурову уже на пороге. — Задумался, знаете ли... Прощайте, Маргарита Альбертовна!

Пивоваров вдруг начал ощутимо нервничать. В нем не осталось и следа той флегматичности, которой он поразил Гурова при первой встрече и которой, по правде сказать, не замечалось в нем сегодня с самого начала.

Теперь же он просто напоминал Гурову до предела натянутую струну. Чувствовалось, что ему хотелось как можно скорее избавиться от Гурова. Он почти бегом выскочил из подъезда и устремился к своей машине. Гуров едва успевал за ним.

Впрочем, в последнюю минуту референт опомнился и обернулся к Гурову.

Н. Леонов, А. Макеев

— Да, весьма своеобразная особа, — некстати проговорил он и криво улыбнулся. — Наверное, вы ругаете меня на все корки, полковник? Но, может быть, действительно стоит съездить в Подольск? По-моему, в этой идее есть резон...

— Обязательно съездим, — благодушно сказал Гуров. — Прямо сегодня и отправимся. А вы сейчас куда, Николай Иванович, в центр?

— Пожалуй, нет. Мне сейчас нужно... Одним словом, тут рукой подать — нужно родственника навестить в больнице. Так все недосуг было, а теперь времени у меня навалом, да и рядом вот оказался... Заскочу сейчас в ближайший супермаркет, возьму каких-нибудь фруктов. А вы, значит, сейчас в Подольск?

— Ну, не совсем сейчас, — пожал плечами Гуров. — Сначала наведаюсь в главк, обсудим ситуацию. Кстати, возможно, экспертиза что-нибудь уже подкинула...

— Вы разберетесь! — нетерпеливо сказал Пивоваров и почему-то посмотрел на часы. — Я уверен, что вы разберетесь, Лев Иванович! Может быть, прямо сегодня и разберетесь. Приедете, допустим, в Подольск, а Ликостратов там!

— Вашими бы устами... — проворчал Гуров. — Хотя в жизни всякое случается. Если по-вашему получится, с меня бутылка коньяка.

— Если уж так случится, — с наигранным весельем сказал Пивоваров, — разопьем эту бутылку вместе. Непременно!

— Заметано! — кивнул Гуров. — Ну, давайте тогда до встречи!

Они пожали руки и разошлись по своим машинам. Выезжая в переулок, Гуров увидел, как Пивоваров махнул ему рукой и поспешно развернул «Фольксваген» в сторону улицы Лобачевского. Гуров медленно повернул в противоположную сторону, проехал метров пятьдесят и остановил машину у тротуара. Затем он вышел и размеренной походкой вернулся туда, откуда они только что с Пивоваровым выехали.

Чтобы не мозолить глаза, Гуров занял наблюдательную позицию под большим деревом неподалеку от школы и стал ждать. Почему-то именно сейчас у него вдруг возникло желание закурить, и Гуров пожалел, что не имеет обыкновения носить с собой сигареты. Желание затянуться сигаретным дымом приходило к нему нечасто — только в те моменты, когда головоломка, которую подбрасывала жизнь, оказывалась неожиданно тверже, чем ожидалось вначале. Что-то подобное Гуров испытывал и сейчас, после встречи с гадалкой. Никаких реальных фактов у него не было, но он чувствовал взаимопритяжение между Маргаритой Альбертовной и Пивоваровым. Они были связаны между собой незримыми, но прочными нитями, которые при желании можно было пощупать. На протяжении всего разговора от них исходили явственные вибрации. И эта подсказка Пивоварова о любовнице. Он, конечно, ни слова не сказал ни о женщине, ни о населенном пункте, но складывалось впечатление, что без его суфлирования Маргарита Альбертовна просто опустила бы этот текст. А произошло это по одной причине — эта железная женщина слишком разволновалась, когда речь зашла о ее сыне, начала говорить чепуху, неловко выкручиваться. Гуров никогда не поверил бы, что мать может не знать, чем занимается ее ребенок. Тем более такая женщина, как Маргарита Альбертовна. Значит, или бизнес у младшего Ликостратова не слишком почтенный, или Маргарита Альбертовна изо всех сил старается не выдать местонахождение своего отпрыска, а заодно и бывшего мужа.

Гуров все более склонялся к мысли, что и убийство в гараже Ликостратова, и его бегство, и отсутствие в Москве его сына, и странная забывчивость и неосведомленность бывшей супруги — все это части одной и той же головоломки. Но фактов у него пока не было.

И вернулся он к дому Маргариты Альбертовны, чтобы получить хотя бы один такой факт. Если ощущения его не обманывают, факт, как говорится, должен иметь место. К тому все шло.

Гуров был уверен, что Пивоваров тоже вернется, чтобы обсудить с Маргаритой Альбертовной ситуацию. Предлог с больным родственником звучал уж слишком по-школьному. Не исключено, что Пивоваров придумал его в последнюю минуту, чтобы поскорее избавиться от Гурова. В таком случае слишком долго тянуть он не станет. Гуров был уверен, что в ближайшие двадцать-тридцать минут его подозрения будут или опровергнуты, или получат подтверждение.

Ярко-желтый «Фольксваген» появился на горизонте через пятнадцать минут. Пивоваров подъехал не со стороны проспекта, а через проходной двор и остановился за шестиэтажным домом, чтобы не привлекать к себе внимания. Он вышел из машины, озабоченно оглянулся по сторонам, ничего подозрительного не заметил и быстро направился к дому, где жила бывшая супруга Ликостратова.

«Если ты и навещал больного родственника, — с иронией подумал Гуров, — то проделал это в хорошем темпе, Николай Иванович! Интересно, что ты сказал бы сейчас, приди мне в голову тебя окликнуть? Впрочем, голова у тебя работает, какую-нибудь чепуху ты бы придумал. Забытый портсигар или еще что-нибудь...»

Но Гуров не собирался выдавать своего присутствия. Ему был важен факт возвращения Пивоварова, но извлекать из него пользу немедленно он не собирался. У него родилась другая идея.

Дождавшись, когда Пивоваров войдет в подъезд, Гуров достал мобильник и набрал домашний номер Крячко. К его удивлению, телефон молчал. Немного подумав, Гуров потревожил телефон в собственном кабинете и с огромным облегчением услышал голос друга.

— Черт возьми, Стас! — сказал он с усмешкой. — А я в полной уверенности, что ты лежишь дома, задрав ноги к потолку! Что ты делаешь в моем кабинете?

— В нашем кабинете! — поправил его Крячко. — Обрадовался, что сплавил меня на больничный?

— Так ты до главка на одной ноге скакал? — поинтересовался Гуров.

— На своей тачке доехал, — ответил Крячко. — Почти без происшествий.

— Значит, ты машиной управлять можешь? — с надеждой спросил Гуров.

— Ну как сказать? — отозвался Крячко. — На газ жму свободно, а вот с тормозами, конечно, проблемы.

— Ну так я тебе такую работенку подкину, что на педали сильно жать не придется, — пообещал Гуров. — Ты сейчас на Мичуринский подъезжай, где эта дама, Вагнер, проживает. Есть у меня мыслишка, что с ней не все ладно. Ну это я тебе на месте объясню. Посидишь, посмотришь, что она предпринять захочет.

— А она захочет?

— Сдается мне, что обязательно захочет, — сказал Гуров. — Но тут есть еще один человек, за которым понаблюдать нужно. Захвати там парочку ребят — пусть они за Пивоваровым сегодня походят.

— Ага, — сказал Крячко. — Значит, Пивоваров тебе по-прежнему не нравится? Даже в его новом качестве?

— Я сам пока не пойму, что у него за качество, — сказал Гуров. — Но, по-моему, качество это довольно неважное.

— Ага, — снова сказал Крячко. — А сам ты каким благородным делом собираешься заняться?

— А я собираюсь навестить одного человека в Подольске, — объяснил Гуров. — Но предупреждаю, что в Подольск меня эта парочка подбила ехать, а посему подозреваю, что это просто попытка выиграть время. Так что, если возникнет необходимость, звони и возвращай меня в любой момент, понял?

— Так, может, проще не ездить? — спросил Крячко.

— А мы, оперативные работники, простых путей не ищем, — пошутил Гуров. — Чем черт не шутит — вдруг это след? Одним словом, ты подъезжай поскорее — мы тут на месте все обговорим.

— Мне время нужно ребят для «наружки» подобрать, — сказал Крячко. — А потом я быстро подъеду. На тормоз жать не буду, так в один момент доберусь.

— Ну, ты очень не увлекайся — тормозни все же напоследок, — сказал Гуров.

Глава 6

Гуров предполагал, что поездка в Подольск — всего лишь попытка госпожи Вагнер на какое-то время от него избавиться, но насколько нелепой и циничной окажется эта попытка, даже он предвидеть не мог.

Он приехал в этот город под вечер, чтобы быть уверенным, что Плетневу удастся застать дома. В Москве за эти часы ничего необычного не произошло. Оперативники, которые помогали Крячко вести наблюдение, сообщили, что Пивоваров пробыл у гражданки Вагнер около получаса, а затем сразу же поехал к себе и больше никуда не выходил. Еще они сообщали, что Пивоваров выглядел крайне озабоченным, а на Тверской по пути домой заскочил в рюмочную и выпил сто пятьдесят граммов водки. На дальнейшем движении это никак не сказалось — видимо, референт не впервые употреблял за рулем и был в этом отношении крепок.

Гражданка Вагнер также не проявляла никакой активности, никуда не выходила и никого не принимала. В каком-то смысле надежды Гурова повисли в воздухе. Свидетели вели себя странно, но не более. Возможно, осторожничали, а возможно, уже решили свои проблемы с помощью телефонных звонков — никто ведь не прослушивал их телефонов. Гуров держал в уме и третий вариант, допуская, что ни Пивоваров, ни Маргарита Альбертовна ни в чем не виноваты. Но держал он его скорее про запас, для очистки совести, не слишком в него веря. Если эти двое ни при чем и ничего не знают, то почему они так подозрительно себя ведут?

Визит в Подольск еще более укрепил Гурова в его подозрениях. Он без труда нашел адрес, который дала ему Маргарита Альбертовна, позвонил в квартиру и приготовился к не слишком приятному разговору с незнакомой женщиной. Но встретил его мужчина.

Это был угрюмый здоровяк-брюнет лет сорока пяти. Волосы на его голове, жесткие как проволока, начинали расти едва ли не от бровей. Глубоко посаженные черные глаза смотрели подозрительно и недобро, и в них горел какой-то неугасимый шальной огонек, который крайне не понравился Гурову. Одет был хозяин в черный засаленный свитер и мятые тренировочные брюки.

Дома он был не один — об этом свидетельствовал шум, доносившийся с кухни, — звон посуды и бубнение нескольких голосов, не слишком трезвых. От хозяина тоже немного припахивало водкой, и Гуров понял, что разговор предстоит куда более сложный, чем он даже предполагал.

— Ты к кому? — без обиняков спросил брюнет, нависая над Гуровым, который и сам имел рост далеко не маленький.

— Извините, Плетнева Анастасия Владимировна здесь проживает? — совершенно миролюбиво спросил Гуров. — Мне очень нужно с ней поговорить.

Эти вежливые слова произвели на хозяина примерно то же действие, что и красная тряпка на племенного быка. Он втянул носом воздух, сжал до хруста кулаки и надвинулся грудью на Гурова.

— Ты, убогий! Быстро сделай так, чтобы я тебя больше никогда не видел! А то я тебя так разукрашу, что мама родная не узнает! Ну!..

Гуров достал из кармана удостоверение и сунул его под нос грубияну.

— Уберите ногу, я испорчу вам дорогой ботинок! — многозначительно сказал он. — Я из милиции.

— А мне плевать — хоть из космоса! — заявил брюнет, даже не посмотрев на документ. — Я у себя дома, понял? И если какая-то гнида думает...

Гурову это надоело. Он ехал сюда не для того, чтобы выслушивать оскорбления от какого-то пьяного нахала. Да и дело страдало.

Он повернулся, будто собираясь уходить, а потом неожиданно и резко ударил брюнета локтем по печени. Тот был слишком неосторожен и уверен в себе и пропустил удар. Не давая ему опомниться, Гуров заломил ему руку и выволок из квартиры на лестничную площадку. Здесь он ткнул ошеломленного грубияна лицом в стену и угрожающе сказал прямо в ухо:

— Ну что, дальше в наручниках будем разговаривать или попробуем все-таки как культурные люди?

Хозяин не успел ответить. В прихожей послышались шаги, и добродушный пьяненький голос спросил:

— Ты куда пропал, Леша? Проблемы?

Из двери выглянула румяная физиономия какого-то раскормленного коротышки. Гуров, не оборачиваясь, толкнул дверь ногой. Она захлопнулась с металлическим щелчком. Коротышка едва успел отпрянуть назад.

— Ты офонарел, мент? — просипел Леша, безуспешно пытаясь оторвать от стены щеку. — Ты что делаешь, гад? Ты что произвол творишь? Думаешь, на вас управы нет?

— Значит, в наручниках, — заключил Гуров. — Не дорос ты еще до культурного разговора.

Хозяин еще раз попытался вырваться, но Гуров держал его крепко, и он сдался.

— Ладно, полегче, начальник! Ну, погорячились, и хватит — чего между мужиками не бывает? Настроение у меня сегодня хреновое. Собрались с корешами, чтобы посидеть, расслабиться, а тут ты... Да еще такие кренделя загибаешь — без бутылки не разогнешь! Ясно, не утерпел я, наговорил лишнего. Но и ты тоже не прав, согласись?

Гуров медленно ослабил хватку, но внимания не ослаблял, ожидая, что Леша, несмотря на свои мирные речи, в любой момент может выкинуть какой-нибудь фокус.

— А ты здоровый лоб, начальник! — с некоторой обидой сказал Леша, массируя вывернутую руку. — Меня мало кто одолеть может. Я ведь кандидат в мастера по вольной, между прочим... Ну, тут я, конечно, не ожидал, что ты вот так сразу кинешься, а то бы все по-другому было...

— В следующий раз предупрежу — письмом, — пообещал Гуров. — Но я не бороться с тобой приехал, и вообще ты мне без надобности. Поэтому сделаем вид, что ничего между нами не было, и попробуем найти ответ на мой первый вопрос. Припоминаешь? Мне нужна Плетнева Анастасия Владимировна.

— Да ты издеваешься, что ли? — мрачно буркнул Леша, исподлобья глядя на Гурова. — Или в самом деле ничего не знаешь? Плетнева ему нужна! Да Настя Плетнева, моя супруга, уже полтора года как на кладбище лежит, а вы, понимаешь, все покоя ей не даете! — В голосе его прозвучали истерические нотки, не слишком подходящие для здорового мужика.

Гуров был озадачен.

— Ты это серьезно? — с тревогой спросил он. — Плетнева умерла?

— Куда уж серьезнее! — с надрывом произнес хозяин. — Полтора года, как схоронил я ее. Тут про это все знают. Один ты попался такой простой, что ничего не знаешь. Погибла моя Настя в автомобильной катастрофе! В ДТП, по-вашему. С тех пор я один как перст. Не веришь — могу свидетельство о смерти показать.

— Показывай! — распорядился Гуров, на которого эта новость подействовала как ушат холодной воды.

Н. Леонов, А. Макеев

Он ожидал, что госпожа Вагнер может его обмануть, но ложь оказалась чересчур уж наглой. Не сразу в нее верилось.

Леша хмуро посмотрел на Гурова, но все-таки покорно направился к двери и, поскольку ключей у него с собой не было, позвонил в квартиру.

Открыли ему не сразу. Сначала за дверью долго шушукались встревоженные голоса, и кто-то заглядывал в глазок. Только когда раздосадованный хозяин бухнул кулаком в дверь, она наконец отворилась.

Навстречу Гурову выплыли три нетрезвые испуганные физиономии. Кроме уже знакомого коротышки, здесь были высокий худой очкарик и довольно артистичного вида человек со шкиперской бородкой.

— Здрасте! — подобострастно сказали они хором.

Гуров сдержанно поздоровался. Хозяин же, бесцеремонно оттеснив гостей, пошел куда-то в глубь квартиры, рассуждая на ходу:

— Мог сто раз жениться, но не стал. А почему? Все равно ведь не вернешь. И это... изменяла она мне. И вообще. А я вот не женился больше. А почему? Потому что любил ее, Настю мою. Все ей прощал. Понял теперь, начальник? А ты — хочу поговорить... Ты же мне буквально в душу плюнул!

Гуров не стал вступать в дискуссию, а просто молча смотрел, как Леша лезет в шкаф и копается там в бумагах. В конце концов он нашел там синеватую бумагу на форменном типографском бланке — свидетельство о смерти — и протянул ее Гурову. Тот вчитался в лаконичные, скрепленные печатью строки. Все сходилось — Плетнева Анастасия Владимировна погибла полтора года назад. Причина смерти — травма, несовместимая с жизнью.

— Она сама водила машину, — тихо объяснил хозяин. — Любила это дело. А тут гололед.

— Прошу меня простить, — сказал Гуров. — Произошла накладка. Не по моей вине, но все равно приношу извинения. Но раз уж так случилось, я задам еще один вопрос — вам знакома фамилия Ликостратов?

Хозяин быстро посмотрел на Гурова и скрипнул зубами. Глаза его гневно сверкнули.

— А при чем тут этот ублюдок? — спросил он. — Почему ты меня о нем спрашиваешь?

— Фамилия знакома? — повторил Гуров.

— Допустим, знакома, — с вызовом ответил Леша. — Путался он с моей Настей. Доволен теперь? Только было это сто лет назад. Я когда их поймал, то сразу сказал — еще раз, и убью! Может, и встречались они потом, но я об этом не знал. А ты что-то знаешь?

Он угрожающе надвинулся на Гурова, но тот остановил его холодным взглядом и предупредил:

— На этот раз я уже обижусь, Алексей! Закончишь вечер в отделении. И друзья пострадают. Это я тебе обещаю.

— Друзья-то при чем? — буркнул хозяин, моментально остывая. — Друзья — уважаемые люди, учителя все. Они мухи не обидят. Я, между прочим, тоже в школе физвоспитание преподаю, вот так вот.

— А я думал, хорошие манеры, — заметил Гуров. — Но бог с ними. Я ищу преступника. Фамилия твоей жены возникла совершенно неожиданно. Мне нужно было проверить некоторые факты. Теперь я вижу, что меня обманули. В связи с этим еще один вопрос — жена Ликостратова могла знать о связи мужа с Анастасией Владимировной?

— А почему не могла? — сердито сказал хозяин. — Они долго путались, с полгода. Не особенно и прятались, гниды! Этот хахаль ее наглый был. Тачка импортная, харя гладкая — видел я его один раз. Говорят, крутой он. Но я сразу своей сказал — убью без разговоров, если еще раз услышу! По правде говоря, больше ни разу я его с ней не ловил. А потом она погибла... Вот и вся история. Чего теперь мертвых тревожить?

— Значит, больше ничего о Ликостратове и его родственниках вы с той поры не слышали?

— И еще бы сто лет не слышал! — ответил хозяин и вдруг задумался. — Вообще-то есть один человек — Гриша Жилов, он этого хмыря Ликостратова знал раньше. Я от него узнал, как этого гада найти.

— Знал раньше? — спросил Гуров. — Чучела вместе набивали, что ли?

— Да не знаю я, — отвел взгляд Плетнев. — Только вряд ли Жилов чучелами стал бы заниматься. Ты у него самого спроси. Он сейчас у нас в обществе охотников заместителем председателя правления. Только про меня не говори, неудобно все-таки. Скажет, трепло этот Лешка Плетнев!..

— Постараюсь, — пообещал Гуров. — Ну, я пошел. Передавай привет своим ученикам. С тобой они наверняка чемпионами станут.

Гуров не стал больше задерживаться ни минуты и поехал обратно, чрезвычайно сердитый на самого себя и на диковатого преподавателя физкультуры, из-за которого эта поездка едва не закончилась потасовкой. Строго говоря, особенно расстраиваться было не из-за чего — Гуров с самого начала подозревал, что в Подольск его послали для отвода глаз. Видимо, сыграло свою роль неприятное открытие — трагическая смерть женщины, которую искал Гуров. Теперь его мучил вопрос — знали ли Маргарита Альбертовна и Пивоваров об этой смерти? Если знали, то их поведение можно было назвать не только циничным, но и глупым. Придумать такой некрасивый и ненадежный предлог можно было только в одном случае, если Гурова нужно было как можно скорее отправить куда-нибудь подальше.

Но здесь тоже не все сходилось. На дворе уже была почти ночь, а телефон Гурова молчал. Выходит, до сих пор никто так ничего и не предпринимал? Было из-за чего злиться и нервничать.

И все-таки интуиция не подвела Гурова. Когда он пересек границу Москвы, его телефон ожил, и Стас Крячко, выяснив, где сейчас находится Гуров, деловито сообщил:

— Лева, ты как раз вовремя. Примерно с полчаса назад Пивоваров вышел из дома, сел в машину и поехал по Ленинградскому шоссе в сторону Химок. Уже развязку на Кольцевой начал проезжать, и тут его дорожная инспекция остановила. Что там произошло — не совсем понятно, но, похоже, он опять подшофе был. Короче, задержали его, машину на прикол, а на самого протокол стали составлять. Ребята не ожидали такого поворота. Пока советовались, что делать да как быть, Пивоваров уже успел инспекторам взятку предложить, а когда не прошло, то слегка нахамил. В общем, усугубил ситуацию...

— Ах, черт! Как это некстати! — выругался Гуров. — Ну надо же было Петру позвонить в ГАИ, объяснить, что идет операция. Добиться, чтобы отпустили Пивоварова. Срывается же все!

— Вообще-то я позвонил, — скромно сказал Крячко. — И Петр там надавил. Короче, отпустили Пивоварова — только что...

— Что же ты размазываешь кашу по тарелке?! — рассердился Гуров. — По существу говори! Куда сейчас едет Пивоваров?

— Да никуда он не едет, — усмехнулся Крячко. — Ему тачку вернули, ключи, пожелали счастливого пути, а он десять метров от КП отъехал и в дерево вписался. Сам жив, но в легком шоке — его сейчас в «Скорую» грузят.

— Час от часу не легче! — вздохнул Гуров. — У меня прокол, Пивоваров дурака свалял... начали, как говорится, за здравие, а кончили, как всегда, за упокой.

— А ты не журысь, хлопче! — с некоторым превосходством сказал ему Крячко. — У меня еще новость есть. Похлеще прочих. Я ведь сейчас знаешь где нахожусь? На том же самом Ленинградском шоссе, преследую — кого бы ты думал?

— Поскольку я тебе давал задание следить за Вагнер, значит, Вагнер ты и преследуешь, — сердито сказал Гуров. — Если, конечно, у тебя остались хоть какие-то понятия о дисциплине и здравом смысле.

— Ну тебя ничем не удивишь, — обиженно отозвался Крячко и после короткой паузы добавил с торжеством: — А все-таки я тебя сейчас удивлю. Ты за рулем ведь? Так ты лучше поставь машину на тормоз.

— Еще чего! — бросил Гуров. — Наоборот, я сейчас вроде тебя — на тормоза не жму, спешу в сторону Ленинградского шоссе. Ты удивляй меня так, по ходу движения, я выдержу.

— Ну держись тогда, — загадочно сказал Крячко. — Знаешь, на какой тачке Вагнер едет? На «Ситроене» покойного Мамаева! Ошибки никакой, я номер сверил. Это та самая машина. Примерно через четверть часа после того, как Пивоваров отправился в путь, госпожа Вагнер тоже вышла из дома, пешком добралась до гаражей — у нее, оказывается, гараж метрах в трехстах от дома, — открыла его и вывела оттуда машину. Этот самый «Ситроен». Села и поехала.

— Та-а-ак! — протянул Гуров. — А ты меня удивил, Стас! Хорошо удивил! Ты смотри не потеряй теперь эту дамочку, а то я с тебя голову лично сниму.

— Не потеряю! — убежденно заявил Крячко. — Я уже с ребятами связался — они меня подстраховывают.

— Я тоже сейчас подъеду, — сказал Гуров. — Держи меня все время в курсе.

Он закончил разговор, приладил на крышу мигалку, которая валялась у него в машине и которой он пользовался только в крайних случаях, врубил сирену и помчался догонять Крячко.

Нагнал он его уже за Кольцевой автодорогой. Крячко с небольшой скоростью двигался по Куркинскому шоссе в сторону светящегося вечерними огнями Куркина. Заметив сигналящего ему фарами Гурова, Крячко остановил машину.

— Спешить некуда, — сообщил он по телефону. — Ребята ее обогнали, маршрут здесь один. Она свернула в сторону Сходни. Наши ее у моста караулят. Уйти не должна.

Гуров подъехал и приказал Крячко пересаживаться.

— Тут твою развалюху никто не тронет, — сказал он. — А у тебя нога отдохнет. Да, кстати, вдвоем и веселее.

Крячко не возражал. Хромая, он перебрался в «Пежо» Гурова, спросил:

— Куда ее черт несет?

— Я думаю, что она хочет избавиться от автомобиля, — сказал Гуров. — А Пивоваров должен был подъехать в условленное место и ждать там Маргариту Альбертовну, чтобы отвезти ее домой, после того как она избавится от «Ситроена». В самом деле, не пешком же ей отсюда возвращаться. Они договорились об этом заранее — после того, как спровадили меня в Подольск. Но Николай Иванович переволновался и завалил дело.

— Интересно было бы посмотреть на лицо этой женщины, когда она обнаружит, что ее здесь никто не ждет, — хмыкнул Крячко. — По идее, как гадалка, она должна была предвидеть такой исход. Теперь придется ей катить обратно.

— Катить она в любом случае не станет, — возразил Гуров. — Еще неизвестно, каким путем попал к ней этот «Ситроен». Если она в этом замешана, от машины ей нужно избавиться позарез.

Гуров остановил машину и погасил фары. Стало слышно, как шумит в темноте весенний лес.

— Ты вот что, — сказал Гуров. — Ты, как калека, сиди тут в машине и контролируй дорогу, а я пойду пешочком пройдусь. Кости разомну.

Он направился по неосвещенной дороге туда, где из-за черного силуэта леса выглядывал мерцающий клочок звездного неба. Над головой едва слышно шелестела молодая листва. Со стороны реки доносился легкий плеск воды и робкое кваканье одинокой лягушки. Пахло влажной травой и еще каким-то сладковатым дымком, будто где-то поблизости варили карамель.

Потом вдруг Гуров сообразил, что этот сладковатый дым не имеет никакого отношения к производству кондитерских изделий и исходит, скорее всего, от зажженной сигареты. Курили где-то совсем рядом.

Он свернул с дороги, раздвинул влажные ветви кустов на обочине и сразу увидел стоящий носом к лесу автомобиль. Все огни в нем были потушены, и лишь красное пятнышко сигареты нервно вертелось в воздухе на уровне человеческого роста. Оно выписывало светящиеся круги и зигзаги в черном воздухе, обозначая каждую сделанную курильщиком затяжку.

Но, как того и следовало ожидать, это был не курильщик, а курильщица. Возле автомобиля, не находя себе места, прохаживалась женщина в темном платье в обтяжку — два шага вправо, два шага влево. Через каждые два шага она делала новую затяжку и, вскинув голову, настороженно смотрела в сторону дороги.

Звонить по телефону она не пыталась. Гуров догадался, что ради перестраховки Маргарита Альбертовна и Пивоваров договорились не звонить друг другу по дороге. Может быть, они что-то слышали краем уха о перехвате телефонных разговоров. А может быть, просто забыли впопыхах захватить с собой мобильники.

— Жизнь покажет, — вздохнул Гуров и, уже не прячась, направился прямиком к автомобилю.

Он увидел, как напряглась женская фигура и полетела в траву недокуренная сигарета. Опасаясь, как бы госпожа Вагнер не наделала с испугу каких-нибудь глупостей, Гуров самым миролюбивым тоном окликнул ее:

— Маргарита Альбертовна! Не бойтесь! Это я, полковник Гуров!

Но женщина все-таки не выдержала. Слишком велико было нервное напряжение, и она, несмотря на весь свой характер, с ним не справилась. Маргарита Альбертовна повернулась и бросилась бежать не разбирая дороги. Однако, успев сделать всего несколько шагов, она вдруг вскрикнула и рухнула на землю. Гуров поспешно подошел к ней и помог подняться.

— Каблук... — пробормотала она, глотая злые слезы. — Сломался...

Глава 7

Гуров старался не выказывать открыто своих чувств, но он был чрезвычайно доволен итогом прошедшего дня. Интуиция и на этот раз не подвела его. А поэтому хорошего настроения ему не могла испортить даже бесхитростная, но непрошибаемая позиция Маргариты Альбертовны, которая, сделав после задержания одно скупое признание, заняла затем круговую оборону и, по сути дела, отказалась отвечать на любые вопросы.

Отрицать факт, что она сидела за рулем «Ситроена», принадлежавшего погибшему Мамаеву, Маргарита Альбертовна не стала — это было бы совсем уж глупо, но объяснения, которые она дала по этому поводу, удовлетворить оперативников никак не могли. Впрочем, даже из уклончивых ответов госпожи Вагнер кое-что начинало проясняться.

— Семнадцатого мая уже поздно вечером ко мне позвонили, — рассказывала она, уже сидя в кабинете Гурова и нещадно чадя сигаретой. — В такое время я уже никого не принимаю. Естественно, я встревожилась. Посмотрела в глазок и встревожилась еще больше. Потому что это был мой благоверный. Он сказал, что убил человека. Якобы случайно — его вынудили обстоятельства.

Но теперь ему нужно скрыться, и я должна ему в этом помочь. Он взывал к моему человеколюбию, к моему доброму сердцу. Не дай пропасть, умолял он.

— В чем заключалась ваша помощь?

— Ну что же, отрицать бессмысленно, — со вздохом сказала Маргарита Альбертовна. — Все-таки мы столько прожили вместе. Было и что-то хорошее. Считайте, что я проявила слабость, но это так естественно для женщины. Сергей попросил меня спрятать машину...

— Вы знали, что это машина убитого?

— Да, я это знала, — нехотя сказала Вагнер. — Сергей объяснил, что взял ее, потому что боялся ехать на своей машине. Ему казалось, что так будет безопаснее. Только я должна была потом избавиться от этой машины, отогнать ее куда-нибудь подальше. В ту ночь, естественно, мне было не до этого...

— И вы поставили «Ситроен» в гараж, — подсказал Гуров.

— Да, — замялась Маргарита Альбертовна. — А Сергей взял мою машину. Я не смогла ему отказать. Но куда он направился, я не знаю!

— Вы еще рассказывали, что ничего не знаете о местонахождении собственного сына, — напомнил Гуров. — Может быть, вы и тут что-то недоговариваете?

— О господи, ну при чем тут сын! — Маргарита Альбертовна яростно давила в пепельнице окурок и тут же тянулась за следующей сигаретой. — Нет, насчет этого я точно не в курсе, но сейчас это вообще неважно. Последние дни все мои мысли были заняты одним — как избавиться от проклятой машины!

— И вы решили попросить Пивоварова помочь уже вам? — подсказал Гуров.

— Ну, это уж выдумки, — слишком быстро ответила Маргарита Альбертовна. — С чего вы взяли? Как я могла довериться почти незнакомому человеку?

— Мне кажется, вы опять кривите душой, — заметил Гуров. — Если Пивоваров для вас чужой, то почему после нашего визита к вам он опять вернулся — на этот раз в одиночку?

Маргарита Альбертовна ожгла его тяжелым взглядом черных глаз, глубоко затянулась и сказала твердо:

— Пивоваров приходил ко мне вместе с вами. Больше я его не видела и даже не общалась с ним ни разу. С чего вы взяли, что могло быть иначе, я не понимаю. Кажется, в ваших кругах это называется — взять на понт? Только как это глупо — я никому, ни одному человеку не могла доверить такую тайну! По правде говоря, я никак не ожидала, что вы будете следить за мной. Если бы я предполагала подобное, то лучше бы оставила эту консервную банку гнить в гараже!

— Так было бы совсем негоже, Маргарита Альбертовна, — сказал Гуров. — В нынешней ситуации, по крайней мере, вы сняли грех с души, а мы узнали хоть какую-то часть правды.

— Что значит «часть»? — насторожилась женщина. — Вы что, мне не верите? Но я все рассказала! Может быть, я нарушила в какой-то мере закон, но, в конце концов, никакой закон не может заставить меня стучать на близкого человека, пусть даже мы расстались.

— Вы сейчас имеете в виду Ликостратова или Пивоварова? — с деланым простодушием спросил Гуров.

Маргарита Альбертовна дернулась, словно ее ударило током, и почти с ненавистью посмотрела на Гурова.

— Больше ни на какие вопросы я отвечать не стану, — отчеканила она, глядя ему в глаза. — Вы меня провоцируете. В конце концов, я имею право на адвоката. Пока он здесь не появится, я отказываюсь говорить.

Несмотря на свою демонстративную позицию, Маргарита Альбертовна, кажется, удивилась, когда ей не только не стали больше задавать вопросов, но даже не арестовали. Похоже, она вообразила, что проведет остаток ночи в камере. Но Гуров понял, что больше из этой женщины сегодня ничего выжать не удастся, и принял решение отпустить ее.

— Беседу с вами продолжит следователь, — предупредил он ее. — Не вздумайте проигнорировать его на этот раз. Боюсь, что теперь вы из разряда свидетелей переходите в разряд соучастников, Маргарита Альбертовна, а это очень серьезный статус. Шутить с этим делом я бы вам категорически не советовал.

Гуров давал добрые советы и всем своим видом выражал озабоченность и сочувствие, но это была лишь игра. Маргарита Альбертовна доказала, что к ее словам нужно относиться с большой осторожностью. А уж выпускать ее сейчас из поля зрения и вовсе не стоило. Гуров отдал распоряжение отвезти Маргариту Альбертовну домой, но попутно распорядился продолжить наблюдение за ней. У него даже возникла мысль, что назрела необходимость прослушивания ее телефонных переговоров. Основания теперь для этого имелись достаточно веские. Обратиться в прокуратуру Гуров был намерен не откладывая.

Но он также предвидел, что после всего случившегося Маргарита Альбертовна может попросту «залечь на дно», оборвать все контакты, и тогда следствие упрется в тупик. Нужны были дополнительные факты.

Прежде всего Гурову пришли на ум два человека. Разумеется, Пивоваров, а еще некий Гриша Жилов, охотник и рыболов, знавший Ликостратова и даже имевший с ним какие-то дела. Гуров надеялся, что, узнав подробности об этих делах, он сумеет составить более полную картину и о семейных отношениях Ликостратова.

Выяснив, в какую больницу отправили Пивоварова, он послал туда Крячко.

— Ты калека, и он калека, — пошутил Гуров. — Больные люди скорее найдут общий язык. Расскажете друг другу о своих болячках — у него вроде бы тоже нога задета, — слово за слово, а там, глядишь, он и расколется.

— Не расколется, я ему вторую ногу сломаю, — мрачно пообещал Крячко. — Или предъявлю обвинение во взятке работникам дорожной инспекции.

Так и не показавшись ни разу за эти сутки жене, Гуров опять поехал в Подольск. Телефонный звонок скрасил ситуацию лишь отчасти. Гуров с грустью подумал, что нужно немного сбавить темп, иначе его семейная жизнь тоже начнет вызывать много вопросов.

Решение сбавить темп и больше бывать дома Гуров честно принимал каждое утро, но почти всегда что-то мешало, почти всегда возникали неотложные дела и особые обстоятельства. Дело было в том, что преступники не желали придерживаться хотя бы приблизительного распорядка и творили свои безобразия как бог на душу положит.

Надо сказать, что с женой Гурову все-таки неслыханно повезло. Известная актриса Мария Строева была не только красивой, но и умной женщиной. Ее образ жизни тоже был полон непредсказуемых моментов и требовал максимальной самоотдачи, поэтому она хорошо понимала Гурова. Наверное, он слишком привык к этому и чувствовал себя относительно спокойно. Однако женщина есть женщина, и рано или поздно ее душа начинает требовать мужской ласки и неусыпного внимания. И если в этот момент рядом не окажется мужа, то взрыв почти неизбежен. Мысль об этом и тревожила Гурова. Этим утром он окончательно решил, что вечера в его жизни теперь целиком посвящены семье. Но пока он должен был наведаться в Подольск.

Прежде чем являться к незнакомому Грише Жилову, можно было заглянуть в местное УВД, чтобы заручиться на всякий случай поддержкой коллег, но, подумав, Гуров решил действовать в одиночку. Ему хотелось побеседовать с Жиловым по-хорошему, без лишнего давления.

Разыскать правление общества охотников и рыболовов не составило труда. Жилова он застал на месте — в тесном и не слишком уютном кабинете, в котором, казалось, уже лет пять не убирались. Собственно, никакой особенной грязи здесь не было, но вся казенная обстановка, обшарпанная мебель и плохо выкрашенные стены создавали впечатление неуюта и запущенности. На единственном окне красовалась стальная решетка, защищавшая кабинет от посягательств извне.

Гриша Жилов, он же Григорий Иванович, оказался деловитым грузноватым человеком с тяжелым взглядом и большими залысинами на выпуклом лбу. Он сидел за старым канцелярским столом, навалившись на него внушительным животом, и делал сразу три дела: разговаривал по телефону, что-то яростно записывал в толстой записной книжке и еще умудрялся листать при этом растрепанный настольный календарь, переложенный многочисленными закладками. Появление Гурова не произвело на него никакого впечатления — он лишь искоса посмотрел на него и сделал едва заметное движение подбородком, которое могло означать предложение садиться.

Гуров сел на скрипучий стул сбоку от стола и стал ждать, пока Жилов разберется с делами. Заняло это еще около пяти-десяти минут, в течение которых хозяин кабинета придирчиво разбирался с кем-то по телефону о каких-то трубах и заглушках, а закончил неожиданным предложением закатиться куда-нибудь в ближайшие выходные с костерком и ушицей. Гуров терпеливо ждал, с удовлетворением отмечая, что телефонный разговор в итоге пошел Жилову на пользу и привел его в благодушное расположение духа. Положив трубку и сделав еще пару корявых записей в блокноте, он неожиданно поднял глаза и в упор посмотрел на Гурова.

— Вы по поводу лицензии? — почти категорически произнес он.

— Нет, дело в том... — начал Гуров.

— Ага, значит, у вас проблемы с милицией! — уверенно продолжал Жилов. — Это ведь насчет вас Виктор Петрович звонил?

— Нет, вы ошибаетесь, — с усмешкой сказал Гуров. — Я сам из милиции.

Жилов быстро откинулся на спинку своего стула и пристально уставился на Гурова.

— Черт! Я мог бы сам догадаться, — недовольно сказал он, переживая за свой промах. — Но я вас не знаю. Вы откуда? Из Москвы?! Понимаю, это насчет того безобразного случая, когда охотились с колес, напали на егеря... Я угадал?

— Подождите! — сказал Гуров. — Случай действительно безобразный, но я совсем по другому поводу. Собственно говоря, речь пойдет о вас, Григорий Иванович.

— Обо мне? — кисло переспросил Жилов. — Ну ясно, на меня все шишки! У какого-нибудь алкаша найдут незарегистрированное ружье девятьсот тринадцатого года выпуска, а все претензии к нам...

— У меня нет к вам пока никаких претензий, — сказал Гуров. — Но вопрос у меня к вам очень серьезный. Кстати, сразу представлюсь — Лев Иванович Гуров, старший оперуполномоченный по особо важным делам. Расследую убийство. Поэтому попрошу отнестись к разговору предельно серьезно.

На лице Жилова появилось отчаяние. Он безнадежно махнул рукой и воскликнул:

— Еще не легче! Убийство! В нашем районе?

— Нет, к вам убийство отношения не имеет. Но меня интересует один человек, который как раз имеет к нему отношение. Говорят, вы его хорошо знали и даже вместе с ним работали. Буду благодарен за любую информацию об этом человеке.

Жилов нахмурился, но спрашивать ничего не стал.

— Ликостратов Сергей Степанович, — коротко сказал Гуров.

Жилов крякнул, побагровел и нервным движением распустил узел галстука. Ему явно сделалось не по себе. Он долго сопел и бегал по сторонам глазами, пока наконец не выдавил:

— Вот странно, вы говорите о человеке, которого я уже сто лет не видел. Да и не особенно хорошо я его знал. Так...

— Вы занимались с ним каким-то бизнесом, — твердо сказал Гуров. — Будьте добры ответить, что это был за бизнес. Иначе мне придется перенести наш разговор в кабинет следователя, где он будет фиксироваться в протоколе. Пока же все останется между нами. Повторяю, вы лично меня не интересуете.

— Ну-у, это всегда так говорится, — беспомощно протянул Жилов, оглядываясь на дверь. Он вспотел и выглядел неважно, совсем иначе, чем минуту назад. — Ликостратов... Вот уж не думал, не гадал. Кто мог на меня стукнуть? Это же было сто лет назад! Ну, не сто, но ведь два года прошло... Я давно не имею с ним никаких дел. С Ликостратовым трудно иметь дело, понимаете? Он законченный эгоист, к тому же чокнутый.

— Уже теплее, — сказал Гуров. — Еще что-нибудь вспомните?

Жилов заерзал на стуле, с тоской посмотрел в зарешеченное окно и скривил рот в недовольной гримасе. Зазвонил телефон, но он лишь раздраженно поднял и тут же опустил трубку.

— Ч-черт! — сказал он наконец. — Надо же такому случиться! То-то мне сегодня ночью крысы снились. Не к добру.

— Вы поосторожнее с параллелями-то, — улыбнулся Гуров. — Могу принять на свой счет. Лучше вернемся к Ликостратову. Как вы с ним познакомились?

— У меня ветеринарное образование. Я работал в передвижном зверинце. Мы возили по городам зверей, устраивали представления детишкам на радость. Как-то ездили по югам — Ставропольский край, Краснодарский. Ну, в свободное время чем заниматься? В ресторане познакомился с Ликостратовым. Он тоже был в том же городе проездом — не помню точно, где это было, все в голове перепуталось. Интересы общие обнаружились. Он ведь тоже в некотором роде любитель природы. Только мертвой. Ну, разговорились, слово за слово, и получилось так, что он сделал мне предложение. Говорит: что ты, так и будешь в вагончике всю жизнь скитаться? Можно, мол, хорошо заработать. А нам, мол, ветеринар нужен.

— Кому это нам?

— Ну, в общем, была у них такая команда — они через границу редких животных возили на продажу. И тех, что у нас водятся, и тех, что из южных республик переправляют. Вот такой бизнес. И если хотите знать, я в этом ничего страшного не вижу. Если бы эти животные кому-то здесь были нужны, за ними бы следили. А раз они на хрен никому не нужны, почему бы их не продать? Другой вопрос, что дохнут они по дороге пачками. И вот за это я их контору всегда ненавидел. Понимаете, им главное — прибыль. А если при этом десятка два редких птенцов сдохнет — ну что ж, неприятно, но это как бы издержки производства. Какие-то попытки исправить ситуацию они предпринимали. Вот меня, например, решили привлечь. Только что толку от ветеринарного врача, когда все проходит в режиме конспирации и контрабанды? Что я мог сделать? Тем более что животные и в самом деле были экзотические. Не поверите, удавов из тропической Азии возили!

— Кто же выступал в роли покупателей? — поинтересовался Гуров.

— По-разному бывало, — пожал плечами Жилов. — Когда частные лица, когда цирк какой-нибудь, институт... Я непосредственно сделками не занимался. Мое дело было поголовье сохранить. А это у меня плохо получалось. Из-за чего и начались конфликты.

— В чем была суть этих конфликтов?

— Ну как же? Я же говорю — с меня требовали, чтобы до места как можно больше животных доезжало. Тебе за что, мол, бабки платят? А что толку в этих бабках, если животных везут в тесноте, в закрытых контейнерах, иногда даже без воды и без пищи. Жара, холод — неважно! Главное — сроки. У них ведь какой еще аспект? Несколько границ проезжать нужно. Потом инспекции всякие, начиная с ГИБДД. Кое с кем у них контакт был налажен, а кое с кем нет. Значит, нужно было через какой-то определенный пост обязательно в определенное время проехать, понимаете? На этом все строилось. Ну, короче, посмотрел я на этот бардак, посмотрел, плюнул и ушел. Совесть заела. Я ведь мужик вообще-то толстошкурый, жизнью битый. А вот зверюгам этим в глаза их несчастные смотреть уже не мог! Им ведь не объяснишь, что ты их за бабки мучаешь, за кусок хлеба с маслом... Ну и претензии надоели. А, подавитесь, думаю, вы этими деньгами! Ну, и ушел от них. По-моему, они рады были.

— А не боялись, что утечка информации произойдет?

— Нет, чего им бояться? — спокойно ответил Жилов. — У меня же самого, получается, рыло в пуху. А потом, я же говорил, у них «крыша» имеется. Им влиятельные люди помогают, в органах знакомые есть. Ну и деньги у них, в крайнем случае откупиться всегда можно. Из-за чего же им меня бояться? Я вот уж два года о них ничего не слышал — вы первый. — Он вдруг задумался. — Хотя нет, вру! Последний раз я про Ликостратова позже слышал. Это примерно года полтора назад было.

— Что же случилось полтора года назад?

— Да глупая история! Есть тут у нас один мужик. Он в школе работает. Женился на одной. Красивая женщина была, но без руля, как говорится. Все время от него налево смотрела. И вот однажды я ее в Москве встретил — с Ликостратовым под ручку. Она в каком-то бизнесе тут участвовала, частенько в столицу по делам ездила. А мужик, значит, тут. Не знаю, правильно я поступил или нет, но я все ему рассказал и даже объяснил, где этого

Ликостратова найти. Ну, вроде ездил он, разбирался...
Что там у них было, не знаю — вот только вскоре эта
женщина разбилась на машине насмерть, и все кончилось.

— Печальная история, — сказал Гуров. — Однако вернемся к Ликостратову. Вы можете назвать примерный
маршрут, по которому возили контрабанду?

— Ну, маршрутов несколько было. Обычно у нас все
начиналось где-нибудь на казахской границе, в Калмыкии, на Кавказе или в Астраханской области. В зависимости от того, какой товар поступал. Ну, и везли через
Россию, как правило, к западным границам — иногда
через Украину, иногда через Прибалтику, реже до Финляндии добирались. Не знаю, может быть, сейчас все поменялось. Обычно, если далеко везли, то под Брянском
останавливались. Там в лесу, в заповеднике, у них что-то
вроде базы было, там мы груз в божеский вид приводили,
транспорт ремонтировали, если была необходимость, ну
и вообще... Место это называется Гнилой кордон. Потому что там болото рядом, ну и, видимо, слава еще...

— Возили на чем?

— Большие фургоны — вроде тех, в которых мы
свой зверинец возили. Кстати, по документам они тоже
иногда под зверинец косили, а иногда под какую-нибудь
экспедицию. Но все эти документы, конечно, липа, тут
главное — связи и деньги.

— Ликостратов был главным в этом предприятии?

— Не совсем так, — покачал головой Жилов. — Он
тоже на кого-то работал. Это же налаженная схема. Мы
были только небольшим звеном. Параллельно еще люди
работали. И все эти группы подчинялись кому-то. Но я
в эти дела не вникал, как вы понимаете.

— Я понимаю, — сказал Гуров. — Часто приходилось
кататься?

— По-разному. Когда сезон начинался, приходилось
неделями в дороге трястись. А зимой, допустим, вооб-

ще делать нечего было. Но тут тоже бывали варианты. Иногда по каким-то причинам все тормозилось. Месяц загораешь, другой... То ли проблемы с животными были, то ли еще что... Мне этого не объясняли.

— Можете назвать кого-то из той группы, с которой вы работали? — спросил Гуров.

— Не хотелось бы, — поморщился Жилов. — До сих пор меня не трогали. Обидно, если на старости лет покалечат. Сейчас лечение, сами знаете, дорогое. Помереть легче.

— Ну, помирать нам, как говорится, рановато, — покачал головой Гуров. — Не думаю, что все так страшно, как вам кажется. Но раз уж я обещал не вмешиваться в вашу жизнь, то не буду настаивать. Назову только одно имя. Оно все равно всплывет в моем деле — безотносительно ваших заявлений.

Жилов настороженно уставился на Гурова. Кровь постепенно отхлынула от его лица, и теперь он выглядел бледноватым и постаревшим.

— Сын Ликостратова участвует в этом бизнесе?

— Илья-то? — с видимым облегчением спросил Жилов. — Ну, это само собой. Трудовая династия. Но он там мелкая сошка. Что-то среднее между водителем и охранником. Парень он жилистый, умелый, но интеллектом не блещет. Не думаю, чтобы он играл там какую-то важную роль. Во всяком случае, я этого не заметил.

— Как вы думаете, он до сих пор занимается этим делом? — спросил Гуров.

— А почему бы и нет? — пожал плечами Жилов. — Я не слышал, чтобы они где-то крупно пролетели. Значит, все идет нормально. А Илье с его способностями там самое место. Тем более папа рядом. Думаю, такое теплое место он не должен бросить. А что, собственно, случилось? Неужели вы все-таки накрыли их контору? Ах, черт возьми, значит, и до меня доберетесь!

— Уже добрались, — улыбнулся Гуров. В волнении Жилов даже позабыл, с чего начался их разговор. — Но пока вам не о чем беспокоиться. Мне нужна была информация, и я ее от вас получил. Могу только выразить вам благодарность. Ваши грехи мы пока трогать не будем. Нам бы со своими разобраться. Тем более что вы вовремя осознали ошибки и искренне в них раскаиваетесь.

— Да, это не для меня, — согласился Жилов. — По натуре я не аферист, не пират. И животных я жалею. Моя бы воля, я бы за насилие над животными срок давал не меньше, чем за людей.

— Кстати, о людях, — вспомнил Гуров. — А супругу господина Ликостратова вы знали, Маргариту Альбертовну?

— Знал немного, — криво ухмыльнулся Жилов. — Роковая женщина. Она ведь старше Ликостратова, вы знаете? Лет на семь, по-моему. А ему уж самому хорошо за сорок. Вот он и гулял от нее, и развелись они поэтому.

— Она знала, чем занимается муж?

— Обязательно! Тем более что там сынок ее задействован. Он у нее поздний и единственный. Она в нем души не чает.

— Значит, она совершенно точно должна знать все о делах своего сына?

— Ну, все или не все — этого я сказать не могу. Но в общих чертах, конечно. Она даже принимала какое-то участие в делах — бухгалтерию вела или еще что-то... Даже после развода. Так что она — человек, безусловно, осведомленный.

— Ага, — обрадованно сказал Гуров. — Ну, это вы сейчас мне просто подарок сделали, Григорий Иванович. Сейчас я даже животных вам готов простить, которых вы с Ликостратовым уморили...

— На больное место жмете, — грустно сказал Жилов. — Я понимаю. У вас работа такая. Но я в самом деле порвал со всем этим. Кручусь вот в этом болоте. Тут тоже не без грешков, но они мелкие, как комары. На особо важные не тянут.

— И слава богу, что не тянут, — сказал Гуров, вставая. — Я с вами не прощаюсь, потому что может возникнуть такая ситуация, что вы нам понадобитесь. Но это только в крайнем случае. Без особой надобности тревожить вас не будем.

Глава 8

Вечернее небо над шоссе наливалось тяжелым свинцовым светом — с запада шли грозовые тучи. Уже начинал накрапывать дождь, и водяные брызги все чаще взрывались на ветровом стекле. Вокруг было пустынно, а по краям дороги вставал угрюмый, темный, как ночь, лес. Кроны деревьев негодующе раскачивались, словно возмущаясь то ли нежданной грозой, то ли появлением чужаков в машине с московскими номерами.

В гуровском «Пежо» сидели трое — он сам, верный друг Крячко и молодой оперативник из главка капитан Самохин, которого по особому распоряжению генерала Орлова в самый последний момент прикрепили к Гурову. Ехали они без остановки уже часов шесть, одолели более трех с половиной сотен километров и немного устали. Поэтому разговоры в машине давно закончились, и даже Крячко примолк, словно исчерпал запас своих обычных шуточек. К тому же им всем было о чем подумать. Ситуация складывалась не совсем обычная. Настолько необычная, что вначале генерал Орлов даже слушать не хотел никаких соображений Гурова на этот счет.

Сейчас, крутя баранку за триста километров от дома, Гуров вспоминал подробности горячего спора в кабинете генерала. Убедить его удалось, но чего это стоило! Тем более что доказывать свою правоту Гурову пришлось в условиях жесточайшего цейтнота. Времени катастрофически не хватало, а все потому, что главную информацию они получили в самую последнюю минуту.

После возвращения Гурова из Подольска он прежде всего встретился с Крячко и поинтересовался, состоялось ли свидание с бывшим референтом. Оказалось, что Крячко с ним виделся, но выудить у него ничего нового не сумел.

— Он притворился мертвым, — саркастически объяснил Крячко. — Знаешь, как жучки притворяются мертвыми, когда их потрогаешь пальцем? Так и этот. Лежит, паразит, на койке — нога в гипсе, морда в синяках, и выражение на лице — хоть святого с него пиши. Начал с ним по-хорошему: мол, что же это вы, Николай Иванович, мозги нам пудрите, комбинации какие-то за нашей спиной составляете? С ним после этого чуть истерика не случилась. Созвал всех врачей, потребовал оградить от посягательств. Ну, ты врачей знаешь — их хлебом не корми, дай проявить гуманность и милосердие. Одним словом, выставили меня, Лева, а этот артист остался там лежать. Обдумывает сейчас небось, как нам дальше голову морочить.

Гуров предвидел такой оборот дела и не слишком огорчился. После встречи с Жиловым он решил все усилия сосредоточить на госпоже Вагнер, которая представлялась ему теперь центральной фигурой. Оперативники, наблюдавшие в отсутствие Гурова за квартирой Маргариты Альбертовны, докладывали, что за весь день она не предпринимала никаких попыток войти с кем-либо в контакт и не принимала клиентов. Последнее, впрочем, было вполне естественно — Маргариту Альбертовну, озабоченную собственным будущим, не волновали сейчас судьбы посторонних людей.

Несмотря на такое затворничество, госпожа Вагнер откликнулась на поздний звонок Гурова и без разговоров дала согласие встретиться. Видимо, наставление, которое он дал ей напоследок, возымело свое действие. Маргарита Альбертовна была взволнована, и Гуров решил, что это в его пользу. Человек, теряющий хладнокровие, плохо держит удар. Факты, которые раздобыл в Подольске Гуров, могли сыграть роль некоего катализатора. Даже если она собиралась и дальше отрицать свою осведомленность в делах мужа, то после истории с «Ситроеном» и свидетельства Жилова делать ей это будет невероятно трудно. Рано или поздно она должна будет признать очевидное.

Однако Гуров даже не предполагал, что все произойдет так быстро. Едва он успел переступить порог квартиры госпожи Вагнер, как она огорошила его почти истерическим заявлением:

— Полковник! Вы должны помочь ему! Должны! Я буду вашим должником всю свою жизнь — только не оставляйте его! Я вас умоляю!

На Маргарите Альбертовне не было лица. От роковой, полностью уверенной в себе дамы ничего не осталось. Перед Гуровым была немолодая, раздавленная, заплаканная женщина, охваченная огромным горем. Он был удивлен и даже озадачен. Видимо, с тех пор, как они расстались, произошло нечто крайне важное, то, что и без его усилий изменило позицию Маргариты Альбертовны. Но он не ожидал, что она до сих пор так любит своего мужа.

— Разумеется, я сделаю для вашего мужа все, что в моих силах, — сказал он сдержанно. — Но прежде я должен его найти, Маргарита Альбертовна. А вы никак не хотите направить нас по верному пути...

— Ну при чем здесь муж?! — неожиданно произнесла рыдающим голосом Маргарита Альбертовна. — Мой мальчик пропал!

Она безнадежно махнула рукой, повернулась и рухнула в кресло, не обращая внимания на Гурова. Дрожащими пальцами она прижимала к глазам пропитавшийся слезами платок. Гуров осторожно присел на кресло напротив.

На этот раз квартира Маргариты Альбертовны ничем особенным не выделялась. Правда, на окнах опять были тяжелые шторы, но под потолком горела обыкновенная электрическая люстра, и никаких посторонних запахов вокруг не ощущалось. Даже внушительная, под старину обстановка не производила сейчас впечатления чего-то многозначительного и таинственного — просто старая мебель, тяжелая и неудобная, несущая на себе неизгладимый отпечаток времени. Сейчас это не было жилищем колдуньи и гадалки. Это была квартира немолодой, несчастной и очень одинокой женщины.

Гуров наконец понял, о чем идет речь, и осторожно спросил:

— Вы хотите сказать, что с вашим сыном, Ильей Сергеевичем, что-то случилось?

— Ну конечно! — всхлипнула хозяйка. — Неужели так трудно понять? Если с ним что-то случится, я просто наложу на себя руки. Мне незачем жить.

— Если вы так переживаете за сына, то зачем позволяете ему заниматься такой опасной и, прямо скажем, незаконной деятельностью? — напрямик спросил Гуров.

Его осведомленность, кажется, не произвела на женщину никакого впечатления.

— Это все Сергей! — со злобой сказала она. — Соблазнил его легким заработком, сбил с пути. Я никогда не хотела, чтобы он занимался этим, но терпела. Думала, заработает немного денег, пойдет учиться, найдет настоящую работу...

— Вы знаете, куда в этот раз поехал ваш сын?

— Они были в низовьях Волги, — покорно сказала Маргарита Альбертовна. — Должны были везти партию редких птиц. В основном, кажется, пеликанов. На двух машинах. Сегодня он должен был позвонить мне с перевалочного пункта...

— Под Брянском? — вставил Гуров.

— Значит, вы знаете? — капризно воскликнула Маргарита Альбертовна. — Почему же вы здесь? Почему ничего не предпринимаете? Или вам важна галочка в вашем отчете, а не людская судьба?

— До отчета еще далеко, Маргарита Альбертовна, — успокаивающим тоном сказал Гуров. — Пока что я о нем не думаю. Пока что меня, как вы говорите, волнуют именно судьбы... Но ведь я ничего не знаю! Объясните же толком, что произошло!

Маргарита Альбертовна еще раз промокнула глаза платком и, глядя на Гурова взглядом побитой собаки, пробормотала:

— Мне так страшно! Именно сегодня он должен был прибыть на эту свою базу. Там есть телефон, откуда можно позвонить. Но он не позвонил.

— Подождите, — рассудительным тоном заметил Гуров. — Разве это причина так убиваться? Мало ли по какой причине он не позвонил? Вы сами знаете, какая у нас связь...

— При чем тут связь?! — прорыдала Маргарита Альбертовна. — Связь как раз в порядке. Мне оттуда звонили!

— Вам звонили из Брянской области? — удивился Гуров. — И что же?

— Звонил друг сына — Вадим Сидоренко. Он водит машину, на которой... Ну, вы понимаете. Он позвонил... — она с трудом удерживала слезы. — И сказал, что пока не появится Сергей, сына я не увижу...

Гуров с тревогой посмотрел на нее.

— Простите, что значит — пока не появится Сергей? — спросил он. — Где не появится?

— Я... Я не знаю! — в отчаянии выкрикнула Маргарита Альбертовна. — Верьте мне — я ничего не знаю! Я сама не могу ничего понять. Этот дурак Вадим говорил так, будто у него во рту каша. На вопросы отвечать отказался, сказал, что просто передает чужую просьбу. Он, мол, здесь ни при чем. И еще предупредил, чтобы я не вздумала обращаться в милицию — сказал, что тогда Илью я никогда уже не увижу!

— Что-нибудь еще?

— Нет, потом он просто бросил трубку, — безнадежно сказала Маргарита Альбертовна. — А я не знаю, куда звонить. Сын никогда не говорил мне номер телефона. Помогите мне! Я все расскажу. И про Пивоварова тоже. Только спасите моего сына, полковник!

Маргарита Альбертовна действительно все рассказала, но ее рассказ мало прибавил к той информации, что Гуров получил от Жилова. Нет, конечно, ей были известны убийственные подробности о деятельности своего бывшего мужа, но не это сейчас интересовало Гурова. О местонахождении Ликостратова Маргарита Альбертовна, похоже, и в самом деле ничего не знала. Ради спасения сына она выдала бы его, не задумываясь. Но его исчезновение не было связано с контрабандой животных.

Все эти аргументы Гуров вывалил на следующее утро перед генералом, объявив, что должен немедленно ехать в Брянскую область.

— Пойми, Петр, мы не можем терять сейчас ни минуты! Ведь речь уже идет даже не об убийстве Мамаева — здесь уже пахнет чем-то более серьезным. Во-первых, организованная преступная группа; во-вторых, похищение человека, а что будет дальше, можно только догадываться. Грязное дело вырисовывается, Петр.

— Вот-вот, сам говоришь, преступная группа, — непреклонно заметил Орлов, — а предлагаешь авантюру. Без предварительной разработки, без поддержки. Даже с брянскими коллегами не хочешь связаться. КПД от этой твоей акции — ноль, если не сказать хуже. На что ты надеешься?

— Вагнер утверждает, что на лесной базе группа задержится еще дня на два. Они всегда так делают. Мы с Крячко нагрянем туда, найдем этого Сидоренко и побеседуем с ним по душам. Нам необходимо знать, кто затеял эту историю с похищением Ильи Ликостратова. Если мы этого не узнаем, то парень может погибнуть.

— А о том, что вы с Крячко можете погибнуть, ты не задумывался?

— Зубы обломают, — уверенно заявил Гуров. — Мы не затем туда едем, чтобы погибать, и ты, Петр, это прекрасно знаешь. Мы должны знать истину. У этой истории очень серьезная подоплека. Я теперь более чем уверен, что Ликостратов пустился в бега не потому, что человека убил. Вернее, не только поэтому. Он еще чего-то боялся, и боялся сильнее, чем нас с тобой. Вот как ты думаешь, что могло его так испугать?

— Над этим ты думай, — отрезал генерал. — У меня и без того забот полон рот. Вот, например, ты в курсе, что наверху мне рекомендовали не загружать тебя банальными делами? Такими, как, например, дело об убийстве гражданина Мамаева? Да-да, с некоторых пор судьба гражданина Ликостратова никого не интересует. Даже наоборот.

— Меня интересует, — сказал Гуров.

— Есть мнение, что и тебя не должна интересовать.

— Заметь, не я первый это начал, — недовольно сказал Гуров. — Или ты думаешь, что меня можно двигать вот так запросто, как пешку? Сначала мне предлагают побегать, поискать для министра нужного человека, а потом, когда этот человек оказывается замаранным и появляется угроза для чьей-то репутации, меня просят не суетиться и отойти в сторону! Я с этим согласиться категорически не могу. Начальство не стоит баловать!

— Меня ты, похоже, вообще за начальство уже не считаешь! — сердито сказал Орлов. — Развернул мне тут свою философию! Разве это плохо, когда человек бережет свою репутацию? Не хочешь же ты сказать, что с одобрения министра торгуют этими несчастными животными?

— Насчет министра не знаю, — неуступчиво сказал Гуров, — но вот насчет референта госпожа Вагнер высказалась однозначно. Пивоваров принимал в этом непосредственное участие. Допустим, сам он контрабандой не занимался, но помогал Ликостратову очень неплохо — организовывал документы на министерских бланках, на бланках Академии наук, всякие рекомендательные письма и прочую липу. Поэтому он так старался заморочить мне голову.

— Пивоваров уволен, — сурово сказал Орлов. — Никакого отношения к министру он уже не имеет. Не забывай этого.

— Да бог с ним! — ответил Гуров. — В конце концов, эта братия интересует меня меньше всего. Всегда найдутся люди, которые не прочь подзаработать на печати, которая лежит у них в сейфе. Это не моя забота. Мне нужно найти тех, кто похищает людей и организует преступные группы.

— И все это ты надеешься найти в брянском лесу?

— Там я надеюсь найти след, — заявил Гуров.

— А тебе не кажется, что госпожа Вагнер опять просто морочит тебе голову?

— Не кажется. Она искренне переживает. У меня жена — актриса. Я вижу, когда человек играет. И потом, она же, грубо говоря, раскололась! Готова дать письменные показания. И еще у нее имеются кое-какие бухгалтерские выкладки, касающиеся деятельности мужа. Я поставил в известность Балуева. Сегодня он ею займется.

— А следователь знает про сына Ликостратова? Что он говорит?

— Он уверен, что это какой-то маневр для отвода глаз. Он скептик.

— М-да, жаль, что ты у нас романтик. Но вообще-то я тоже не думаю, что женщина будет шутить судьбой своего сына даже ради большой выгоды. А тем более не будет выгораживать бывшего мужа. Это не в женской природе.

— Так ты меня поддерживаешь? — нетерпеливо поинтересовался Гуров.

Генерал просверлил его взглядом и нехотя сказал:

— Это мой крест — тебя поддерживать. Без моей поддержки ты бы знаешь где был?.. Ну, ладно, даю добро, но с одним условием. Никаких там активных действий! Никакой рубки сплеча! Если понадобится кого-то задерживать — только в сотрудничестве с местными правоохранительными органами и непременно поставив в известность меня!

Таким образом главная задача была решена — Гуров вспоминал сейчас об этом с легкой иронией и досадой. Орлов неизменно упрекал его в «партизанщине», а Гуров постоянно клялся, что навсегда покончил с этим явлением, и давал слово, что никаких серьезных вопросов без согласования с начальством решать не будет. Он терпеть не мог нарушать слово, но отлично знал, что главные решения принимаются без подсказки начальства или же не принимаются вообще. В душе Орлов наверняка думал также, поэтому Гуров с такой легкостью давал ему слово, которое потом нарушал. Это было что-то вроде жертвенного ритуала перед большой охотой.

Раздумья Гурова наконец прервал Крячко, который предложил остановиться и уточнить, где они находятся. Около получаса назад на автозаправке им приблизительно объяснили, как следует ехать в направлении Гнилого кордона. Получалось шестьдесят километров по шоссе, затем поворот на лесную дорогу, еще километров пятнадцать вокруг деревень и болот, а далее следовало спросить у местных.

По времени и по карте выходило, что нужный поворот должен вот-вот показаться. Погода между тем портилась, становилось темновато, а над лесом погромыхивал гром.

— Какого черта они сворачивают в такую глушь? — с сомнением спросил Крячко. — Тут им до финиша уже недалеко, а они в лес забираются! А здесь ни условий, ни дорог нормальных. Живность вся передохнет!

— Похоже, этот кордон вот где расположен, — объявил Гуров, заглядывая в карту и тыча в нужное место пальцем. — Видишь, с этой стороны лесная дорога, грунтовка, одни повороты... Зато с той стороны выезжаешь прямо на автостраду, и всего-то два километра по прямой! А прячутся они сюда, я думаю, потому, что дальше у них самый ответственный момент — границу пересекать нужно. Вот они и делают профилактику — перед последним броском. Все правильно.

— Выходит, теперь и нам среди болот петлять надо? — недовольно спросил Крячко. — Незавидная участь! А тут еще дождь вот-вот раскочегарится. Как бы нам не засесть здесь.

— А мы вот как сделаем, — заключил Гуров. — Сейчас прибавим газу и обогнем этот район по асфальту. И подъедем с той стороны. Может быть, даже не станем углубляться в лес на машине. Пару километров пешочком по лесу пройти — одно удовольствие. И внимания к нам будет меньше.

— Ага, внимания-то как раз будет хоть отбавляй! — саркастически сказал Крячко. — Три дурака под дождем грибы собирают! Этого тут, наверное, еще не видели. И потом, с моей ногой мы эти два километра два часа идти будем.

— А ты с твоей ногой будешь в машине сидеть, — возразил Гуров. — Прикрывать тылы. Твоя задача — не выпускать из леса фургоны, буде таковые появятся. В крайнем случае разрешаю стрелять по колесам. А мы с Самохиным пройдемся. В конце концов, не сахарные — не растаем.

— А все-таки хорошо бы объяснение какое-нибудь придумать, товарищ полковник, — дипломатично сказал Самохин. — По какой причине мы вдруг на кордоне появились?

— Хочешь сказать, что тут по лесу никто не ходит?

— Ну, погода, в самом деле... Вечереет. Да и чужие мы. Сразу в глаза бросимся.

— У нас на лбу не написано, кто мы такие, — возразил Гуров. — А заблудиться никому не возбраняется. Если в пределах закона, конечно, — он улыбнулся. — Так и скажем — туристы, мол, ехали неизвестным маршрутом, машина тут неподалеку заглохла, ищем теперь помощь. А то, что мы при этом вымокшие будем, только больше убедительности нашим словам придаст. А у нас цель одна — Вадима Сидоренко найти да поговорить с ним с глазу на глаз.

— С глазу на глаз не получится, — предрек Крячко. — Их там человек десять, не меньше. Не дадут вам уединиться.

— А я для этого Вадима слова найду такие, единственные, — пошутил Гуров, — какими в любви признаются. Он за мной после этого на край света пойдет.

— Главное — от дороги особенно не отклоняйтесь, когда на край света пойдете, — предупредил Крячко. — Тут по карте болота совсем рядом.

Гуров кивнул, благодаря за заботу, бросил на заднее сиденье карту и завел машину. Примерно через полчаса, объехав кругом по шоссе обширный лесной массив, они оказались на пересечении с дорогой, уходящей в глубь леса. Несмотря на то что эта дорога была прямая, как стрела, уже метрах в сорока ее полоса как бы растворялась в сумрачных лесных тенях и дождевой мороси. Глядя на это, Крячко сказал:

— Бр-р! В такую погоду хороший хозяин собаку на улицу не выгонит. Может, передумаешь, Лева? А что? Отсидимся здесь в машине. В крайнем случае мимо нас не проедут. Зато сухо и компания хорошая.

— Компания хоть куда, — согласился Гуров. — Только нам ждать у моря погоды некогда. Сам говорил, что опоздать можем. Так что в тепле тебе одному придется отсиживаться. Пойдем, капитан!

Гуров уже открыл дверцу машины, как Крячко добродушно и снисходительно заметил:

— Вы хоть бы сейчас галстук сняли, пан сыщик! А то такое впечатление, будто вы сюда прямо с банкета по случаю Дня милиции завернули...

Гуров засмеялся, распустил узел галстука и, стащив его через голову, бросил вслед за картой на заднее сиденье.

— За объективную критику спасибо, — сказал он.

Вместе с капитаном Самохиным они вышли из машины и, поневоле сразу перейдя на рысь, зашагали туда, куда вела лесная дорога. Крячко неодобрительно посмотрел им вслед и покачал головой. В глубине души ему тоже хотелось припустить вслед за Гуровым, но он понимал, что с его ногой такой темп ему не поддержать.

А Гуров с Самохиным уже вступили в лес. Настоящая гроза грохотала где-то в стороне. Эту часть леса дождевая туча задела только краем, но и этого для городских костюмчиков и ботинок было вполне достаточно. Минут через десять оба уже чувствовали себя так, словно им целый день пришлось продираться через мокрые кусты и шагать по глубоким лужам. Под каблуками хлюпала грязь.

— Нет в жизни счастья! — философски заметил Гуров, поднимая воротник пиджака. — Держу пари, что до нашего приезда здесь держалась прекрасная погода. Посмотри, Самохин, на дороге никаких следов. Если бы здесь сейчас проехала машина, все дыбом бы стояло.

— Значит, есть надежда, что они еще на месте, — сказал Самохин.

— Будем надеяться, — хмыкнул Гуров. — Не хотелось бы мокнуть впустую.

На этом беседа их прервалась, потому что разговаривать ни у того, ни у другого охоты не было. Грозовая туча уходила к югу, но светлее не становилось. Начинались сумерки.

Примерно через полчаса шлепанья по лужам Гуров вдруг остановился и прислушался. Самохин тоже встал и поднял голову. Через тихий шелест дождя до них донесся равномерный звук, напоминающий гул работающего мотора, и еще заливистое собачье тявканье, перешедшее внезапно в панический визг и тут же смолкшее.

Они посмотрели друг на друга.

— Кажется, пришли, — сказал Гуров и недовольно покачал головой. — А вот про собак я не подумал! А какой же, если подумать, кордон без собак? Так что незаметно подойти и думать нечего!

— А нам обязательно незаметно? — спросил Самохин. — Мы же заблудились. Нам же помощи просить нужно.

— Это еще бабушка надвое сказала, — заметил Гуров. — Там нас может ждать такая встреча, что нам не помощи, а пощады просить придется. Поэтому-то и хотелось бы сначала прикинуть, что там за народ собрался.

— Может, разделимся? — предложил Самохин. — Допустим, я вперед пойду, как будто я один. Отвлеку на себя внимание, а вы пока осмотритесь что да как.

— Нет уж, будем держаться вместе, — решил Гуров. — Поодиночке мы можем в такое дерьмо вляпаться, что за всю жизнь не отмоешься. Давай жми напролом, капитан! Что-нибудь да выгадаем!

— Как скажете, товарищ полковник, — пожал плечами Самохин.

Дорога дальше сворачивала налево и ныряла в густой непроглядный ельник. Ели здесь были пушистые, с голубоватой хвоей. Это голубоватое свечение было заметно даже в сумерках.

Прошагали еще метров сто. Звук мотора уже стих. Зато все отчетливее слышалось невнятное журчание нескольких мужских голосов. Снова несколько раз тявкнула собака. Потом опять наступила тишина, нарушаемая тихим шумом дождя. И вдруг они вышли на край большой поляны.

В глубине ее стоял добротный деревянный дом с высоким крыльцом и большой верандой. Островерхая, крытая железом крыша, выкрашенная в зеленый цвет, сливалась с темной зеленью нависавших над ней деревьев. Многочисленные окна были украшены резными наличниками. Стены дома янтарно желтели. За домом виднелись еще какие-то постройки. На другом конце поляны под высоким тентом стояли два «дальнобойных» грузовика. Прицепленные к ним фуры были покрыты пропыленным брезентом, на котором темнели какие-то надписи, сделанные латинским шрифтом.

— А тут уютно! — с удивлением сказал Самохин. — На хорошую гостиницу похоже. На базу отдыха. И природа опять же...

— Да, аккуратно живут, — согласился Гуров. — Заметил, под тентом асфальт уложен? И даже, кажется, ямы организованы, чтобы машину без помех посмотреть можно было. Но меня другое радует. Фургоны на месте. Значит, не опоздали мы.

— Непохоже, чтобы они в дорогу собирались, — заметил Самохин. — Тихо, пусто... Правда, мотор недавно рычал вроде... А сейчас никого. Все в доме, что ли? Прямо туда пойдем, Лев Иванович?

— В кузов бы заглянуть, — озабоченно сказал Гуров, глядя на грузовики. — Убедиться бы. Чтобы уж был туз, как говорится, в рукаве... Но тут уж нас сразу раскусят. А нам прежде нужно Сидоренко разыскать. Пойдем сразу в дом, Самохин! Будем действовать по обстановке.

Но едва они сделали несколько шагов по направлению к дому, как откуда-то из-под крыльца навстречу им выметнулись две огромные лохматые псины с оскаленными зубами. С хриплым лаем они помчались навстречу оперативникам, намереваясь, кажется, с ходу перегрызть им обоим горло. За ними задорно трусила маленькая белая собачонка, захлебываясь звонким щенячьим тявканьем. Видимо, это ее они слышали несколько минут назад.

Гуров и Самохин остановились. С лохматыми кобелями шутить было опасно. Это были не обычные деревенские брехуны, а натасканные свирепые сторожа — Гуров в этом достаточно хорошо разбирался.

Впрочем, до неприятностей дело не дошло. Почти сразу же из-за угла дома появилась фигура в дождевике и фуражке, и грубый мужской голос выкрикнул, перекрывая собачий гомон:

— Полкан! Седой! Фу! К ноге!

Быстрым шагом человек в дождевике пошел навстречу оперативникам, пытливо всматриваясь в их лица. Собаки остановились как вкопанные, тявкнули неприязненно еще пару раз и отступили, пропуская вперед хозяина.

Он подошел вплотную к непрошеным гостям, кивнул в знак приветствия и отрывисто спросил:

— Случилось что? Авария? Или бензин кончился?

У него было суровое мужское лицо с глубокими морщинами по краям рта. Стальные глаза смотрели холодно и строго. На форменной фуражке тускло поблескивала кокарда лесного ведомства.

— Вы угадали, — сказал Гуров. — Ехали вот по трассе, колесо лопнуло, а сунулись насчет запаски — выяснилось, что забыли. Такая вот чепуха получилась. До ближайшего населенного пункта восемь километров. Так мы рассудили, что лучше будет поближе поискать пристанища. По карте сверились — ваш кордон рядом. Вот мы и решили... Не ночевать же на обочине.

— Машина-то какая? — спросил лесник. — «Пежо»? М-да, это посложнее будет... Но помочь можно. Сейчас поедем — колесо ваше снимем, здесь заклеим...

— Не получится, — мотнул головой Гуров. — Покрышка вдребезги. На стальной прут, похоже, нарвались, а может, на зуб от бороны. Что-то в этом роде.

— Тогда до утра, — заключил лесник. — Утром один машину посторожит, а другого я до города подброшу. Там импортные тачки чинят — что-нибудь придумаете.

— Идет, — сказал Гуров. — А переночевать у вас местечко найдется?

— Места у нас навалом, — ответил лесник.

— Да, я вижу, тут у вас машины стоят, — простодушно объяснил Гуров. — Может, думаю, понаехали гости?

— Гости нам не помеха, — спокойно сказал лесник. — У нас на всех места хватит. Да и отбывают они скоро, гости-то. Так что не о чем вам беспокоиться. Вот только разносолов я вам не предложу, извините. Но жареной картошки с грибами и хлеба дам.

— Какие же нынче грибы? — пробормотал Самохин.

Лесник снисходительно посмотрел на него.

— Городской житель! — сказал он. — Весенних грибов не пробовал. Ничего, попробуешь! Пойдемте со мной!

Он мотнул головой, повернулся и пошел к дому. Собаки расступились, но глаз с чужаков не сводили. Шерсть на их загривках до сих пор стояла дыбом.

— Не скучно в лесу одному жить? — спросил Гуров.

Лесник неодобрительно и непонимающе посмотрел на него.

— Нам скучать некогда, — сказал он. — Скучают те, кому делать нечего.

Гремя сапогами, он поднялся на крыльцо, по-хозяйски распахнул дверь, пропуская гостей в дом. Гуров и Самохин вошли. Лесник оценивающе посмотрел на них и с некоторой досадой сказал:

— Одежу просушить вам надо бы! Сейчас велю, чтобы печь затопили. А вы пока располагайтесь. Я вас наверху помещу. Не пятизвездочный отель, конечно, но прилечь есть где, а вам ведь ничего другого и не надо, верно?

— Насчет одежды не беспокойтесь, — быстро сказал Гуров. — Не так уж сильно мы и промокли.

— Дело хозяйское, — равнодушно заметил лесник. — А ужина придется подождать.

Они прошли через полутемную прихожую, в которой пахло странным сочетанием выделанной кожи, сена, подгоревшего масла и человеческого пота, через боковую дверь проникли в коридор, из которого по узкой деревянной лесенке с перилами поднялись на чердачное помещение, находившееся под той самой островерхой крышей, которую они только что видели.

Здесь пахло по-другому — древесной стружкой и лесом. Постукивал по крыше замирающий дождь. Большое слуховое окно в красивой прочной раме смотрело на лес.

— Вот здесь и располагайтесь, — сказал лесник. — Тут вот топчаны стоят. Там, в шкафчике, — одеяла. Света у меня тут нет, извините, придется посумерничать. А покушать вас пригласят.

— Мощное тут у вас заведение, — сказал Самохин. — Я сначала подумал — гостиница.

— А тут и есть что-то вроде гостиницы, — с достоинством ответил лесник. — Сюда раньше важные люди из района частенько наезжали — поохотиться, порыбачить... Нынешнее начальство вроде остыло к этому делу. А может, получше места теперь знает. А строили, да, на будущее... Такой дом нелегко содержать, конечно, но мы выходим из положения.

— Дальнобойщиков принимаете? — догадался Гуров.

Лесник внимательно посмотрел на него и неохотно сказал:

— Бывает...

В полумраке трудно было понять, какое у него выражение на лице.

— Ладно, располагайтесь, а я пойду. Дел много. Если вдруг что — вниз спуститесь, спросите — где, мол, Федор Игнатьич. Это я, значит. Вообще, я в другой избе обитаю, здесь у нас в основном гости вроде вас... А вот на двор сами не выходите — собаки вас не знают, порвать могут.

Сообщив этот обнадеживающий факт, он решительно повернулся и стал спускаться по скрипучим ступенькам. Оперативники дождались, пока грохот его сапог не затихнет внизу, а потом Гуров вполголоса заметил:

— Ну что, капитан, значит, не едал никогда весенних грибочков? А придется!..

Самохин почесал в затылке и озабоченно сказал:

— Да, деловой мужик! Как он нас, а? Враз выключил из процесса! Изолировал на чердаке, другим гостям не показал, да еще и насчет собак намекнул... Как думаете, Лев Иванович, он это не нарочно или все-таки догадался, кто мы такие?

— А какая разница, капитан? — пожал плечами Гуров. — Он по-своему разумно поступает. Бизнес у него тут не самый прозрачный, народ же ходит всякий — поэтому осторожничает. Площади у него тут позволяют. Хоть роту милицейскую изолируй!

— И что будем делать, Лев Иванович?

— Думать надо. Я не доктор, у меня готовых рецептов нет. Задача прежняя — Сидоренко.

— Только на чердаке мы его вряд ли отыщем, — сказал Самохин. — На двор нам не велено выходить, но вроде вниз спускаться никто не запрещал? Можем ознакомиться с достопримечательностями.

— Гида бы нам хорошего, — пробормотал Гуров, оглядываясь. — Хотя, конечно, ждать у моря погоды нечего.

Он подошел к люку, который вел на первый этаж, и посмотрел вниз.

— Слышу, как будто посудой гремят, — сообщил он через некоторое время. — Такое впечатление, что кое-кто уже ужинает.

Самохин присоединился к нему, прислушался.

— Да, звуки, как в общественной столовой, — сказал он. — У меня, честно говоря, даже слюнки потекли. Так проголодался, что и от мухоморов не отказался бы!..

— Ну потерпи немного, — с иронией сказал Гуров.

— А может, прямо сейчас и спустимся? — с надеждой спросил Самохин. — А что? Естественный порыв. Голодные люди идут на запахи кухни. Глядишь, за общим столом и познакомимся с господином Сидоренко.

— Мысль здравая, — согласился Гуров. — Мы же не отшельники с тобой, в конце концов, чтобы на чердаке сидеть! Только поосторожнее, без настырности. Никто не должен догадаться, что нас интересует что-то, кроме пищи. Но ухо держи востро — как только услышишь про Сидоренко, так сразу делай стойку. Будем думать, как его за жабры брать.

Они осторожно спустились по лестнице и пошли на звуки трапезы, доносившиеся с другого конца коридора. Теперь они явственно чувствовали и аппетитные запахи, струившиеся оттуда. Дверь в предполагаемую столовую была приоткрыта. За ней и в коридоре ярко горело электричество. Гуров вспомнил, что совсем недавно окна в доме были темны, и понял, что ужин только что начался.

Они еще не успели дойти до двери, как вдруг за спиной у них загрохотали тяжелые ботинки, и какой-то высокий широкоплечий человек в грязных джинсах и грубо вязанном свитере обогнал их, бесцеремонно оттеснив локтем. У него было широкое, плохо выбритое лицо с толстыми губами и неприветливыми глазками, смотревшими по сторонам равнодушно-презрительно, точно этот человек даже не предполагал, что рядом может оказаться хоть что-то достойное его внимания. Он двигался прямиком в столовую, вытирая на ходу руки о джинсы. Пальцы у него были черные от вечной возни в моторе.

Едва он распахнул дверь, как из глубины помещения его приветствовали недовольным рыком:

— Сидоренко, зараза! Где ты ходишь? Нам сейчас сниматься, а ты все сопли жуешь? Без жрачки хочешь остаться? Или мы все тебя ждать будем?

Гуров поспешно схватил Самохина за локоть. Они остановились. Сидоренко перешагнул порог и, прежде чем захлопнуть за собой дверь, ответил злым голосом:

— Ни хрена, подождете! Я там, как бобик, верчусь с этим гребаным насосом, а вы тут требуху набиваете. Нет чтобы помочь...

— А кто тебе виноват? Тебе когда говорили — смени?

— Да пошел ты! — огрызнулся Сидоренко.

Продолжение разговора ускользнуло от Гурова, потому что дверь за водителем закрылась. Гуров на цыпочках подошел ближе и приложил ухо к щели. Судя по звукам, долетавшим из-за двери, в комнате находилось человек пять-шесть. Слышалось чавканье, кашель, стук ложек и звон стаканов. Вдруг голос Сидоренко произнес:

— А где Мирошин? Мне аккумулятор новый нужен.

— Мирон с лесником ушел. Тот его позвал, и он ушел. Ты к нему сейчас не подкатывайся. Злой он, как собака.

— А мне плевать, — мрачно заявил Сидоренко уже с набитым ртом. — У меня аккумулятор вот-вот сдохнет. Встану на дороге — кто будет виноват?

— Ты и будешь виноват, — рассудительно ответили ему.

— Правильно, вали все на Сидоренко! — уничтожающе прохрипел он. — А чего я за все должен отдуваться? За тачку отвечай, жрать в последнюю очередь. Дошло до того, что бабе этой звонить пришлось. А чего я — чумной какой? Почему я должен звонить?

— Ты же у Ильи дружок первый был, — холодновато произнес его собеседник. — Тебе вроде с руки... А вообще ты помалкивал бы об этих делах! Мирон услышит — неприятность получится.

— А я и Мирону то же самое скажу, — уже не так уверенно произнес Сидоренко и после этого на некоторое время замолчал.

Однако что-то не давало ему покоя, и через некоторое время он опять спросил:

— А что это за лохи там в коридоре ходят? Морды протокольные. Они мне сразу не показались. Кто такие?

Ему что-то ответили — коротко и негромко, но Гуров не расслышал. Тем более что в этот момент Самохин за его спиной прошипел:

— Лев Иванович, идет кто-то!

Действительно, где-то поблизости — скорее всего, в прихожей — затопали шаги. Гуров сообразил, что подняться наверх они уже не успеют, а попадаться на глаза леснику или неведомому Мирону ему не хотелось. Он быстро огляделся. Чуть подальше была еще одна дверь. Гуров шагнул к ней и потянул за ручку. Дверь открылась. Внутри было темно. Гуров мотнул головой, и Самохин мигом подскочил к нему.

Они успели спрятаться в последний момент, когда в коридоре появилось новое лицо. Гуров видел этого человека через неплотно прикрытую дверь. Тот же не мог его видеть, тем более что спешил и не смотрел по сторонам. Это был коренастый упитанный мужчина лет сорока в короткой кожаной куртке и кепке, надвинутой на глаза. Дойдя широким шагом до столовой, он резким движением распахнул дверь и гаркнул:

— Все! Кончай хавать! По коням, ребята!

В ответ раздалось недовольное ворчание, но коренастый грозно цыкнул, и все смолкло. Снова зазвенела посуда, послышался шум отодвигаемых стульев, шарканье подошв, и из столовой один за другим начали выходить люди. Вместе с Сидоренко их оказалось всего пять человек — все молодые, здоровые парни в рабочей одежде.

— Шевелись! — прикрикнул коренастый и, вдруг подозрительно оглянувшись, добавил многозначительно вполголоса: — Люди тут какие-то посторонние появились. Не хочу я, чтобы нас видели. Вопросы всякие начнутся, да и вообще... Так что сваливаем по-быстрому!

— Мирон, мне аккумулятор новый нужен, — мрачно пробубнил Сидоренко, выходивший последним.

Коренастый ожег его гневным взглядом и показал кулак.

— Я тебе сейчас саккумулирую! — пообещал он. — Быстро в машину! Все вопросы потом.

Он повернулся на каблуках и пошел к выходу, обгоняя своих подчиненных. Через несколько секунд коридор опустел, и шаги загремели уже на крыльце.

— Черт, их-то собаки не трогают! — с завистью заметил Самохин.

— Ученые! — отозвался Гуров. — В смысле, собаки.

Он оглянулся. За его спиной находилось окно, выходившее во двор. Гуров подошел к нему и выглянул наружу.

Парни, возглавляемые Мироном, деловито шагали к машинам. Площадка под тентом была залита электрическим светом — лесник зажег фонарь, укрепленный на столбе. Лохматые собаки, не двигаясь с места, внимательно и строго наблюдали за шествием. Они расположились как раз посредине между домом и площадкой, контролируя практически всю территорию. Их мелкого приятеля что-то не было видно, но это мало утешило Гурова.

— Вот же оказия! — с досадой сказал он. — Никогда не понимал собак, а они не понимали меня. Но выбора нет. По крайней мере, одну машину мы должны остановить. Лучше все-таки ту, которую поведет Сидоренко. Он человек нервный, с комплексами, расколется быстро.

— Не получится, Лев Иванович, — виновато сказал Самохин. — Не успеем остановить. Пока будем выходить да пока с собаками разбираться... Они нас ждать не станут. Одна надежда, что полковник Крячко дорогу перекроет.

— На это надеяться нельзя, — покачал головой Гуров. — Крячко они просто сомнут. Тем более что он у нас хромоногий. Придется нам постараться. В крайнем случае стреляй по шинам. Ответственность я беру на себя.

— А по собакам можно? — спросил Самохин, тут же доставая табельный пистолет и передергивая затвор.

— Только если будет угроза жизни и здоровью, — сказал Гуров и направился к двери. — Поторопись! Уже садятся.

Действительно, на улице захлопали дверцы машин, заурчали моторы. Гуров прибавил шагу. Но едва он выскочил в коридор, как тут же едва не столкнулся нос к носу с лесником, который недоверчиво и строго уставился на него.

Лесник по-прежнему был в дождевике и фуражке. Но на этот раз в его внешности произошли кое-какие изменения — в правой руке стволом вниз он держал ружье, и это дополнение очень не понравилось Гурову. Но это было еще не все. За спиной у лесника, тяжело дыша, шел огромный пес с глазами убийцы. Он не выказывал никаких признаков агрессии, но от одного его взгляда становилось холодно на душе.

— А, вот вы где! — с деревянной улыбкой проговорил лесник, сверля Гурова холодными глазами. — А я уж обыскался. Наверху посмотрел, нет их! А вы что тут делаете? Эта комната у меня пустая, тут я ремонт собрался делать. А вы...

— Мы столовую искали, — подсказал из-за спины Гурова Самохин.

— А! Так она рядом! — с энтузиазмом сказал лесник. — Прошу!

Он показал рукой на открытую дверь, одновременно перекрывая Гурову дорогу к выходу. Моторы во дворе набирали обороты.

— Значит, так, — торопливо сказал Гуров и полез в карман. — Мы из милиции. Вот мое удосто...

Договорить он не успел. Произошло нечто дикое и неожиданное. Лесник вдруг плотно сжал губы, попятился, наткнувшись на собаку, нелепо взмахнул руками, словно теряя равновесие, и выпалил из обоих стволов в открытую дверь столовой. С треском и звоном разлетелось разбитое окно, а громадный пес прижал уши и рявкнул на Гурова.

— Самохин, возьми его на себя! — крикнул Гуров, бросаясь в столовую.

Свирепый пес бросился на него, но Гуров успел захлопнуть дверь перед самым его носом. За спиной поднялся страшный шум, зарычала собака, потом шарахнул еще один выстрел — из пистолета. Гуров не оглядывался. Он пробежал через столовую и выпрыгнул в разбитое окно. Последняя машина, покачиваясь на рессорах, выезжала с территории кордона. Вот-вот она должна была скрыться за деревьями. Гуров бросился вслед за ней.

С утробным ворчанием следом за ним тут же ринулись два других пса, о которых он начисто забыл. Один из них с разгону бросился Гурову на спину. Уже падая, Гуров успел выхватить пистолет и, извернувшись, выстрелить прямо в оскаленную, дышащую смрадом пасть.

Едва отвалился этот пес, как другой тут же с рычанием вцепился в его ногу, намереваясь перекусить ее пополам. В глазах у Гурова потемнело от боли. Лишь когда он несколько раз выстрелил в озверевшего пса, тот ослабил хватку и повалился на бок.

Гуров попытался встать, но ногу до самого паха пронзила такая острая боль, что он охнул и тут же опустился на землю. Грузовики уже исчезли в лесной тьме.

— Ах ты, вот же попали! — в бессильной ярости выдохнул Гуров. — На ровном месте — и мордой об асфальт!

Он с тревогой подумал о Крячко, который торчал сейчас в полном одиночестве на темной дороге. Гуров знал своего друга и не сомневался, что тот непременно встанет на пути грузовиков, но вот на что способны люди Мирона, он знать не мог и поэтому сильно беспокоился за исход этого противостояния.

Нужно было срочно догонять колонну, но что можно было сделать в такой ситуации? Две собаки, представлявшие серьезную угрозу, были мертвы, но кто знал, сколько их тут? Да и сам хозяин, оказывается, был не менее опасен, чем его псы.

Гуров оглянулся на дом, пытаясь понять, в порядке ли Самохин. Вокруг стояла тишина. Ни криков, ни лая слышно не было, и это немного обнадежило Гурова.

Вдруг где-то поблизости взревел мотор, и два слепящих луча пересекли двор. Пятиместный «УАЗ» подлетел к Гурову и с визгом затормозил, обдав его холодными брызгами. Из кабины выскочил Самохин и наклонился над Гуровым.

— Что с вами, Лев Иванович? — срывающимся голосом спросил он. — Вы ранены?

— Я в порядке, — стараясь говорить бодро, ответил Гуров. — Нога вот... Не хуже, чем у Крячко. Помоги подняться, и в погоню, Самохин, в погоню!

Глава 10

— Собаку я уложил, Лев Иванович, — лихорадочно облизывая пересохшие губы, рассказывал Самохин. — В принципе, жалко было, но, как вы говорили, угроза здоровью... Хорошо, лесник перед этим ружье разрядил — наверное, он бы меня убил. Психанул, аж глаза белые сделались... Ничего не соображал уже — бросился на меня, как бешеный. Там еще его баба откуда-то прибежала. Ну, вопли, слезы... Одним словом, я его наручниками к перилам прикрепил — и за вами. Смотрю, все уже разъехались. А за домом «УАЗ» стоит, ключи в замке. Я, недолго думая, завел и вперед!.. А тут вы.

— Да уж, выпало сегодня нам с тобой, капитан, счастье, — смущенно заметил Гуров. — С собаками биться. Прямо античные герои какие-то... В Москве узнают — анекдоты сочинять будут.

— Пусть сочиняют, — убежденно сказал Самохин. — Главное, голова на месте. Такая тварь запросто голову отхватит. Леснику еще обвинение предъявлять надо — в покушении на жизнь работников правоохранительных органов.

— Ну, покушение ты ему, допустим, не пришьешь, — рассудительно заметил Гуров. — А вот укрывательство преступной группы... Но каков мерзавец? Ведь он намеренно нас задерживал и своим выстрелом этим архаровцам знак подал, чтобы те поскорее сматывались! Он с самого начала, по-моему, догадался, что мы неспроста в его владениях появились.

— Ничего, не уйдут! — заверил его Самохин, выворачивая руль и давя на газ. — Вон их огни впереди. Догоним!

Действительно, далеко впереди на лесной дороге призрачно замерцали красные габаритные огоньки грузовиков. Свет фар перекатывался по кронам деревьев.

— Ох, туго сейчас придется Стасу! — озабоченно пробормотал Гуров. — Этот Мирон мне определенно не нравится. Плохой он, по-моему, человек, Самохин!

— Да уж чего хорошего, — ответил Самохин. — Аккумулятор жмется сменить. С таким каши не сваришь.

Грузовики шли не слишком быстро — видимо, берегли груз, — и расстояние между ними и «УАЗом» постепенно сокращалось. У Гурова появилась надежда, что они догонят беглецов прежде, чем те успеют выбраться на шоссе.

— В какой машине Сидоренко, не заметили, товарищ полковник? — спросил Самохин.

— Пожалуй, это уже не так важно, — ответил Гуров. — Похоже, они тут все в курсе этих дел. Да и не приходится нам теперь выбирать.

— Понял, — сказал Самохин. — Тогда я заднюю машину прищучу. Сейчас я его слева обойду и малость подрежу. А вы на всякий случай пушку наготове держите. Шофера, когда их подрезаешь, жутко нервными становятся.

— Ты, главное, себя береги, — посоветовал Гуров. — Теперь из всех нас у тебя одного конечности на месте. Если еще и ты охромеешь, тогда нам труба.

Самохин хохотнул и, закусив губу, повел «УАЗ» на обгон. В опасной близости от борта тяжелого грузовика он все-таки проскочил по обочине и вырвался вперед. Гуров болезненно поморщился, когда ветви близко стоящих деревьев с треском вспороли обшивку «УАЗа». Если бы грузовик в этот момент вильнул влево, им с Самохиным пришлось бы туго.

Однако водитель грузовика не захотел экспериментировать на узкой дороге. Он только прибавил скорость, намереваясь уйти от прилипшего к нему автомобиля. Но было уже поздно. Самохин обогнал его и, врубив стоп-сигнал, почти сразу же затормозил.

В грузовике сразу поняли, что к чему, поэтому большой беды не случилось. Водитель успел переложить руль и уже начал тормозить. Тяжелая махина прогрохотала в двух сантиметрах от капота «УАЗа», обдав его грязными брызгами и горячим ветром, вильнула в сторону и, сминая кусты на обочине, уткнулась носом в заросли. Фуру повело вправо, она накренилась и встала под углом к дороге. Раздался хруст, шипение, а потом все стихло.

Гуров и Самохин выбрались из машины. Первый грузовик удалялся. Он почти уже выехал из леса. То ли его пассажиры ничего не заметили, то ли в их планы категорически не входила остановка — разбираться с этим было некогда. Из машины, которую они так лихо подрезали, уже выскакивали люди.

В кабине их было двое. Яростно матерясь, они попрыгали на землю и, не раздумывая, бросились к «УАЗу».

В руке у одного Гуров заметил монтировку. Прихрамывая, он сделал шаг навстречу и предостерегающе крикнул:

— Стоять на месте! Милиция!

— Я те дам милиция! — заревел в ответ человек с монтировкой, и Гуров узнал по голосу Сидоренко. — Ты что творишь, падла!

Он уже бросался на Гурова, взмахивая над головой монтировкой, но тут его товарищ, неожиданно перехватив его сзади за талию, крикнул:

— Тихо, Вадим, остынь! Не надо. Сейчас разберемся.

— Я разберусь! — неистовствовал Сидоренко, пытаясь вырваться из объятий. — Пусти!

Самохин выступил вперед и, подняв руку с пистолетом, сказал внушительно:

— Ты его пусти, если он так просит. Пусть помашет монтировкой! У нас тут адвокатов нет.

Сидоренко, узрев перед своим носом дуло, сразу обмяк, перестал биться и только матерился сквозь зубы, выпуская последний пар. Его спутник, поняв, что опасность миновала, отпустил Сидоренко и вкрадчиво обратился к оперативникам:

— Вы, мужики, на него не обижайтесь! Он у нас горячий, как утюг, хе-хе... А вы его так круто подрезали, машину вон теперь без буксира не вытянуть... Тоже понимать надо. Какой водила такое стерпит?

Было говорящему лет тридцать. Он казался рассудительным и спокойным. В косом свете фар Гуров рассмотрел худощавое интеллигентное лицо. Такое лицо могло быть у какого-нибудь молодого ученого, например, археолога или геолога, возвращающегося из экспедиции. На мысль об экспедиции наводила одежда парня — запыленная брезентовая куртка, тяжелые ботинки, джинсы с налипшей понизу глиной. Но Гуров решил не поддаваться первому впечатлению.

— По поводу вашей истерики у нас никаких претензий, — сурово сказал Гуров. — Я на это даже внимания не обратил. Много таких у меня перед носом кулаками махали... Меня другое интересует — что везете, орлы залетные?

— Ну так груз у нас специальный, — солидно ответил «интеллигент». — Живой груз. Документы в порядке.

— Так каждый может сказать, — сурово произнес Самохин. — Предъявите!

— А заодно и ваши тоже, — добавил Гуров. — Есть у нас насчет вас определенные сомнения.

— Так это... — со смущенной улыбкой отозвался «интеллигент». — Какие же могут быть сомнения? Все законно. А документы у экспедитора, ага. В смысле, не наши, конечно, а на груз документы.

При этих словах все невольно повернули головы в ту сторону, куда уходил грузовик, в котором, по идее, должен был сидеть экспедитор. Свет его фар медленно растворялся в темноте ночи. Его колеса вот-вот должны были коснуться асфальта. Во всяком случае, «интеллигент» очень на это надеялся. Как, впрочем, надеялся он и на благополучный исход в переговорах с Гуровым. Видимо, подобные ситуации были не так редки в его практике.

— Догонять будете? — почтительно спросил он у Гурова. — Экспедитора нашего?

Гуров на секунду задумался. Как ни странно, а этот скользкий тип попал в самое больное место. В его словах был смысл. Гуров обернулся к Самохину и негромко сказал:

— Ну-ка, в самом деле, сгоняй до шоссе, посмотри, что там Стас делает.

— А как же вы, Лев Иванович? — заволновался Самохин.

— Спокойно! Справлюсь, — категорически сказал Гуров. — Делай, что приказано.

Самохин с сомнением посмотрел на него, но ничего больше не сказал, кивнул и прыгнул за руль. «УАЗ» взревел, из-под колес его полетела грязь, и он умчался. Стало темно.

— Ну так, с экспедитором вашим мы разберемся, — продолжил Гуров. — А теперь хотелось бы все-таки на ваши документы посмотреть. У вас фонарь ведь есть?

Ожил Сидоренко. Он сходил к машине и вернулся с большим фонариком, который молча протянул Гурову. Тот зажег его и осветил замусоленный паспорт, который предупредительно развернул перед ним «интеллигент».

— Дорохов Евгений Витальевич, — прочел вслух Гуров и с преувеличенным уважением добавил: — А вы, оказывается, москвич, Евгений Витальевич! Надо же! А к нам в глушь как же занесло? Наверное, я бы ни за что из Москвы не уехал. Жил бы там и жил — как сыр в масле катался!

— В Москве тоже бесплатно не кормят! — уже с легким оттенком превосходства сказал Дорохов. — Крутиться надо, товарищ милиционер. Особенно если хочешь как сыр в масле. Вот и мы тоже крутимся, как умеем. Дальние перевозки — по заданию и при содействии Академии наук, между прочим! Можете сами убедиться!

Он полез во внутренний карман и достал оттуда конверт из плотной бумаги. В конверте оказалось письмо на официальном бланке Академии наук за подписью одного из ее административных чинов. В письме несколько туманно говорилось о некоем совместном проекте между АН и некоей группой европейских ученых, который имел целью сохранение и приумножение фауны Прикаспийского региона. По расплывчатому тону письма сразу становилось ясно, что никакой действительной силы оно не имеет и предназначено только для запудривания мозгов патрульным в российской глубинке, где невольное уважение к слову «академик» сохранилось и поныне.

«Пивоварова работа! — подумал Гуров. — За пару сотен долларов любой делопроизводитель подкинет пачку бланков. А подпись может вообще не иметь ни к кому отношения. Главное, бумага красивая и солидная. До определенного момента вполне может сработать. Характерно, что накладные только у экспедитора, а эта писулька, кажется, роздана всему личному составу. Академики!»

Однако внешне он продемонстрировал полное уважение к представленной бумаге и не сделал никаких замечаний. Только когда Дорохов, тихо торжествуя, прятал письмо обратно за пазуху, Гуров сочувственно заметил, кивая на машину:

— А ведь начальника вашего предупредить все равно надо. Сами не выберетесь. Еще, глядишь, груз пострадал. Научное везете что-то ведь...

Он шагнул по направлению к фуре. Дорохов поспешно сказал:

— Да с грузом все в порядке! А с шефом я сейчас созвонюсь. Вы можете не беспокоиться.

— Да как же мне не беспокоиться? — пробормотал Гуров, подходя к машине сзади и при свете фонарика делая попытку отстегнуть брезент от заднего борта. — Когда как раз под эту марку наладились с юга редких животных на продажу возить. Вот и сейчас, говорят, партию пеликанов в западные края везут. И тоже под ученых маскируются...

Ему наконец удалось отстегнуть брезент, но заглядывать внутрь он не спешил — мешала нога, которая от тупой горячей боли стала будто в два раза тяжелее, а кроме того, интуиция подсказывала Гурову, что сюрпризы только начинаются. Но он сделал вид, что намерен заглянуть внутрь, и это решило все.

Вдруг брезент распахнулся, и над головой у Гурова возникла тень еще одного человека. Не говоря ни слова, человек этот взмахнул руками, в которых держал толстый металлический прут, и со всего размаху обрушил его прямо на макушку Гурова.

Он вложил в этот удар всю свою силу и не рассчитывал промахнуться. Но Гуров ожидал чего-то подобного и был наготове. Реакция у него до сих пор оставалась отменной. Ему даже не пришлось сильно напрягать больную ногу. Гуров просто чуть сместился в сторону и выронил фонарик, который теперь только мешал. Стальная дубинка просвистела в нескольких сантиметрах от его плеча и без толку врезалась в деревянную обшивку борта. Человек наверху потерял равновесие, и в этот момент Гуров ухватил его за руку и сильно рванул на себя. Человек с коротким криком перекувырнулся через борт и ткнулся носом в мокрую землю. Больше он не двигался.

Его приятели растерялись. Гуров видел их смутные тени, застывшие на фоне серой полосы дороги. Он быстро наклонился и поднял фонарик. Луч, показавшийся ему ослепительным, выхватил из темноты перекошенное от страха лицо Сидоренко.

Внезапно со стороны шоссе донеслось несколько выстрелов. Стреляли из «ПМ», но, похоже, раза два приложили и из ружья тоже. Это было уже серьезно. Команда Мирона шла ва-банк. Видимо, на этот раз они получили очень жесткие инструкции.

Перед глазами у Гурова невольно возникло сердитое лицо генерала Орлова. Он словно спрашивал: «Ну что, брат, допрыгался? А я ведь тебя предупреждал!»

Дорохов был не глухой, он тоже услышал выстрелы и воспринял это как своеобразный сигнал. Он вдруг низко пригнулся и метнулся к машине.

— Стоять! — крикнул Гуров.

И достал пистолет из кобуры. Ни Дорохов, ни Сидоренко этого действия видеть не могли, и поэтому Гуров счел нужным сделать пробный выстрел в воздух. Ему показалось, что грохот раскатился по всему лесу. Но Дорохов не спешил выполнять команду. Гуров слышал, как заскрипела дверца кабины и посыпались какие-то железки.

«Что за мода пошла — прутками махаться? — с беспокойством подумал Гуров. — Этот, похоже, тоже железяку себе присматривает. Или у него там огнестрельное?»

Он погасил фонарик и медленно, стараясь не шуметь, начал обходить машину. Сидоренко все еще стоял как столб посреди дороги. Руки его были безвольно опущены, но монтировку он так и не бросил.

Гуров старался не выпускать из поля зрения его неподвижную тень, но основное внимание сосредоточил на том, что происходит в кабине грузовика. Ему показалось, что опять скрипнула дверца — на этот раз едва слышно, — и тут же послышался звук прыжка.

Гуров пригнулся и на секунду включил фонарик. Его луч осветил громоздкий силуэт грузовика и притаившуюся возле капота фигуру человека с ружьем в руках.

— Дорохов, не делай глупостей! — сердито крикнул Гуров. — А то поедешь вместо Москвы в Магадан! Тебе это надо?

И в ту же секунду Сидоренко бросился на него.

Гуров как в воду смотрел — Сидоренко опять попытался проломить ему голову. Бешено размахивая монтировкой, он прыгнул на Гурова, и тому ничего не оставалось, как броситься водиле под ноги. Сидоренко был слишком невнимателен и попался на эту уловку. Монтировка впустую просвистела в воздухе, а ее хозяин, споткнувшись, полетел в дорожную грязь.

Возможно, своим необдуманным поступком он спас Гурову жизнь. Потому что, когда тот поневоле был вынужден упасть на землю, Дорохов выстрелил из-за грузовика.

Грохоту было гораздо больше, чем от табельного пистолета, но выпущенный заряд прошел метрах в полутора над дорогой и не причинил никому вреда.

Однако вслед за первым выстрелом последовал второй, и на этот раз заряд крупной дроби вспахал землю в каком-то метре от Гурова. В наступившей тишине Гуров услышал, как Дорохов лихорадочно перезаряжает ружье.

— Ты, козел! — вдруг завопил из канавы Сидоренко. — Ты же меня убьешь, гад!

— Закрой пасть! — посоветовал ему Дорохов.

Присев на корточки, он быстро начал перемещаться вдоль грузовика, стараясь подобраться поближе к Гурову. Тот, видя этот маневр, попытался отползти на обочину, но предательская боль в ноге помешала сделать это достаточно быстро. Дорохов заметил его движение и торопливо выстрелил.

Лицо Гурова будто обдало горячим ветром, и несколько дробинок задело кожу на его голове — будто кто-то провел по волосам раскаленной железной расческой. Раздумывать он уже не мог — вот-вот должен был последовать еще один выстрел. Гуров, почти не целясь, нажал на спусковой крючок.

Он услышал, как Дорохов ударился затылком о борт грузовика и выронил из рук ружье. Потом его тело накренилось и с шумом рухнуло на дорогу.

«Кажется, одним москвичом стало меньше, — подумал про себя Гуров. — А другому светит выговор по служебной линии. Возможно, даже с занесением. Ну, что выросло, то выросло. Самое смешное, что то, за чем мы ехали, мы получили».

— Сидоренко! — крикнул он, поднимаясь. — Ты тут один остался. Может, возьмешься за ум, пока не поздно?

Ответом ему была тишина. Со стороны шоссе тоже не долетало ни звука. В горячке схватки Гуров не сумел толком понять, что все-таки там произошло. Но стрельба прекратилась, и шума моторов тоже не было слышно.

Вдруг слева от него затрещали кусты, и долговязая фигура Сидоренко, вынырнув из зарослей, понеслась по мокрой дороге. Он петлял на бегу, как заяц, видимо, опасаясь получить пулю в спину, и скорость развил вполне заячью. Гурову с его ногой нечего было и думать состязаться с ним. Он лишь задумчиво проводил глазами стремительно удаляющуюся тень и, пробормотав под нос: «Что выросло, то выросло», направился к машине.

Сначала он занялся своими недавними противниками. Дорохову уже ничем нельзя было помочь. Пуля вошла ему прямо в сердце, и умер он, видимо, мгновенно. Его товарищ был жив, но до сих пор находился без сознания, и Гуров предположил, что при падении тот повредил шейные позвонки.

— Ну вот, начали за здравие, а кончили за упокой, — недовольно сказал Гуров. Предостережения генерала Орлова сбывались одно за другим.

Гуров спрятал пистолет и, преодолевая боль в ноге, взобрался на борт фургона. Внутри было темно. В нос ему шибанул резкий ядовитый запах, который сразу же напомнил ему какой-то случай из далекого прошлого — то ли его, мальчишку, впервые повели в зоопарк, то ли в цирк, — там тоже стоял похожий запах. Но здесь этот запах был в несколько раз сильнее. И еще здесь вовсю воняло рыбой.

Гуров зажег фонарь. Огромное пространство фуры было заполнено с двух сторон закрепленными на тросах ящиками. Сверху на них был не слишком аккуратно наброшен брезент. Отогнув его, Гуров обнаружил, что перед ним не ящики, а клетки, в которых, нахохлившись и прижавшись друг к другу, сидели крупные белые птицы. Это были пеликаны. Если бы можно было говорить о выражении лица у птиц, то сейчас это выражение можно было охарактеризовать как обреченность. Во всяком случае, именно так показалось Гурову. Это были самые несчастные птицы, которых он когда либо видел в своей жизни. Их выловили в далеких благословенных краях, где они жили своей особенной и вольной жизнью, запихали в грязные клетки и повезли куда-то на край света, не оставив им никаких надежд. Это напоминало торговлю рабами и вызывало примерно те же чувства. Как ни странно, но, глядя на этих взъерошенных, напуганных птиц, многие из которых явно были больны, Гуров уже не чувствовал в себе никакой жалости к тем людям, которые только что пострадали от его руки. Может быть, они и не заслуживали такой суровой кары, но жалеть их уже не хотелось.

Вспышка света произвела на птиц самое неблагоприятное действие. Они заметались в тесных клетках, закричали гортанными голосами. Ядовитый запах усилился. В лицо Гурову полетели грязные брызги. Он выключил фонарь и тихо выбрался из фуры.

Со стороны шоссе вспыхнул свет фар. Послышался надсадный рев мотора, и через несколько секунд Гуров понял, что это катит его собственный «Пежо».

Автомобиль подъехал ближе, сбавил скорость и метрах в десяти от грузовика затормозил. Из него выскочили Самохин и Крячко.

— Черт возьми, Лева, ты в порядке? — задыхаясь, выкрикнул Крячко и, налетев с разбега на Гурова, принялся дотошно его ощупывать. — Цел? Невредим?

— Товарищ полковник! Вы живы? — вторил ему Самохин, подбегая к Гурову с другой стороны.

— Вы с луны оба, что ли, свалились? — сердито спросил Гуров, отстраняясь. — С чего это я вдруг должен помирать? Тут хуже беда — Сидоренко сбежал. Гоняться за ним я теперь не в состоянии, потому что тоже одноногий, а стрелять поостерегся. И без того постреляли — дальше некуда.

Самохин с ужасом всмотрелся туда, куда направил луч фонарика Гуров. Вид неподвижных тел на грязной земле действительно производил гнетущее впечатление.

— Как же вы так, товарищ полковник... — растерянно пробормотал Самохин. — Надо было мне остаться...

— Судя по тому, что вы явились с пустыми руками, действительно лучше бы ты остался, — с досадой заметил Гуров.

— Не все так мрачно, Лева, — сказал Крячко, который, поняв, что с другом все в порядке, пришел в хорошее настроение. — Во-первых, Сидоренко мы твоего поймали. Прямо на нас выскочил. Драться ведь кинулся, паразит! Пришлось ему вложить по первое число. Выместить, так сказать, боль разочарования.

— Где он? — дернулся Гуров.

— Не волнуйся, сидит в машине, — объяснил Крячко. — В наручниках. Я его к сиденью пришпилил, как особо буйного.

— Ну, слава богу! — с облегчением вздохнул Гуров. — А остальные?

— С остальными хуже, — смущенно признался Крячко. — Понимаешь, какое дело... Одним словом, когда вы тут всю эту кашу заварили, мне как раз приспичило по нужде отойти. Ну как нарочно! Так что грузовик я остановить не успел. Ну, вижу я, что он один, — думаю, нагоню на трассе. А тут Самохин вылетает. Мы так подумали: зачем собственную машину гробить — поехали на чужой. Начали мы, значит, нагонять этих засранцев. Они вначале уйти надеялись, но тут дорога петляет, скорость хрен наберешь. Да и фура у них. Короче, вдруг они останавливаются и выходят. Я вижу, дело пахнет керосином — дал предупредительный в воздух. Самохин тоже — для убедительности. А эти наглецы открыли ответный огонь! Ну, правда, стреляли не в нас, а в нашу тачку. И что ты думаешь? Продырявили обе передние шины, да еще, кажется, маслопровод перебили. Ну, это мы потом обнаружили, когда они опять в бега ударились.

— А вы, значит, в молоко стреляли? — недовольно констатировал Гуров.

— Ну, в общем, да, — согласился Крячко. — А что ты хочешь? Ночь. Нервы. Да и пистолет Макарова — та еще штучка. Кто из него попасть во что-нибудь может, тому только в цирке выступать. Одним словом, ушли они, Лева. А я думаю, да и черт бы с ними! Нет, правда! Сидоренко мы взяли, и в одиночку он куда сговорчивее будет, вот увидишь. Другой вопрос: что со всем этим хозяйством делать? — Он кивнул на торчащий в зарослях грузовик.

— Придется с местными коллегами связываться, — сказал Гуров. — Так и так нужно остальных задерживать. Это скажу я тебе, Стас, самые настоящие инквизиторы! Загляни в грузовик — все поймешь.

— Товарищ полковник, так что сейчас делать будем? — спросил Самохин, который возился на обочине с раненым. — Тут один, оказывается, дышит еще. В больницу его надо.

— Мы его не довезем, капитан, — ответил Гуров. — Сейчас на кордон вернемся. Там ведь телефон есть. Вызовем «Скорую», а заодно и коллег озадачим. Ты, пожалуй, здесь пока покарауль, а мы с полковником мигом обернемся. Держи фонарик, чтобы не страшно было!..

Гуров и Крячко сели в машину. На заднем сиденье зло сверкал глазами Сидоренко. Гурову он сейчас вовсе не показался сговорчивым, хотя вид у него был гораздо хуже, чем каких-нибудь полчаса назад, — разбитые губы, опухшее левое ухо и синяки под обоими глазами свидетельствовали, что получил он действительно по первое число.

Однако Крячко не ошибся — синяки пошли Сидоренко на пользу. Несмотря на свой сердитый вид, он уже не уклонялся от общения и даже проявлял некоторые признаки почтительности, наличия у него которой Гуров до сих пор совершенно не предполагал.

— Ну, как пробежался? — спросил его Гуров, усаживаясь за руль. — Вечерние пробежки, говорят, для здоровья полезны. Жаль, мне с тобой побегать не удалось!

— Зато мы с ним славно побоксировали! — захохотал Крячко. — Но скажу тебе, Сидоренко, боксер ты неважный!

— Это-то еще ничего, — заметил Гуров, заводя машину. — Это даже хорошо, что он плохой боксер. Хуже то, что он дурак. Ты вообще понимал, Сидоренко, что тебе грозит за нападение на представителей власти?

— Так мы же что думали? — скромно ответил Сидоренко. — Мы-то думали, что на местных ментов прыга-

124

ем, а вы, оказывается, из центрального аппарата! Кабы мы знали!

— Вот, значит, в чем дело! — усмехнулся Гуров. — Ну, это, конечно, причина уважительная. Только незнание не освобождает от ответственности, Сидоренко. У тебя есть единственный шанс реабилитироваться — рассказать нам откровенно, что тебе известно о похищении твоего друга, Ильи Ликостратова.

Пауза была томительной и долгой, а голос у парня, когда он заговорил, был полон тоски.

— Ошибаетесь, гражданин полковник, — сказал он. — Не было у меня никогда такого друга.

Глава 11

— Ну что, молчит? — уничтожающе произнес генерал Орлов.

Он вызвал Гурова и Крячко к себе в кабинет под вечер, когда горячка рабочего дня несколько спала. Это обнадеживало. Значит, разговор должен был состояться нелегкий, но задушевный. Разговор между своими.

Гуров уже был в этом кабинете с докладом утром — сразу после того, как они вернулись из Брянска. Задержаться пришлось дольше, чем они рассчитывали, — слишком крутую кашу они заварили в чужих краях. Пока разобрались с местным УВД и прокуратурой, пока оформили все необходимые документы, прошло целых два дня. К тому же выяснилось, что рана на ноге Гурова гораздо серьезнее, чем хотелось бы, и пришлось прибегнуть к помощи хирурга. Врачи настаивали на госпитализации, но здесь уж Гуров категорически отказался.

Помимо этих хлопот, Гуров дал себе зарок во что бы то ни стало пристроить брошенных птиц, и это тоже заняло немало времени. В конце концов, при содействии местных орнитологов и сотрудников университета этого удалось добиться. И хотя условия, в которые попали на этот раз несчастные существа, тоже были далеки от идеальных, но все-таки лучше, чем ничего.

В общей сложности оперативники пробыли в Брянске четыре дня и вернулись в Москву уже двадцать пятого мая утром, усталые, не вполне здоровые и, пожалуй, разочарованные. Сидоренко, единственный член преступной группы, попавший им в руки, упорно молчал. Не дал он никаких показаний брянскому следователю, ничего так и не сказал Гурову, и то же самое повторилось в Москве, в кабинете Балуева.

Таким образом, результаты поездки оказывались более чем скромными в том, что касалось информации, и весьма скандальными в том, что касалось обстоятельств этой поездки. Баланс был явно не в пользу Гурова, и он ждал грозы.

Однако генерал Орлов принял его довольно сдержанно, молча выслушал доклад, задал несколько уточняющих вопросов и предложил работать дальше. Что при этом было у него на уме, одному богу известно. Но Гуров не сомневался — в самом ближайшем будущем гроза должна разразиться, и, судя по всему, генерал запланировал ее именно на вечер.

И все же у Гурова отлегло от сердца. Если бы Орлов вызвал их всех утром, это был бы гораздо худший вариант. Все самые беспощадные вещи происходят утром. Утром начинается рабочий день, утром ведут на казнь, и утром же начинаются войны. Вечером другое дело — вечером люди сидят за кружкой пива, потягивают сигары и говорят дамам комплименты. Им с Крячко никто, конечно, комплиментов говорить не будет, но они могут, по крайней мере, рассчитывать, что казнь отложат до следующего утра.

— Молчит, значит, — повторил генерал, даже не дождавшись ответа. — Знаю, что молчит. Мне из прокуратуры звонили. И что же теперь?

Глаза его из-под седых бровей смотрели тяжело, но сочувственно. Крячко пожал плечами и ответил:

Н. Леонов, А. Макеев

— Заговорит, куда он денется? На нем, слава богу, столько дерьма — начиная с птиц этих и кончая нападением на полковника милиции...

— Не факт! — покачал головой Орлов. — Насколько я понял, он как раз ни птиц, ни полковника не отрицает. Он насчет главного молчит, а это уже означает, что в дерьме мы с вами. К тому же что выходит? Всю остальную компанию вы или упустили, или в рай отправили. Сидоренко у вас один как перст. Широкий простор для импровизации — я не я, и лошадь не моя.

— Да, это верно, — неохотно признал Гуров. — Он занял глупую, но непрошибаемую позицию. Никого из группы не знаю, видел первый раз в жизни. Нанялся две недели назад водилой на один рейс. Какой-то мужик в пивнухе предложил. Что за мужик — не знаю, что за птицы — не ведаю, мое дело баранку крутить. А что на милицию напал, так это потому, что нервы у меня слабые. Шоферское дело нервное, ответственное, а тут какой-то гад на ночной дороге подрезал. Конечно, не стерпел...

— Ага, а я что говорю? — обрадовался генерал. — А гад этот — небезызвестный полковник Гуров, которого я по-хорошему предупреждал, между прочим. Предупреждал ведь? А если бы вы меня послушались и связались с местным УВД...

— Во-первых, времени у нас не было связываться, — возразил Гуров, — во-вторых, никакой гарантии, что местное УВД нам помогло бы. Не исключено, что мы вообще всех упустили бы. Есть кое-какие аргументы в пользу такой версии. Накатанный у них там маршрут, Петр. И как раз хорошо, что мы бучу там подняли — поневоле им шевелиться пришлось.

— Ничего себе, шевелиться! Слышал я краем уха, рапорт оттуда пришел на имя министра — о неправомерных действиях представителей центра. То есть нас с вами. Так что мне еще за вас отдуваться, ребята! А преступную группу вы все равно упустили.

— Да, эти гады бросили машину и разбежались, — вздохнул Крячко. — Птички только остались.

— Следов никаких, — подтвердил Гуров. — Скорее всего, поодиночке общественным транспортом отбыли. Возможно, даже получили на это инструкции от своего шефа. Потому что, в принципе, могли дальше следовать, не бросать машину. Мы все равно их уже не догоняли. Но они решили не рисковать. Брянская милиция сейчас пытается установить владельца грузовиков, но я уверен, что в результате обнаружится какой-нибудь частник, который ни сном ни духом ни о каких животных не знает. Сдавал транспорт в аренду, и все. То же самое и лесник на кордоне. Он сразу заявил, что впервые видел эту команду и никакого отношения к этим людям не имеет. Заехали, мол, случайно, заблудились...

— Вот-вот, лесник! — многозначительно вставил Орлов. — В рапорте он тоже фигурирует. Как лицо, подвергшееся необоснованному давлению. Смекаешь, куда ветер дует?

— Кто сеет ветер, тот пожнет сам знаешь что, — парировал Гуров. — Рано или поздно сдадут и лесника.

— Когда это будет? Когда нам с тобой по шапке дадут? — иронически поинтересовался Орлов.

— А если Пивоваров? — вставил Крячко. — Он же должен знать всю компанию. Свести его с Сидоренко...

— А что это даст? — возразил генерал. — Балуев уже пытал вашего Пивоварова. Тот поплыл, конечно, но толку от него вряд ли будет много. Он знал только тех, кто в Москве обитал. Конкретно Ликостратовых, ну еще, может, пару-тройку человек. А Жилов тебе, Лева, намекал, что руководство этим бизнесом где-то совсем в других краях находится. Вот и прикидывай, Пивоваров или еще кто... А если госпожу Вагнер хорошенько тряхнуть? Очную ставку ей с Сидоренко устроить? Не поможет?

— Вообще мысль объективно правильная, — задумчиво сказал Гуров. — Только в отношении Сидоренко, а не Вагнер. Ради сына она бы давно рассказала, где находится это таинственное руководство. Но она молчит. Я думаю, она просто не знает.

— А ты не торопись, — погрозил пальцем генерал. — А если знает, но не говорит? Между прочим, вполне реальная ситуация. Чисто по-женски. Она хочет, чтобы ты спас ее сына, но боится подсказать тебе, в каком направлении действовать, потому что ты можешь наломать дров, и тогда сыну придется плохо.

Гуров вынужден был признать, что в этом предположении есть рациональное зерно. Подобные ситуации уже встречались в практике, когда люди ждали помощи, но интуитивно опасались активного развития событий. Как гласит пословица — не буди лихо, пока оно тихо. Но вот поможет ли в таком случае очная ставка между Сидоренко и Маргаритой Альбертовной? Полной уверенности в этом у Гурова не было.

Однако решили испробовать эту возможность в первую очередь. Чтобы подготовить Маргариту Альбертовну и направить ее мысли в нужном направлении, Гуров немедленно позвонил ей домой и объяснил ситуацию.

— Так что будьте добры прибыть завтра ко мне в кабинет, — предложил он. — Часиков эдак в девять. Пропуск для вас будет готов. Я не хочу вызывать вас повесткой, поскольку надеюсь, что мы давно нашли общий язык, не правда ли? Я действую в ваших интересах.

Маргарита Альбертовна безмолвно выслушала его, а потом неожиданно спросила:

— Вы арестовали Вадима Сидоренко? Или вы арестовали всю компанию?

Голос ее звучал как-то заморожено, и эта интонация не понравилась Гурову. Но врать он не считал возможным.

— К сожалению, некоторым из компании удалось уйти, — признался он. — Но вас это не должно волновать. Их арест — дело времени.

— Ах, вот как? — все тем же тоном произнесла Маргарита Альбертовна. — Значит, вы предлагаете мне подождать? Понимаю... А для чего я должна встречаться с Вадимом? Для меня это будет слишком тяжело сейчас...

— Согласен, момент неприятный, — ответил Гуров. — Но у нас есть надежда, что, встретившись с вами, Сидоренко заговорит...

Он не стал добавлять, что больше надеется на то, что заговорит сама Маргарита Альбертовна.

— А он вам ничего не сказал? — как будто удивилась Маргарита Альбертовна.

В голосе ее послышалось такое разочарование, что у Гурова невольно сжалось сердце — он понял, что допустил какую-то ошибку.

— Пока нет, — сухо ответил он. — Надеемся на вашу помощь. Мы же договорились, что интересы у нас общие.

— Да-да, разумеется, — как-то нервно произнесла Маргарита Альбертовна. — Просто я надеялась... Впрочем, это неважно. Завтра я у вас буду.

Ее реакция не понравилась Гурову. Он понимал, что Маргарита Альбертовна вряд ли способна сейчас проявлять энтузиазм, но тут было что-то другое. Между госпожой Вагнер, которая умоляла спасти сына, и между госпожой Вагнер, с которой он разговаривал по телефону, словно образовалась пропасть. Гуров и сам не мог объяснить, для чего он это делает, но он дал задание продолжить наблюдение за квартирой Маргариты Альбертовны. Были у него какие-то смутные предчувствия.

На этот раз Гуров вернулся домой почти рано. Во всяком случае, у него хватило времени приготовить легкий ужин и накрыть стол до прихода Марии. Еще утром они договорились, что встречать он ее после спектакля сегодня не будет. После операции Гурову было трудно управлять машиной. Теперь его везде возил Крячко, у которого дела шли на поправку. Гуров ему страшно завидовал, но старался не торопить события.

Толком они с Марией еще, можно сказать, и не виделись — вернувшись в Москву, Гуров просто забежал домой по пути в главк, чтобы показать, что с ним все в порядке. В каком-то смысле он страшился встречи с женой, потому что осознавал — все его благие намерения опять пошли прахом и семейная жизнь не претерпела никаких изменений. Разве что в худшую сторону. Гуров каждый день ожидал взрыва и допускал, что именно поездка в Брянск станет последней каплей, упавшей в чашу терпения Марии.

Взрыва, однако, не произошло. После того как они обнялись на пороге и Гуров попытался торопливо изложить заранее заготовленную версию своих подвигов, Мария вдруг отстранилась от него и, нежно проведя рукой по его слегка заросшей щеке, жалобно сказала:

— Боже, на кого ты похож! Исхудал, побледнел, в глазах какой-то блеск нехороший... Гуров, я не хочу остаться вдовой! Тебе было очень плохо?

Он ответил бодрым до тошноты голосом, что все было прекрасно.

— Ты думаешь, женщинам приятно выслушивать мужественное вранье? — печально спросила Мария. — Я же вижу, что ты болен! Ты приволакиваешь ногу и выглядишь как человек, который трое суток хлестал водку. При этом водкой не пахнет. Значит, ты ранен. И не пытайся пудрить мне мозги, как у вас выражаются. Все-таки я жена сыщика и кое-что понимаю в этих делах.

— Ну уж и ранен! — смущенно пробормотал Гуров. — Ты скажешь! Просто собака тяпнула. Могу даже показать выписку из заключения хирурга...

— Так ты даже к хирургам попал?! — ахнула Мария. — Какой ужас! Так вот: или ты мне немедленно все расскажешь, или я иду к Петру и требую, чтобы он перевел тебя на канцелярскую работу! Я не хочу остаться вдовой и носить тебе белые цветы на могилу! — повторила она.

— Тебе этого и не придется делать, — попытался отшутиться Гуров. — Мы с Крячко люди из железа. Нас автогеном не возьмешь. А тут всего-то была маленькая собачка. Раз ты настаиваешь, я все тебе расскажу, и ты увидишь, что волноваться не из-за чего.

Обещать было легко, тем более что в течение дня навалилось столько забот, что утренний разговор отошел на задний план. Теперь же, дожидаясь жену, Гуров пытался сообразить, как ему выкрутиться, чтобы и слова не нарушить, и в то же время не напугать Марию. Самому ему задним числом уже казалось, что в ночном происшествии возле Гнилого кордона не было ничего особенно опасного.

Мария позвонила, что выезжает, в начале одиннадцатого. Голос ее звучал немного устало, но в нем слышалась неподдельная радость. Это была радость удачно законченного дня и радость предстоящей встречи. Гуров почувствовал благодарность к жене. Ему захотелось немедленно сказать ей что-нибудь приятное, чтобы радость ее держалась как можно дольше, и он сообщил:

— А у нас сегодня фирменный ужин — рыба под белым соусом. Твой муж даже расщедрился на бутылку сухого вина. Была мысль устроить ужин при свечах. Но потом я подумал, что будет слишком уж похоже на рекламный ролик, и решил от свечей отказаться.

— Мы вступаем в двадцать первый век, мы — дети электричества. Какие свечи? — в тон ему ответила Мария. — Главное, постарайся больше ничего не вычеркивать из программы до моего приезда.

— Жду тебя с нетерпением, — сказал Гуров.

Он действительно ничего сейчас так не хотел, как провести эти часы наедине с Марией. Впервые за многие дни его совесть была почти спокойна. На этот раз ничто не могло помешать их тихому семейному счастью. Через пятнадцать-двадцать минут Мария будет дома, и все будет прекрасно. Вот только не прогадал ли он насчет свечей? Пожалуй, с ними ощущение праздника было бы полнее.

А через десять минут, когда он, прихрамывая, бродил по квартире, сдувая последние пылинки с мебели и репетируя слова, которыми собирался встретить жену, позвонил старший лейтенант Синицын, который дежурил в «наружке». Едва Гуров узнал его голос, сердце у него упало.

— Товарищ полковник, — озабоченно сказал Синицын. — У меня важная информация. Объект только что покинул квартиру и сел в такси. В настоящий момент движусь за ним. Направляемся к центру.

Гуров на миг опустил руку с телефонной трубкой и почти беззвучно, но очень энергично выругался. Потом взял себя в руки и деловито спросил:

— Номер такси зафиксировали?

— Обижаете, товарищ полковник! — с достоинством ответил Синицын. — Следуем неотступно. Какие будут распоряжения?

— Как сам-то думаешь, что она собирается делать? — спросил Гуров.

— По-моему, далеко собралась, — деловито ответил Синицын. — Одета соответственно, и багаж при ней. Не очень большой, но все необходимое поместится. Предполагаю, что направляется она в район Павелецкого вокзала.

— Неужели решит нарушить подписку о невыезде? — озабоченно произнес Гуров. — Для этого у нее должны быть очень серьезные причины, смекаешь, старлей?

— Так точно, — ответил Синицын. — Прикажете следовать за объектом в любом направлении?

Как ни старался он придать своим словам оттенок бесстрастности, но было ясно — Синицыну очень не хочется «следовать за объектом» до бесконечности. Мало ли куда тому вздумается поехать? Синицын как бы намекал Гурову, что неплохо бы задержать нарушившего меру пресечения и покончить на этом.

Но Гуров, кажется, уже понял, что на уме у Маргариты Альбертовны. На уме у нее сейчас только судьба сына. Уверенная, что милиция не смогла ей помочь, а только усугубила положение, она решила сама взяться за дело. И, скорее всего, она направляется сейчас туда, где, по ее предположениям, находится Илья. То есть туда, где находится мозговой центр контрабандной торговли. Все сходится именно на этом. Вряд ли она отправилась разыскивать мужа, в этом Гуров был уверен на сто процентов. Знай Маргарита Альбертовна адрес Ликостратова, она, не задумываясь, сообщила бы его. Для матери не существует выбора — сын или бывший муж. Нет, она едет туда, откуда исходит главная опасность. Едет умолять, выкупать, что угодно. Едет на свой страх и риск. Гуров понял, что его не зря беспокоили нехорошие предчувствия. Госпожа Вагнер могла испытывать минутную слабость, но характер остается характером. Она с самого начала держала в уме эту возможность и уже, наверное, десять раз пожалела, что призналась во всем. Рассчитывать на то, что, поставленная в безысходное положение, она все-таки заговорит? Гуров не знал, насколько это реально. Выстраивалась совершенно определенная цепочка — где-то был неведомый босс, который не стеснялся в средствах и которого все боялись, можно сказать, до икоты. Боялся Ликостратов-старший (теперь можно было не сомневаться, что бежал он не столько от вздорного Паши Липецкого и не от правосудия, а именно от своего босса), боялся Сидоренко, боялась Маргарита Альбертовна. Да и не только они. Поэтому не лучше ли будет предоставить госпоже Вагнер возможность вывести следствие прямо на цель?

При этом Гуров был вынужден признать, что с тех пор, как они обнаружили труп в гараже Ликостратова, цель их поисков уже не была такой конкретной, как это казалось вначале. Цель расплывалась, множилась, превращалась в угрожающее туманное облако, из которого возникали то мертвец с проломленным черепом, то мрачные грузовики, от которых исходил птичий смрад, то дюжие парни с дробовиками в руках. Это было какое-то средоточие зла, и Гуров предполагал, что в запасе еще много сюрпризов. Ликостратов был только одним из них и, возможно, не самым страшным.

Все это промелькнуло в голове у Гурова за считаные секунды. В душе он сочувствовал Синицыну, но показывать это сочувствие воздержался.

— Значит, так, старлей, — сказал он категорическим тоном. — Волка ноги кормят. Ты с напарником?

— Так точно, со мной Черкасов, — доложил Синицын.

— Свяжитесь с дежурной частью, — распорядился Гуров. — Сообщите, что я вас откомандировываю. Пусть примут машину, если что. В том случае, если объект сядет в поезд, вы следуете за ним. Хоть в тамбуре, хоть на крыше, понятно? Но себя ни в коем случае не обнаруживать. По пути постоянно докладывать лично мне. Меня интересует конечный пункт следования. Если упустите по дороге, можете в Москву не возвращаться. Все поняли?

— Так точно, понял, — ровным голосом ответил Синицын. Владел он собой все-таки замечательно.

— Но ведь это еще не факт, что объект едет куда-то далеко, — заметил Гуров, желая приободрить подчиненного. — Может, у нее назначена здесь встреча?

— Может быть, — холодновато сказал Синицын. — Мы уже у Павелецкого. Объект вышел из такси, следует в направлении билетных касс. Идем за ней. Отбой.

Когда появилась Мария, Гуров уже был как на иголках — от Синицына больше не было никаких сообщений, — но он постарался как можно глубже запрятать свое беспокойство и не думать о госпоже Вагнер и зловещем облаке. Справятся сегодня и без него. Один вечер он может побыть эгоистом?

— Что-то случилось? — спросила Мария уже на пороге.

Гуров обнял ее и твердо сказал:

— Ничего, но я страшно соскучился. И можешь быть уверена: сегодня я уже никуда не исчезну.

— Великолепно, — со смешком заметила Мария. — Это может означать только одно — ты исчезнешь завтра.

— До завтра целая вечность, — возразил Гуров.

Глава 12

Вечность пролетела незаметно, а уже на следующий день Гуров, Крячко и Самохин вылетели самолетом в Астрахань. Накануне стало ясно, что госпожа Вагнер отправляется именно туда. Об этом Гурову доложил Синицын, который вместе с Черкасовым сел в тот же поезд, что и Маргарита Альбертовна.

— Она взяла билет до самой Астрахани, — сообщил Синицын. — В купейный вагон. Ведет себя спокойно. Нас пока не вычислила. Мы отбываем. По возможности буду докладывать на стоянках о всех изменениях.

Изменений не было. Похоже, Маргарита Альбертовна действительно следовала прямиком в Астрахань. Гуров объяснил ситуацию генералу Орлову и выказал намерение отправиться туда же немедленно.

— Странно, что ты меня еще спрашиваешь, — иронически заметил на это генерал. — Я уж решил, что ты теперь совсем самостоятельная единица. Вон какую аферу провернул! Я-то, простак, решил, что ты на сегодня очную ставку наметил, а ты, оказывается, все перекроил — подозреваемую выпустил, оперативников на край света загнал и сам в поход собрался.

— Обстоятельства, Петр, — кратко сказал Гуров.

— Эти обстоятельства называются самодеятельностью, — грустно ответил Орлов. — Знаешь чем все это пахнет?

— Догадываюсь, — ответил Гуров. — Но без этого мы не продвинемся. Или будем биться на одном месте еще очень долго. Госпожа Вагнер настроена очень решительно. Она выведет нас на «шефа», я уверен в этом.

— Какую глупость я совершил, когда пошел на поводу у министра! — вздохнул Орлов. — А тем более бросил на этот участок тебя. Как будто я не знал, что из каждой неприятности ты умеешь извлекать десять новых! Послал бы какого-нибудь мальчишку-лейтенанта и горя бы сейчас не знал! Ну скажи, зачем нам этот таинственный «шеф»? Зачем нам нужна была потасовка за пятьсот верст от дома? И зачем нам теперь лезть в чужую епархию?

— Но они к нам лезут, Петр! — возразил Гуров. — Они нарушают закон.

— Железная логика, — констатировал Орлов. — Похоже, ты одержим старинной благородной идеей покончить с преступностью раз и навсегда. Но это утопия, Лева! Нужно четко осознавать свои возможности.

— А я что делаю? — ответил Гуров. — Если я вижу возможность, то обязательно ее использую. Ты только дай добро на нашу командировку, а уж мы не подведем. Победителей, как ты знаешь, не судят.

Орлов только махнул рукой. В последнее время он уже не находил в себе сил сдерживать неутомимого Гурова. Тем более что в данной ситуации он действительно сам направил его по тому следу, который вначале казался детской забавой. Да и объективно говоря, тянуть с этим делом не стоило. С каждым новым днем оно приносило новые неприятности. Возможно, Гуров был прав, предлагая идти ва-банк, — так размышлял Орлов, когда давал согласие на выезд Гурова в Астрахань.

— Но если ты и там учудишь что-то подобное, — предупредил он Гурова, — то пусть уж лучше вам с Крячко перебьют все ноги, чтобы вы уж никогда сюда не возвращались. Приказ о вашем увольнении будет подписан в одну секунду!

После такого напутствия можно было сказать в свое оправдание или очень много, или ничего. Гуров ничего не сказал и пошел заказывать билеты на самолет.

Прилетели они удачно — у них оставалось еще достаточно времени, чтобы встретить поезд, на котором ехали госпожа Вагнер и сопровождающие ее оперативники.

После Москвы Астрахань показалась Гурову маленькой, пыльной и ужасно провинциальной. Но все здесь было пропитано духом Волги и какой-то особенной, не похожей ни на какую другую жизни, жизни в непосредственной близости с природой, жизни потомственных охотников и рыбаков.

Это ощущение испытывал не он один. Едва ступив на эту горячую щедрую землю, Крячко как бы невзначай заговорил об осетрах, о черной икре, которую едят ложками, и прочих экзотических, но приятных вещах. Ему удалось втянуть в эти мудрствования Самохина, но Гуров попросил их не распыляться и сосредоточиться на деле.

— Мы сюда не по турпутевке приехали, — напомнил он. — И, между прочим, икра, которую едят ложками, влетает в копеечку! Или вы надеетесь, что здесь вас будут кормить бесплатно? Может быть, вы еще и браконьерствовать в дельту отправитесь?

— А тут ничего такого, Лева! — с невинным видом заметил на это Крячко. — Это в наших суровых краях браконьерство не поощряется, а здесь это в порядке вещей. В русле, так сказать, традиций.

Гуров еще раз посоветовал ему не трепаться, а поискать такси.

Когда прибыли на железнодорожный вокзал, до прихода поезда оставалось около часа. Чтобы не терять времени, перекусили в вокзальном ресторане — отнюдь не икрой — и стали готовиться к приходу поезда.

Чтобы не метаться в нужный момент в поисках транспорта, они заранее наняли частника на «Жигулях», флегматичного, средних лет человека, которого звали

Н. Леонов, А. Макеев

Леня. Он был согласен ждать сколько угодно и ехать куда угодно, только бы платили. Кстати, и драл он с клиентов, можно сказать, еще по-божески.

Поезд пришел, раскаленный и запыленный, устало остановился у края платформы, и из него, как горох, посыпались пассажиры с баулами, чемоданами, коробками и пакетами. Большинство, видимо, ехало издалека, и на всех лицах была написана неподдельная радость по поводу того, что утомительное путешествие завершилось. Многих пассажиров встречали. Начались объятия, послышались счастливые восклицания, звуки поцелуев. Те, кто не удостоился встречи, деловито устремлялись за пределы вокзала, чтобы побыстрее уехать.

На фоне этой бодрой суеты отчетливо выделялись два немного помятых человека без какого бы то ни было багажа, которых никто не встречал и которые никуда не торопились. Это были Синицын и Черкасов. Сойдя на перрон поодиночке, они и дальше действовали порознь, словно не имели друг к другу ни малейшего отношения. Синицын медленно побрел по перрону, внимательно оглядываясь по сторонам, а Черкасов прогулочным, но довольно быстрым шагом отправился за женщиной в скромном сером костюме, которая поспешила покинуть перрон сразу же, как только вышла из вагона.

Гуров не сразу узнал в этой женщине госпожу Вагнер. Сейчас она была совершенно не броско, даже невыразительно одета, буйные черные волосы были стянуты в пучок на затылке, на лице — никаких следов косметики. Ни на гадалку, ни на прорицательницу, ни даже на соучастницу преступления она была сейчас нисколько не похожа. Тихая немолодая женщина, возвращающаяся из служебной командировки. Зарплата средняя, мужа нет, дети давно разъехались, а впереди еще долгая серая жизнь, в которой ни одного яркого, запоминающегося дня.

Но, вне всякого сомнения, это была Маргарита Альбертовна собственной персоной, только сейчас она очень не хотела привлекать внимание к этой персоне. К счастью, жизненный опыт ее был далек от слежек и забот о конспирации — похоже, она абсолютно не догадывалась о том, что по пятам за ней уже давно ходят сыщики. И уж вряд ли ей могло прийти в голову, что совсем рядом находится Гуров. Наверное, она понимала, что ее маршрут несложно вычислить, но справедливо полагала, что для этого потребуется время, а потому не очень беспокоилась. По ее расчетам, времени ей должно было хватить, чтобы помочь сыну, а собственная судьба волновала ее куда меньше.

Оперативники осторожно пошли следом за Маргаритой Альбертовной, и тут к ним присоединился Синицын. Он был плохо выбрит, а под глазами темнели круги. Но поздоровался бодро и доложил, что у них с Черкасовым все в порядке.

— За время следования объект в контакт ни с кем не вступал. В основном сидела в купе. На остановках не выходила. Так что проблем с ней не было. Какие будут распоряжения?

— Найди здесь гостиницу поскромнее, — распорядился Гуров. — И сними нам всем номер. Можно два. Вы с Черкасовым пока отдыхайте, а мы займемся делами. Дальше решим, что делать.

Они на ходу договорились, как будут держать между собой связь, и в этот момент Маргарита Альбертовна поймала такси.

Частник Леня уже ждал их. Гуров, Крячко и Самохин уселись в машину, не успев даже поздороваться с Черкасовым.

— Вон за тем такси, пожалуйста! — сказал Гуров шоферу. — Только сделайте так, чтобы нас не заметили.

— Раз надо, значит, сделаем, — уверенно сказал тот, запуская мотор.

Они поехали по старому городу, на улицах которого уже догорал жаркий, почти летний день. В другое время

Гуров с большим любопытством бы осмотрел все закоулки и примечательные места, но сейчас мысли его были заняты только одним — не сорвать так удачно начатую операцию.

Такси проехало через центр, попетляло среди переулков, застроенных в основном невысокими старыми домишками, а затем очутилось в строго выверенном, подчеркнуто урбанистическом и деловом районе. Здесь, возле зеленого сквера, расположенного между двумя девятиэтажками, такси остановилось и выпустило Маргариту Альбертовну.

Гуров велел шоферу остановиться, не доезжая метров пятидесяти до этого места, и обернулся к Самохину.

— Давай! — сказал он коротко.

Самохин молча кивнул и вышел из машины. Госпожа Вагнер не знала его в лицо, и ему можно было не опасаться...

Гуров и Крячко напряженно смотрели, как он шел по направлению к скверу, шагая походкой человека, у которого нет сейчас иных забот, чем хорошо провести вечер. Между тем Маргарита Альбертовна, отпустив такси, вдруг будто растерялась. Неуверенным, спотыкающимся шагом она прошлась вдоль ограды сквера, посмотрела направо-налево, словно хотела спросить у кого-нибудь дорогу, а потом присела на скамеечку под раскидистым деревом и замерла. Дорожную сумку она поставила рядом с собой, но, кажется, тут же забыла о ней и вообще обо всем на свете.

Солнце уже опустилось совсем низко, и сквер был накрыт густой бархатной тенью. Такие же тени, длинные и густые, лежали у подножия домов, и только верхние этажи еще весело посверкивали золотыми квадратами окон.

— Что тут у вас за район? — спросил Гуров у шофера Лени. — Есть какие-нибудь достопримечательности?

— Ну какие тут достопримечательности? — снисходительно ответил шофер. — Новый район. Вся достопримечательность — ресторан здесь крутой открылся, «У Геворка» называется. Это потому, что хозяина так зовут, армянин он.

— И чем же он крут? — живо поинтересовался Крячко. — Черная икра? Ложками?

Шофер с любопытством покосился на него.

— Икра само собой, — сказал он. — Куда же без икры? А крутой он потому, что к нему всякая шантрапа не ходит. Только солидная клиентура. Бизнесмены в основном. А район, я думаю, он специально выбрал — подальше от центра, чтобы не мешал никто.

— А что, мешают? — удивился Гуров.

Леня немного помолчал, а потом не слишком охотно сказал:

— Не то чтобы мешают, а разные обстоятельства случаются. Например, пару месяцев был такой инцидент. Поговорили тут двое за рюмочкой коньяку, а назавтра одного из них нашли за городом без головы.

— Ничего себе! Ну и что дальше? Взяли этого?

— Какого? — хитро прищурился шофер.

— Ну, с кем тот накануне разговаривал.

— А кто знает, с кем он разговаривал? — пожал плечами шофер. — К Геворку, само собой, тоже приходили и в прокуратуру вызывали. Кто был, что видел? А он ничего не видел и ничего не знает. Так и отступились. С тех пор ничего про это дело не слышно.

— Это что же, человеку голову отрезали, и тишина, так, что ли? — спросил Гуров.

— А я почем знаю? — сказал Леня. — Но вроде бы пока тихо. Я же говорю, бизнесмен. А у нас бизнесменов жалеть не принято. Некоторые так и говорят: поделом, мол.

— А что за человек был убитый? — спросил Гуров. — Чем занимался?

— Да чем? Всем помаленьку. Недвижимость скупал, торговал чем-то, гостиницу новую затеял строить... А по-

Н. Леонов, А. Макеев

горел, говорят, потому что не в свои сани залез. Вроде бы он тут связался с какими-то отвязанными ребятами, с нерусскими. Они его уговорили наркотой заняться. В смысле оптовой доставки. В долю его взяли, бабки неплохие предложили. Ну, и мужик увлекся. Попробовал груз переправить на чужом горбу. А это дело вскрылось. Ну а дальше вы уже знаете.

— Стоп-стоп! Что это значит — на чужом горбу? Как это возможно, чтобы на чужом?

— В наше время все возможно, — усмехнулся шофер. — Говорят, друг у него был. Тоже деловой человек. Гонял грузовики в Европу со всяким товаром. Вот этот, без головы, и уговорил его ребят взять с собой партию дури. А ребята, не будь дураки, стукнули своему боссу. Поняли теперь?

— Теперь уже почти поняли, — заинтересованно сказал Гуров и тут же задал новый вопрос: — А вот тот, что грузовики гонял, он на них, случайно, не животных редких возил? Торговля которыми запрещена?

Шофер Леня вдруг помрачнел, нахмурился и, отворачивая взгляд, ответил:

— Вы, господа хорошие, меня извиняйте, но я только что от людей слышал, то и говорю. Может, я вообще не в масть попал, кто знает? Может, это сплетни бабьи? Может, и не было ничего. Так что насчет животных и прочего я вам ничего не скажу. Не знаю. Да и, честно говоря, знать не хочу. У меня своих проблем хватает — на хрена мне чужие копить? И вообще, вы если приехали, то хорошо бы расплатиться. И мне уж домой пора. С этой чертовой работой семьи сутками не видишь. А еще ведь тачку смотреть надо... Нет, в натуре, если больше никуда не поедем, давайте прощаться. У вас свои дела, у меня свои.

Последние слова он произнес с явным намеком. Гуров молча вытащил бумажник и расплатился. Рассказ шофера был любопытен и как-то перекликался с тем делом, которое они расследовали, но своими чересчур настойчивыми вопросами они насторожили и расстроили спокойного Леню. Теперь Гуров гадал, понял ли водитель, что перед ним милиция? Или просто корит себя за излишнюю болтливость с чужими людьми? Впрочем, это было уже неважно — пользоваться его услугами Гурову больше не хотелось. Слишком явная неприязнь сквозила теперь в тоне водителя. В таких обстоятельствах он в любую минуту мог преподнести сюрприз. Лучше уж расстаться с ним по-хорошему, решил Гуров.

Леня молча пересчитал деньги и, не сказав ни слова, умчался. Гуров и Крячко остались на углу незнакомой улицы, не совсем ясно представляя, что им предстоит делать дальше.

— Ну и как ты думаешь, чего она сюда приехала? — нетерпеливо спросил Крячко. — В гости к кому-нибудь или у нее посещение ресторана намечено?

— Не знаю, — сердито сказал Гуров. — Могу только одно сказать совершенно точно — нам с тобой ресторан не светит. Разве что грузчиками туда наймемся. Ты голову философскими вопросами не забивай, а лучше присмотри поблизости машину попроще. Вдруг опять колеса понадобятся — так хорошо бы заранее договориться. Только не попадись на глаза нашей даме. Тебя, хромоногого, за версту видно.

— Обижаешь, начальник, — покачал головой Крячко. — Это ты мог бы стажеру сказать, а не заслуженному полковнику! Тем более что еще неизвестно, кто из нас теперь хромее. И вообще, лучше подумай, что дальше делать. По-моему, мы капитально садимся в галошу.

Высказав столь ободряющее заключение, Крячко наискосок пересек улицу и отправился высматривать подходящую машину. Гуров неодобрительно посмотрел ему вслед — Крячко и в самом деле уже почти не хромал.

«Еще десять тысяч ведер, и золотой ключик у нас в кармане, — упрямо подумал Гуров. — Госпожа Вагнер не воздухом дышать сюда приехала. Нос по ветру держать надо и не расслабляться!»

Он встал возле газетного киоска, который уже закрылся, и стал смотреть, что происходит в сквере. Маргарита Альбертовна по-прежнему сидела в той же позе, похожая на восковую куклу. Всем своим видом она как бы опровергала утверждение Гурова о том, что она не воздухом дышать приехала. Любой, увидев ее сейчас, ничего иного бы на ее счет и не подумал.

Капитан Самохин сидел через две лавочки от госпожи Вагнер, спиной к ней и сосредоточенно ел мороженое. На лице у него было написано отвращение — мороженого он не любил, но есть ему хотелось ужасно. Мороженое было компромиссом и отвлекающим маневром одновременно. Тени под деревьями становились все гуще, и плывущий над асфальтом зной начинал потихоньку рассеиваться.

Гуров поискал глазами, где может быть здесь ресторан, и предположил, что тот находится в стильном одноэтажном здании за сквером, расположенном метрах в тридцати от девятиэтажки. Около него уже выстроились в ряд три-четыре иномарки, но особого оживления пока не наблюдалось.

«Хорошо бы уяснить для себя картину здешнего криминального мира, — подумал Гуров. — Проконсультироваться с кем-нибудь из местных коллег, с дельным человеком, непредвзятым. Или посидеть часок в этой самой забегаловке, присмотреться, послушать разговоры... Жаль, времени на это нет, приходится действовать с листа. Но неужели Маргарита Альбертовна так и будет здесь сидеть, как памятник? Не может быть. Решиться на такой активный шаг, нарушить подписку о невыезде и ничего не предпринимать? Это абсурд. Она должна что-то делать!»

И тут же, будто услышав тайные мысли Гурова, Маргарита Альбертовна начала действовать. Она словно проснулась, стряхнула с себя оцепенение и, наверстывая упущенное, начала чрезмерно суетиться, рыться в своей сумке, поправлять туго стянутые волосы и вообще производить массу лишних, ненужных движений, что, конечно же, выдавало ее огромное волнение. Кончила она тем, что достала из сумки мобильный телефон, закусив губу, набрала какой-то номер и начала говорить.

Гуров увидел, что Самохин в этот момент встал, небрежно швырнул обертку от мороженого в урну и, шаркая подошвами, лениво поплелся к выходу из сквера. Он прошел совсем близко от Маргариты Альбертовны, но даже не посмотрел на нее. Однако, зайдя ей за спину, Самохин чуть-чуть задержался и сделал вид, будто смотрит на часы. Маргарита Альбертовна ничего не замечала. Самохин постоял еще несколько секунд и зашагал дальше. Вскоре он повернул направо, перешел улицу и, ускоряя шаг, пошел туда, где оставил Гурова и Крячко.

Гуров окликнул его из-за киоска. Самохин был серьезен и будто даже испуган.

— Лев Иванович, труба! — торопливо сообщил он. — Она назначила с кем-то встречу. Слава богу, она, как эхо, повторяла все, что ей говорили. Но все равно труба! Ее будут ждать в одиннадцать часов на тридцатом километре шоссе к западу от города!

— Ну и что ты так расстроился? — спросил Гуров. — Радоваться надо, чудак! Хуже было бы, если бы ты ничего этого не слышал.

— Но ведь это шоссе! Голое место. Ближе ста метров не подойдешь. Плюс темнота. Нас видно, нам — ни черта! Я же говорю, труба!

— Это как посмотреть, — заметил Гуров. — На шоссе, капитан, все как на ладони. И хоть бы та же, понимаешь, и темнота. Темнота тоже имеет свои плюсы. Согласись, что при свете дня все обстояло бы куда хуже. Да и время у нас есть. Что-нибудь придумаем. А сейчас давай топай за нашей дамочкой и ни на шаг ее не отпускай. Головой отвечаешь!

— Пожевать бы, товарищ полковник! — жалобно сказал Самохин.

— Ты уже одно мороженое съел, я видел, — ответил Гуров. — Можешь еще одно купить по дороге. А делом, учти, заниматься лучше на голодный желудок. И поторопись — объект снимается.

Действительно, Маргарита Альбертовна уже взяла себя в руки. В ее действиях появилась осмысленность и целеустремленность. Она покинула свою скамейку и с дорожной сумкой в руках отправилась куда-то. Шла она уверенно и по сторонам не смотрела, что, безусловно, было на руку Самохину.

— Ну, я пошел, — разочарованно сказал он.

— Отзванивайся регулярно, — предупредил Гуров. — Я должен знать о каждом ее шаге.

Едва Маргарита Альбертовна, а следом за ней и Самохин скрылись за дальним углом улицы, как появился запыхавшийся Крячко и объявил, что с машиной вопрос решен.

— Веселый мужик попался, Гришей зовут, — объяснил он. — У него «Москвич», но, говорит, бегает, как лань. Только что из капитального ремонта. А главное, ему абсолютно нечего делать. Не знал, куда потратить вечер. За бабки готов показать нам хоть весь город со всеми окрестностями.

— Со всеми не надо. Только тридцатый километр шоссе, — сказал Гуров.

И он растолковал Стасу детали. Тот почесал в затылке и с уважением заметил:

— Прямо как в кино про шпионов получается! Но ведь это значит, что мы не зря сюда прикатили, а, Лева?

— Не хочу торопиться, но, похоже, не зря, — согласился Гуров. — Только надо все сделать правильно. А чтобы сделать все правильно, нужно прежде всего правильно понять, что происходит. А вот этого мы, кажется, сделать никак не можем. Мы можем только строить весьма туманные гипотезы, которые, скорее всего, заведут нас в тупик.

— И что же ты предлагаешь? — Крячко подозрительно посмотрел на него.

Гуров задумчиво посмотрел в ту сторону, куда скрылись Маргарита Альбертовна и Самохин.

— Предложений у меня два, — начал он.

— Одно хорошее, одно плохое? — засмеялся Крячко.

— Честно говоря, оба неважные, — ответил Гуров. — Но, боюсь, ничего другого у нас в перспективе не имеется.

Глава 13

Шофер Гриша, которого раскопал Крячко, действительно оказался человеком веселым и легким на подъем. Притом что он был женат и имел двоих детей. Но, кажется, это обстоятельство еще вернее гнало его из дома, и он готов был ехать хоть на край света, лишь бы не сидеть, как он выражался, у жены под юбкой.

С Крячко Гриша сразу же нашел общий язык, и тому не составило труда убедить Гришу покататься сегодня как следует. Гриша не дрогнул даже тогда, когда Гуров объяснил ему, что придется как минимум дважды съездить за город.

— Жена-то что скажет? — спросил Гуров, видя такую удивительную покладистость.

— Тут важно не то, что она скажет, — с достоинством ответил Гриша. — Важно, что скажу ей я. А ей я скажу, что мужик должен делать деньги. Кстати, эту мысль даже она понимает, — засмеялся он.

По замыслу Гурова Гриша предварительно отвез на тридцатый километр Синицына и Черкасова. Никаких объяснений Гуров при этом не давал. Синицын с Черкасовым вообще помалкивали, хотя высказаться им очень хотелось. Заинтригованный Гриша сразу заметил:

— У нас там дикая глушь, мужики! Что там делать ночью? Не мое это дело, конечно, но если у вас тут планы насчет икорки или еще чего в этом роде, так я вам это устрою в лучшем виде, и не надо будет никуда ездить. По ночам, знаете, у нас тут всякие вещи случаются, и не обязательно хорошие. Например, вот совсем недавно одному мужику голову на хрен отрезали, и никаких следов.

Гуров поинтересовался, не на тридцатом ли километре это было. Гриша пояснил, что нет, не на тридцатом, но это дела не меняет.

— Неприятности можно словить на любом километре, — убежденно заявил он. — Хотя я сам знаю мужиков, которые, хлебом их не корми, ищут приключения на свою задницу. Ну, в принципе, тоже занятие... Вы не из таких? Хотя по виду я бы так не сказал.

— Внешность, она обманчива, — заметил на это Гуров. — Может, мы как раз из тех, которые приключения ищут. Как это сейчас говорят? Экстремалы, вот!

— Ну, это ваше дело, — рассудительно заключил Гриша. — Каждый по-своему с ума сходит.

На том и порешили. Гриша отвез хмурых Синицына с Черкасовым, а потом вернулся в гостиницу, где его ждал Гуров. К этому времени нервы у всех были уже на пределе. Самохин докладывал по мобильнику каждые полчаса о действиях Маргариты Альбертовны. Та не делала ничего особенного — походила по городу, заказала ужин в кафе (практически ничего не ела — прокомментировал с раздражением Самохин, — поклевала только и еще коньяка сто пятьдесят ухнула, и ни в одном глазу, между прочим), — потом неожиданно зашла в подвернувшуюся по пути гостиницу и сняла номер. В гостинице она и провела остаток дня.

Часы показывали двадцать минут одиннадцатого, когда от Самохина пришло сообщение, что Маргарита Альбертовна покинула номер и теперь названивает в таксопарк и договаривается насчет машины. Самохин призывал поторопиться.

Гуров и Крячко тут же снялись, разбудили дремавшего в «Москвиче» Гришу и поехали на подмогу Самохину. Успели они как раз вовремя — Маргарита Альбертовна садилась в такси. Они подхватили Самохина и устремились в погоню.

Когда все началось, Гриша еще ничего не понял. Даже распоряжение незаметно следовать за такси не вызвало у него удивления. Однако, когда вдруг выяснилось, что ему снова придется повторить тот же маршрут, Гриша как-то притих и призадумался. Гуров заметил, что он все чаще стал бросать настороженные взгляды в зеркало, которое висело над его головой, и с некоторой тоской посматривать за окно, где все гуще и таинственнее становилась ночная тьма. Какие мысли роились при этом в его голове, одному богу было ведомо, но Гуров подозревал, что ничего хорошего Гриша о них уже не думает и, наверное, страшно жалеет, что связался с тремя незнакомыми мужиками, которые наверняка затеяли что-то скверное, по сравнению с чем отрезанная голова покажется детской забавой. Особенно он приуныл, когда они пересекли границу города.

На дороге в этот час было как-то особенно пустынно и тревожно. Вокруг лежала сплошная тьма, и лишь вдалеке неподвижно стояли недоступные мутные огни, да пылающие фары встречных машин изредка выныривали откуда-то, чтобы тотчас бесследно исчезнуть в ночи. По обочинам вились какие-то тени — то ли кусты, то ли заборы, — но разглядывать их не было ни времени, ни желания.

Гуров, не отрываясь, смотрел вперед, на красные огоньки убегающего вдаль такси да отмечал про себя каждый верстовой столб, проносившийся мимо. Наконец примерно на половине пути он вдруг сказал — доброжелательно, но категорично:

— А теперь, Гриша, сделаем вот что — ты обгоня-
ешь эту машину и сигналишь водителю остановиться.
Остальное не твоя забота.

Гриша ничего не сказал, но по его помрачневшему
лицу стало понятно, что эта затея ему совершенно не
нравится. Однако он послушно прибавил скорость и начал догонять такси. Через несколько секунд он обошел
его — все невольно повернули головы, пытаясь рассмотреть сидящих в машине людей, — и, разумеется,
ничего в темноте не увидев, слегка подрезал и помигал
стоп-сигналом. Такси с некоторой задержкой все-таки
сбавило скорость, съехало на обочину и остановилось.
Гриша тоже затормозил. Гуров и Самохин мгновенно
выскочили из машины.

— И что дальше? — тоскливо спросил Гриша, не по-
ворачивая головы.

— А дальше начнется самое интересное, — весело
сказал ему Крячко, хлопая по плечу. — Да ты не тушуй-
ся, мы ничего плохого не делаем.

— А мне по барабану, — пробормотал Гриша, прикидывая, не ударить ли ему по газам и не смыться ли от
греха подальше.

Но для этого необходимо было, чтобы последний пас-
сажир покинул машину, а тот как раз делать этого не
собирался. И позицию он занимал более выигрышную
и, несмотря на возраст, был силен, как бык, и Гриша
понял, что пропал.

Тем временем Гуров и Самохин с двух сторон подскочили к такси, заблокировав дверцы. Раздосадованный
и слегка напуганный водитель агрессивно поинтересовался, что им надо. Гуров молча сунул ему под нос удостоверение. Сам он, не отрываясь, смотрел на Маргариту Альбертовну, которая, окаменев и бледнея на глазах,
тоже не сводила с него глаз.

— Та-а-ак! Приплыли, — с тихой ненавистью сказал
водитель, откидываясь на спинку сиденья. — Ну и что
дальше?

— А дальше, друг, ты пока погуляй тут, — бесцеремонно объявил ему Самохин, — а мы воспользуемся твоей машиной. Не бойся, вернем обязательно.

— Ни хрена! Нет у вас таких прав! — уперся водитель. — Хотите, арестуйте! Будем в суде разбираться. А машину не отдам.

— Арестовывать мы вас не будем, — успокоил его Гуров, — но помочь вы нам обязаны. Не хотите уступать место за рулем — ваше дело. Но тогда будете выполнять все мои указания. Иначе я своими руками выкину вас из машины. Это будет некрасиво, но я возьму грех на душу.

Таксист понял, что Гуров не шутит, и хмуро сказал:

— Ладно, заметано! Куда едем?

Гуров кивнул Самохину:

— Значит, давай, капитан, как договорились... За меня не беспокойся.

Самохин кивнул и побежал к «Москвичу». Хлопнула дверца. «Москвич» сорвался с места и исчез в ночной темноте. Гуров быстро сел на заднее сиденье и спросил:

— Что же это вы, Маргарита Альбертовна, такого дурака сваляли? Я был о вас лучшего мнения.

— Вы не понимаете, что делаете, — бесцветным голосом сказала госпожа Вагнер. — Зачем вы меня нашли? Как же я вас ненавижу. Из-за вас все гибнет и... — Она замолчала, будто задохнулась.

Гуров посмотрел на часы. До назначенного срока оставалось около пятнадцати минут. Как раз доехать.

— Трогай! — сказал Гуров водителю. — По дороге поговорим.

Таксист с треском переключил передачу, газанул и так выскочил на шоссе, что гравий веером посыпался из-под колес.

— Маргарита Альбертовна, с кем вы должны сейчас встретиться? — деловито спросил Гуров. — Отвечайте начистоту, потому что времени у нас мало.

Госпожа Вагнер оцепенело смотрела в окно и долго не отвечала. Гуров терпеливо ждал. Он знал, что, как бы сильно она сейчас ни была озлоблена, все равно должна заговорить. Переиграть все назад было невозможно.

— Это очень влиятельный и опасный человек, — сказала наконец она. — Он не должен вас видеть. Ни в коем случае. Иначе все пропало. Я должна явиться к нему одна. Это обязательное условие. Иначе все срывается, а мой сын... — Горло ее сжал спазм.

— Значит, сын у него? Ну что было бы вам сказать это раньше? — с упреком произнес Гуров. — Ну ладно, что выросло, то выросло. Будем плясать под их дудку. Только объясните мне — на что вы надеетесь? Вам позволят встретиться с сыном?

— Я ничего не знаю. Надеюсь на чудо, — убитым голосом ответила Маргарита Альбертовна. — Со мной едва согласились встретиться. Никаких условий я, естественно, не выдвигала.

— А противная сторона?

— Они согласились встретиться, — повторила Маргарита Альбертовна. — Это все.

— Но вы уверены, что ваш сын у них?

— Безусловно. Где ему еще быть?

— Да, в сложное положение вы нас поставили, — вздохнул Гуров. — А главное, себя! На что вы надеялись, когда ввязались в эту безумную игру?

Он покосился на таксиста. Водитель сидел с каменным лицом, не отрываясь, смотрел на дорогу и, видимо, тоже размышлял о неприятностях. В разговор он вступать даже не пытался.

Зазвонил гуровский мобильник. Крячко деловито и озабоченно доложил:

— Только что проехали то место. Два джипа по обеим краям дороги. Без огней. Людей не видно. Сейчас отъедем чуть-чуть и развернемся. У тебя как? Она что-нибудь сказала?

— Ты мне больше сказал, — ответил Гуров. — Наших ребят там не видел?

— Нет, никого. Может, в складках местности замаскировались? Местность, правда, на мой взгляд, голая, как плешь, но Гриша говорит, что тут совсем рядом озера, просто их в темноте не видно. Вот я и говорю, может, в камышах засели?

— Пока стоите, попробуй связаться с ними по телефону, — посоветовал Гуров. — И будьте все время начеку. Маргарита Альбертовна обещает нам неприятности.

— Понял! — сказал Крячко. — Пообещай ей то же самое от моего имени.

— Отбой! Позвоню сам, — недовольно сказал Гуров и, спрятав телефон, обратился к водителю: — Тут все друг другу обещают неприятности, так что советую вести себя как можно спокойнее. Иначе какое-нибудь из этих обещаний непременно сбудется. Высадишь даму и постарайся побыстрее уехать...

— А вы? — хмуро спросил таксист.

— Меня здесь нет! — категорически сказал Гуров.

Впереди, выхваченные из темноты рассеянным лучом света, показались два черных силуэта машин на обочинах. Гуров увидел также фигуру человека, который неторопливо прохаживался возле одной из машин, поглядывая на дорогу.

Гуров нырнул под сиденье. Нога тут же дала о себе знать, но он заставил себя не думать о ней и приготовился к неизбежным сюрпризам, которые вот-вот должны были начаться.

— Тормозить, что ли? — мрачно спросил таксист.

— А ты как думаешь? — огрызнулась госпожа Вагнер. — Только что с луны, что ли, свалился?

Таксист чертыхнулся, нажал на тормоз. Засвистела по асфальту резина, и машина встала. Маргарита Альбертовна быстро сунула водителю деньги, нервно и безуспешно дернула ручку дверцы. Но человек, кара621 уливший на обочине, уже был рядом с машиной и сам распахнул перед Маргаритой Альбертовной дверцу. Гуров не мог его видеть — слышал только голос, предупредительный и ровный.

— Вас уже ждут, — сказал он. — У нас машина. Вы можете отпустить такси.

Гуров слышал, как Маргарита Альбертовна вышла из автомобиля. Мужчина, встречавший ее, повторил настойчиво, обращаясь уже к шоферу:

— Вам сказали — вы можете быть свободны! Или вам не заплатили?

— Да заплатили мне! — с досадой сказал таксист. — Еду уже!

Резко хлопнула дверца. Таксист завел мотор, сдал назад и развернулся. Он молчал, но это молчание было красноречивее всяких слов. Гурову показалось, что на его голову сыплются самые грязные и страшные проклятия, какие только можно найти в русском языке.

Машина помчалась обратно в город. Гуров вынырнул из-под сиденья и спокойно сказал:

— Проедешь еще метров тридцать и встань.

Таксист молча плюнул, но сделал то, что просили. Остановив машину, он сквозь зубы спросил:

— Дальше что?

— Номера у машин не заметил? — поинтересовался Гуров.

— Я не Вольф Мессинг, чтобы номера запоминать, — упрямо сказал таксист. — Да и не смотрел я на их номера.

— Тогда помолчи пока, — предложил ему Гуров и достал мобильник. Он набрал номер Крячко и быстро сказал: — Даму высадили. Пришлось вернуться. Что там у вас?

— У нас Синицын с Черкасовым, — усмехнулся Крячко. — Злые на тебя, как черти. Говорят: пусть лучше он нам не попадается, пока не поужинаем...

— Хорош трепаться! — оборвал его Гуров. — Не тот случай. Говори по существу.

— По существу все очень просто. Ребята сидели в пяти шагах от места событий. Точнее, лежали. В какой-то вонючей луже. Но это они потом сами тебе расскажут. Короче, видели все как на ладони. Когда вы уехали, дамочку проводили к одному джипу, и там с ней пообщался какой-то крутой мэн — не выходя из машины. Буквально две-три фразы. После чего дамочка села в ту же машину, и они отбыли.

— Куда? В какую сторону? Ты их видишь?

— Не сказать, чтобы очень четко, но кое-что различаю. Они движутся по проселочной дороге вдоль озер. Гриша говорит, что если все время в этом направлении ехать, то попадешь в пустыню. Ну или что-то вроде. Дикие там края, говорит. Правда, есть вариант, что они в какой-то из поселков едут, а еще здесь есть где-то брошенная нефтеналивная станция. То есть начали строить, а деньги как раз кончились. В общем, развалины. Вот такие варианты. А еще Синицын говорит, что обе машины пришли из этой самой пустыни. Значит, у них где-то здесь гнездо.

— Смотри не упусти! — сказал Гуров. — Я сейчас тебя догоню.

— Только не стукни, — добродушно предупредил Крячко. — Мы тут без огней едем.

— Слава богу, хоть на это ума хватило, — проворчал Гуров.

Закончив разговор, он поднял голову и окликнул шофера:

— Давай, друг, поехали обратно. На том месте свернешь в сторону озер. Только нам без огней нужно ехать, чтобы не засекли. Сумеешь?

— Ну вот что, начальник, — смелея на глазах, сказал таксист. — Мы не в цирке, чтобы фокусы показывать. А ты не господь бог. Чем мог, пособил, а дальше сам разбирайся. Нет у тебя права подвергать риску водителя и машину.

— Пойми, там человек может погибнуть, — сказал Гуров. — Ни за грош. Та самая женщина, которую ты только что подвозил. Тебя совесть мучить не будет?

— Меня совесть будет мучить, если мои дети без отца останутся, — угрюмо сказал таксист.

— Понятно, — сказал Гуров. — Ну, тогда ты моих товарищей догони, а там можешь и обратно ехать. Только соображай побыстрее, время уходит.

Шофер, опять ничего не сказав, включил двигатель, развернулся так, что завизжала резина, и помчался обратно. Гуров уже придумывал, что делать, если этот упрямец захочет высадить его на перекрестке, как вдруг таксист буркнул:

— А чего тут соображать? Ты, начальник, видать, не местный, оттого и смелый такой. А знаешь, кто это, скорее всего, был?

— Откуда же мне знать, — ответил Гуров, — если я не местный?

— Здесь километрах в двадцати от шоссе живет один человек. Официально предприниматель, а неофициально — не знаю даже, как назвать. В городе он, может, и не самый авторитетный, но в этих краях ему ни один человек поперек слова не скажет, потому что это слово запросто может быть последним. Его здесь Квадратом зовут.

— Ее сюда беда привела, — объяснил Гуров.

— Это она за ней приехала, — возразил таксист. — И ты следом, начальник. А ты знаешь, что по ночам в этих краях твои корочки не действуют?

— У меня, кроме корочек, кое-что имеется, — сердито ответил Гуров. — И меня испугать трудно.

Таксист хмыкнул, сбросил скорость и медленно свернул с шоссе на проселочную дорогу.

— Свет тушить, что ли? — грубовато спросил он.

— Решил рискнуть? — вопросительно посмотрел на него Гуров.

— Ну не бросать же тебя здесь одного, начальник! — сказал таксист. — Еще обидишься, будешь потом рассказывать, что на Волге одни трусы живут.

Ехали медленно, чтобы в темноте не наткнуться друг на друга. Гуров связался с Крячко и поинтересовался, что происходит впереди. Они с таксистом были еще слишком далеко от места событий.

— Обе машины повернули в сторону от жилых районов, — меланхолично сообщил Крячко. — В принципе, это наводит меня на грустные мысли, Лева. Что делать ночью в пустыне, даже если это и не совсем пустыня? Мы-то ладно, а вот госпоже Вагнер точно несдобровать.

— Не каркай, — сказал Гуров. — Мы здесь для чего?

— Это вопрос, — отозвался Крячко.

Гуров и сам был встревожен тем, как развивались события. Он надеялся, что встреча Маргариты Альбертовны состоится там, где она была назначена. Он не предполагал, что ее тут же увезут в неизвестном направлении. Вернее, он допускал такую возможность, но считал, что вероятность ее невелика. Если бы госпожа Вагнер была нужна здесь, ее потревожили бы уже давно. Но, как выяснилось, гроза этих мест, загадочный Квадрат, предпочитал брать то, что само плывет к нему в руки.

В том, что они имеют дело с Квадратом, Гуров почти не сомневался. Допустить, что здесь, в глуши, действует еще какой-то злодей, похищающий людей, он не мог. Слишком невероятным было бы такое совпадение. Но для полной уверенности он все-таки спросил у таксиста:

— Квадрат занимается контрабандой редких животных?

— Ты, начальник, не заметил, что я такси гоняю? — иронически сказал на это водитель. — Откуда мне знать про Квадрата? Слышал краем уха, что и с животными он тоже имеет дело, но присягу давать не буду. Может, вранье.

— В том-то и дело, что не вранье, — заметил Гуров. — В том-то и дело.

Н. Леонов, А. Макеев

Под рукой у него опять запиликал мобильник. Крячко был возбужден и говорил свистящим полушепотом:

— Лева, срочно тормози! И ни звука! Они встали!

Таксист все понял без слов. Он сам остановил машину и выключил мотор. Наступила тишина.

Вокруг автомобиля лежала плоская непроглядная равнина, на белесоватой поверхности которой угадывалась какая-то невысокая растительность. Но все, что было вдали, тонуло во мраке.

Тем не менее водитель, вглядевшись в ночной пейзаж, уверенно заявил:

— Похоже, логово этого Квадрата мы, начальник, объехали стороной. А выехали мы, похоже, к резервуарам. Тут нефтеналивную станцию строить собирались — лет еще пятнадцать назад. Котлован выкопали, бетон в фундамент вбухали, коробки кое-какие поставили. А потом все заглохло. Дело это все на отшибе стоит. Если тут кого-нибудь мочить начнут — помощи ждать неоткуда. А дальше уже сам делай выводы.

Гуров открыл дверцу, обернулся к шоферу.

— Раз уж помог, помоги до конца, — попросил он. — Постой тихо с полчаса. Не хотелось бы сюрприз портить.

— Да уж куда теперь деваться, — пробурчал таксист. — Кто только мне за мои мучения заплатит?

— Подброшу я тебе на бедность, — пообещал Гуров.

Он тихо прикрыл дверцу и пошел наугад вперед, высматривая в темноте силуэт Гришиного «Москвича». Это было бы непростым делом, но дорога сама вывела Гурова к нужному месту.

«Москвич» был спрятан, как выразился бы Крячко, в складках местности — то есть стоял в небольшой ложбинке метрах в пяти от дороги. Вокруг него застыли фигуры всех четырех оперативников. Они все всматривались в противоположную от Гурова сторону, и ему ничего не стоило подкрасться к ним незамеченным.

— Конспираторы! — прошептал он уничтожающе, кладя руку на плечо Крячко. — С тыла вас можно взять голыми руками.

— А мы за тылы спокойны, — тоже шепотом ответил Стас. — У нас в тылу действует полковник Гуров. Зверюга! Мимо него и муха не проскочит.

— Все балагуришь, — сказал Гуров. — Пример молодежи подаешь. Ну, разберусь я с тобой!.. Где Маргарита Альбертовна? Что здесь вообще происходит?

— Да ничего хорошего, — признался Крячко. — Гриша, который в машине сидит и дрожит от страха, объяснил нам, что тут та самая нефтеналивная база и есть. Вон впереди, метрах в ста, угадываются какие-то развалины... Там оба джипа остановились. Теперь-то они фары потушили, а сначала все хорошо было видно. Но мы, скажу тебе, едва ускреблись. Эти так внезапно остановились, что Гриша не сразу среагировал. Представляешь, что было бы, услышь они наш мотор? Но пронесло, слава богу.

— Из машин кто-нибудь выходил? — спросил Гуров.

— Определенно, — кивнул Крячко. — Дверцы хлопали не один раз, да и тогда еще фары горели. Человек пять-шесть там мелькнуло. Вот за госпожу Вагнер не скажу, но, думаю, она тоже вышла — не в машине же сидеть она сюда приехала, верно?

— Нам тоже рассиживаться некогда, — сказал Гуров. — Хочешь не хочешь, а надо подобраться поближе. Поскольку карты перемешали, следует подумать, во что мы играем и какие козыри. Действуем предельно осторожно. Никаких звонков и разговоров. Только если обнаружат. На всякий случай Черкасов остается в машине — для связи.

— А если, допустим, убивать кого-нибудь будут? — мрачно спросил Синицын.

— Вы все здесь люди опытные, с головой, — ответил Гуров. — Находите оптимальное решение.

— Ясно, — сказал Самохин. — Как пойдем?

— Рассредоточимся, — объяснил Гуров. — Я по центру. Крячко и Синицын обходят постройки справа и слева. Самохин присматривает за джипами. Ну все, трепотня закончилась, каждый знает свое место и маневр. Пошли!

Оставив Черкасова в обществе Гриши, который уже не выглядел таким жизнерадостным и легким человеком, как несколько часов назад, они сошли с дороги и двинулись в сторону несостоявшегося нефтехранилища, обходя его с трех сторон. Каждый лишний человек был сейчас на вес золота, но оставлять без присмотра Гришу Гуров опасался — почувствовав свободу, тот запросто мог сделать ноги — такая мысль просто была написана у него на лице. И тогда все их усилия были бы напрасны.

Разделившись, они быстро потеряли друг друга из виду. Гуров первым добрался до развалин. Он прошел совсем близко от неподвижных черных машин, на крыльях которых зловеще поблескивали отсветы далеких огней. Гуров даже почувствовал легкий запах дорогого бензина. И еще табака. Боковое стекло в одном из джипов было опущено. Водитель курил, время от времени смачно сплевывая в окошко. По сторонам он не смотрел — видимо, был уверен в своей безопасности на сто процентов.

Был ли он там один или с ним оставался кто-то еще, Гуров не знал, а потому прошел мимо. Почва была сухая, песчаная, скрадывающая шаги, поэтому двигаться бесшумно здесь не составляло никакого труда.

Неожиданно Гуров вышел к некоему подобию ворот. Правда, толку от этого сооружения было немного, потому что и справа, и слева от ворот была пустота. Чуть подальше громоздились остатки бетонного забора, дикие кусты, какой-то металлолом, а за всем этим беспорядком тянулось плоское одноэтажное строение, как показалось Гурову, без окон и без дверей. Еще дальше угадывались огромные темные провалы, по краям которых кое-где торчали кривые зубья арматуры. Ворота здесь были явно лишними, и тем не менее они были, и около них даже стояла охрана.

Гуров едва не наскочил на этих парней. К счастью, за секунду до этого один из них обозначил свое присутствие, коротко кашлянув и проворчав с нескрываемой досадой:

— Хотел бы я знать, долго нам тут еще торчать? У меня сегодня вообще такой облом, Сеня, ты не представляешь! Я тут телку коронную на днях снял, между прочим, в консерватории на скрипке лабает. Но сиськи, не поверишь, во!.. Сегодня мы с ней в ресторан собрались, ага, все культурно, по-интеллигентному, и тут такой облом! Угораздило эту тварь прикатить сегодня! Как думаешь, Сумской ее замочит?

— А мне по барабану, Мосол, — отозвался из темноты ленивый голос. — Его дело. Говорят, что она мамаша этого кадра. Так если уж мочить, то, наверное, обоих? Может, он им просто свиданку решил устроить?

— Если свиданку, то на хрена такую толпу собирать? — обиженно сказал Мосол. — Как подумаю, что моя музыкантша сейчас могла бы на моей скрипочке играть... Так западло становится! — Он коротко засмеялся, но смех этот был не очень веселый.

— А я бы хотел просто побыстрее отсюда свалить, — признался Сеня. — Не нравится мне это место. Как на кладбище, понимаешь. Как подумаешь, сколько тут народу замочили...

— Ладно, не капай на мозги! — перебил его Мосол. — И так тошно. Давай покурим, что ли?

Они выдвинулись из темноты, и Гуров довольно ясно увидел обоих. Один был высокий, крепкого телосложения, чуть сутулый. Второй был и пониже, и пожиже, но у него была одна примечательная особенность, неприятно поразившая Гурова, — на плече у него висел короткоствольный автомат. Высокий угостил низенького сигаретой, они щелкнули зажигалками и закурили.

Гуров находился в раздумье. По некоторым намекам, проскочившим в разговоре охранников, можно было предположить, что Маргарита Альбертовна добилась своего и сюда ее привезли повидаться с сыном. Это было несомненной удачей. Но из того же разговора следовало, что и матери, и сыну угрожает вполне реальная опасность. Замечание Сени насчет кладбища звучало особенно зловеще и заставляло предполагать худшее. Немного сбивало Гурова с толку то обстоятельство, что ни разу в разговоре не прозвучала кличка Квадрат — приходилось опять вносить какие-то коррективы в сложившуюся версию. Но пока Гуров решил на этом не сосредоточиваться, сейчас главным было сохранить жизнь Маргарите Альбертовне и ее сыну. Но для этого нужно было прежде всего выяснить, где они находятся. Бродить по этим темным развалинам можно было до бесконечности и при этом ничего не обнаружить. К тому же существовал реальный риск привлечь к себе внимание и получить в спину пулю от того же коротышки по имени Сеня, который сам определил это место как кладбище.

Гуров все больше начинал склоняться к жесткому и несколько авантюрному варианту, который, однако, мог оказаться в данной ситуации исключительно действенным. Вряд ли такой метод одобрил бы генерал Орлов, но победителей не судят — принцип вечный, на который можно положиться без оглядки, а о поражении Гуров не хотел даже думать. Если даже он не заставит этих двоих говорить, то уж выключить их из процесса он сумеет в любом случае. На его стороне внезапность и, что немаловажно, закон. Просто нужно действовать четко и быстро, правильно распределив приоритеты.

Первым Гуров решил вывести из строя коротышку. У него был автомат, но справиться в рукопашной с ним было проще. А уж не опасаясь очереди в спину, он примется за дружка. Одно только смущало Гурова — как бы не подвела в самый ответственный момент нога. Сейчас это было самым слабым его местом, в полном смысле слова ахиллесовой пятой.

Гуров тихо лег на землю и прислушался. Вокруг царило полное безмолвие. Даже ветер будто уснул. К счастью, и от товарищей шуму практически не было. Гуров подобрал с земли маленький камешек и запустил его далеко в сторону. Он упал куда-то с легким рассыпчатым треском.

Охрана слегка напряглась. Они разом повернули головы на звук и всмотрелись в темноту.

— Да не дергайся! Крысы, наверное, — примирительно заметил Мосол.

— Может, и крысы, — согласился Сеня, делая все-таки шаг в том направлении, откуда донесся звук. — А вдруг занесло кого? Сумской яйца отрежет, если кого здесь увидит.

— Кто сюда пойдет — ночью-то? — с неподдельным удивлением произнес Мосол. — Ты уж вообще!

— Ну да, а вдруг? — с неуверенным смешком сказал Сеня. — Лучше перебдеть, как говорится...

Ему не хотелось показаться перестраховщиком, но и идти на поводу у напарника тоже не хотелось. Для очистки совести он все-таки решил подойти поближе. Его тяжелые ботинки проскрипели песком в полуметре от головы Гурова. Сеня встал к нему спиной и принялся снова таращиться в темноту.

Гуров, как змея, метнулся вперед, ухватил Сеню за лодыжки и сильно дернул. Тот охнул и упал плашмя, ударившись грудью о землю. Но прежде чем он успел закричать по-настоящему, Гуров ребром ладони ударил по его тощей шее, и Сеня затих.

— Э, ты чего? — изумленно сказал из-за ворот Мосол и сделал несколько быстрых шагов навстречу Гурову.

Он не предполагал, что враг может оказаться так близко. Ему вообще ближе была идея насчет крыс, и даже падение Сени он связывал с его неловкостью, а не с нашествием враждебных сил. Поэтому Гуров и его сумел застать врасплох.

Он выскочил на охранника из-за воротного столба как призрак. Но удар в челюсть, который Гуров нанес при этом, был отнюдь не призрачный. Не готовый к нему, Мосол утробно крякнул и, откинувшись назад, повалился у ног Гурова. Прежде чем он успел прийти в себя, Гуров обыскал его и вытащил из-под пиджака тяжелый пистолет «беретта» и запасную обойму к нему.

Удовлетворенный результатами обыска, Гуров вернулся к Сене и подобрал валяющийся на земле автомат. Вооруженный таким образом до зубов, он приступил к следующему этапу своей маленькой операции. Наклонившись над поверженным здоровяком, который начинал проявлять некоторые признаки жизни, Гуров поднес к его носу холодное дуло автомата и вполголоса предупредил:

— Я очень нервничаю сейчас, поэтому могу ненароком нажать на спуск. Соображаешь, что тогда получится?

— Тихо-тихо! — заботливым шепотом проговорил в ответ Мосол, не сводя глаз с автоматного дула. — Все будет нормально. Никаких причин нервничать. Может, уберешь эту штуку?

— Уберу, — подтвердил Гуров. — Когда ответишь на мои вопросы — быстро и четко. Где Сумской?

Мосол быстро стрельнул глазами на темное лицо Гурова. Он силился понять, кто перед ним, но не мог этого сделать, Гуров был ему незнаком.

— Кто такой Сумской? — фальшиво прошептал он.

— У этого автомата такой ненадежный спуск, — пожаловался Гуров. — Нажмешь ненароком посильнее, и беседовать придется уже не с тобой, а с Сеней.

— Если выстрелишь — засветишься, и Сумской сделает из тебя фарш, — сообразил Мосол.

— Ага, значит, ты все-таки знаешь Сумского? — обрадовался Гуров. — Теперь осталось только сказать, где он. Понимаешь, я настроен очень серьезно, поэтому не рассказывай мне сказок. Лучше сдай своего шефа, а я в благодарность так тебя отделаю, что никому и в голову не придет, что это ты его слил.

— Спасибо, ты очень добрый, — не без юмора сказал Мосол. — Я тоже добрый, поэтому, если ты сейчас же отсюда свалишь, даже не сразу подниму тревогу. Козыри все у меня, чудак! Стрелять ты не будешь, это ясно...

— Пожалуй, ты прав, — перебил его Гуров. — Стрелять я не буду. Я сам найду Сумского и тогда уж точно ему скажу, что сдал его ты. Так у кого на руках все козыри?

Мосол задумался. Такая задача была для него слишком уж заковыристой. К тому же Гуров держался уверенно, и в руках у него был автомат. А когда у тебя перед носом маячит стальной ствол, очень сложно убедить себя, что тебе ничего не угрожает.

— Ну если так, тогда можешь пройти до конца вон того барака, — сказал Мосол. — А там увидишь железную лесенку. Спустишься вниз, и все тебе будет. Только не говори, что я тебя не предупреждал.

— Сын Ликостратова тоже там?

Даже в темноте было видно, как перекосилось лицо парня. Кажется, до него что-то начинало доходить. Проделав в уме какие-то сложные расчеты, Мосол все-таки выдавил:

— Все там. Вниз по лесенке...

— Ну, раз по лесенке, тогда вставай и пошли! — скомандовал Гуров. — А то я человек в возрасте, без посторонней помощи в подвалы спускаться не решаюсь. И шевелись пободрее, пока твой дружок в себя не пришел и всю малину нам не испортил!

Мосол медленно поднялся, непроизвольно стряхнул пыль с рукавов пиджака. Гуров махнул автоматом:

— Вперед!

Он пошел следом за охранником. Шел, уже не таясь, — вряд ли в таком глухом месте можно было ожидать несколько уровней охраны. Да и провожатый у него был теперь надежный. Единственное, чего не хватало сейчас Гурову, это присутствия Крячко и других ребят. Подмога ему сейчас не помешала бы. Но сколько он ни всматривался в окружающую темноту, ни одной живой души поблизости не обнаружил. Друзья замаскировались слишком уж хорошо.

В одиночку идти в неизвестность было безрассудно. Гуров предпочел рискнуть и связаться с Крячко. Приказав парню задержаться, он достал телефон и, хмурясь, набрал номер. Где-то совсем неподалеку пропел мелодичный сигнал — словно ветер просвистел над пустыней. И ничего не случилось. Никто не выскочил из-за спины, не поднял тревогу. Гуров услышал в трубке спокойный голос Крячко.

— Длинное строение видишь? — спросил его Гуров. — Подгребай к дальнему концу. Синицына тоже подключи. Жду.

Крячко не стал вдаваться в подробности. Он принял информацию к сведению, и не прошло и минуты, как они с Синицыным присоединились к Гурову.

— Есть информация, что все внизу, — объяснил Гуров. — Информация непроверенная. Могут быть любые неожиданности.

— А вы бы не нарывались, — предложил Мосол. — И никаких неожиданностей. В натуре. Еще не поздно переиграть.

Почувствовав, что жизни его ничего не угрожает, он начинал понемногу наглеть.

Крячко поднес к его носу кулак и внушительно сказал:

— С тобой до сих пор мой друг разговаривал. А у него есть один большой недостаток — он вежливый. Некоторые кретины вроде тебя принимают это за слабость. А я человек простой, из народа. У меня что на уме, то и на языке. Так вот, запомни, если у нас будут из-за тебя неожиданности, я тебя так отделаю, что дальше тебя всю жизнь с ложечки кормить будут. Мне это ничего не стоит. Так что заткнись и сделай все, чтобы неожиданностей не было.

Мосол посерьезнел, опять что-то прикинул в уме, а потом сказал:

— Со мной проблем не будет. А уж что дальше — от меня не зависит.

За приземистым зданием действительно обнаружился спуск в подвал. Напоминал он спуск в ад — такой крутой и темной была узкая железная лестница.

— Ну, дерзай! — негромко сказал Гуров. — И помни, хорошо встречают того, кто входит с улыбкой.

Мосол мрачно посмотрел на него и стал спускаться. Лестница повизгивала под его тяжелыми шагами. Оперативники шли следом — Гуров впереди, за ним Крячко, и замыкал цепочку Синицын.

— Приготовьте оружие, — тихо сказал Гуров, передавая Крячко «беретту». — Боюсь, без неожиданностей здесь не получится.

Неожиданно спуск закончился. Внизу оказалась скрипучая железная дверь, из-за которой доносился ритмичный шум работающего генератора. Сквозь узкую щель пробивался луч яркого света.

— С удобствами расположились, — шепнул Крячко.

— Что за дверью? — спросил Гуров.

Мосол пожал плечами.

— Типа коридор, — сказал он. — Дальше еще дверь.

— Охрана?

— Мы — охрана, — буркнул Мосол.

Гуров с сомнением посмотрел на него, но все-таки распорядился:

— Открывай!

Мосол рывком распахнул дверь. Свет ударил им в лицо. Мосол с криком: «Атас!» — прыгнул вперед и рухнул лицом вниз, подставляя идущих за ним под огонь охраны. Гуров инстинктивно пригнулся и вскинул автомат...

И ничего не произошло. Маленький коридорчик, упирающийся еще в одну глухую дверь, был пуст. Лишь распластавшийся, как лягушка, Мосол лежал на грязном бетонном полу.

Крячко поднял его, толкнул к двери и звякнул наручниками. Мосол не сопротивлялся.

Едва Крячко закончил свою нехитрую процедуру, как раздались шаги за второй дверью, и в коридор ввалился еще один детина — в бежевой замшевой куртке, с небритой круглой физиономией. Видимо, он услышал шум и теперь торопился занять место, которое оставил без разрешения.

При виде незнакомых лиц он успел только до предела выпучить глаза, и тут же обозленный Крячко от души врезал ему рукояткой «беретты» по черепу. Вытаращенные глаза детины тут же покорно закрылись, и он рухнул на пол, вытерев спиной плохо оштукатуренную стену.

Не задерживаясь, Гуров, Крячко и Синицын ворвались в открытую дверь. Они увидели большое помещение с бетонными стенами и вентиляционной отдушиной под потолком, освещенное несколькими лампами дневного света, и что-то вроде импровизированной клетки в дальнем углу — участок, огороженный сварной стальной решеткой, в которой имелась дверца. Напротив тарахтел передвижной генератор. А за решеткой на засаленной подстилке сидели двое — Маргарита Альбертовна и сутулый небритый парень с изможденным, заросшим щетиной лицом. Одна рука парня была прикована наручниками к металлическому кольцу, намертво вделанному в стену. Маргарита Альбертовна, бледная как полотно, с каким-то даже неистовством обнимала парня за плечи, будто хотела укрыть его своим телом ото всех бед мира. В эту минуту они оба напоминали застывшую скульптуру, а не живых людей из плоти и крови. И больше никого в помещении не было.

Гурову стоило больших усилий оторвать Маргариту Альбертовну от ее сына. Она отчаянно сопротивлялась, кажется, не вполне даже понимая, что происходит. Ее обезумевшие от горя глаза не узнавали Гурова.

Наконец с помощью Синицына мать с сыном все-таки удалось разъединить, а Гуров отомкнул наручники, которыми был прикован Илья. Тот мутными глазами посмотрел на своего освободителя и уронил голову на грудь. Лицо его сплошь было покрыто кровоподтеками. Видимо, обрабатывали его давно и старательно.

Госпожа Вагнер, все еще пребывая в состоянии сильнейшего стресса, едва не устроила истерику, но тут уж на помощь пришел невозмутимый Крячко, который несколькими увесистыми пощечинами привел Маргариту Альбертовну в чувство. Она разрыдалась, но это был тихий плач человека в ясном уме и твердой памяти.

Глядя на нее, Крячко шепнул Гурову, словно извиняясь:

— Кому-то все равно нужно делать грязную работу... Да и, признаться, вложил я ей, Лева, с удовольствием. Одни от нее неприятности! Ты знаешь, что мы в ловушке?

Гуров непонимающе посмотрел на него. Крячко мотнул головой.

— Вон там, за генератором, еще одна дверь. Она заперта снаружи. Держу пари, что, пока мы тут возились, нам перекрыли все выходы.

Гуров хмуро посмотрел на него и, не говоря ни слова, бросился туда, откуда они только что пришли. Он выскочил в смежное помещение — детина в замшевой куртке уже сидел на полу и, болезненно морщась, тер ладонью разбитую голову. Увидев оперативников, он что-то неразборчиво промычал и ткнул пальцем в направлении выхода.

Сердце у Гурова упало. Мосол, которого они остави- ли висеть на ручке двери, исчез. И скрипучая железная дверь была закрыта так плотно, что, даже не притраги- ваясь к ней, можно было понять — она заперта.

Разумеется, Гуров подергал ручку, но лишь убедился, что Крячко кругом прав. Они сами сунулись в эту мы- шеловку и выйти обратно уже не могли.

— Люди торопятся, а потому ошибаются, — конста- тировал Гуров. — Это моя вина. Опасался, что не успеем, и оставил без присмотра охранника. А второй скрыл от меня, что здесь есть еще один выход. В результате мы имеем, что имеем. Единственное, что меня утешает, — живы и госпожа Вагнер, и ее сын.

— А меня утешает, что живы мы с тобой, Лева, — за- метил Крячко. — Это большая удача. В принципе, нас могли перещелкать здесь, как цыплят.

— На это у них нет высочайшего соизволения, — предположил Гуров. — Мы свалились им как снег на голову, и они не знают, что делать с таким явлением.

Он внезапно замолчал. Где-то снаружи стукнул писто- летный выстрел. Потом еще один. Гуров и Крячко с тре- вогой посмотрели друг на друга. Снова наступила тишина, нарушаемая лишь настойчивым тарахтеньем генератора.

— Ну, что выросло, то выросло, — подытожил Гу- ров. — Нужно кое с кем поговорить.

Они вошли в соседнее помещение. Парень в замше- вой куртке все еще сидел на полу и массировал свое темя.

— Как твое имя? — спросил Крячко.

Парень посмотрел на него страдальческим взглядом и пробухтел со злобой:

— Познакомиться хочешь? Щас познакомишься! Щас вас и обогреют, и утешат!

Говорил он не слишком складно, но с большим подъ- емом. Чувствовалось, что, несмотря на некоторое неве- зение, он вполне уверен в той силе, что стояла у него за спиной.

— Дать ему, Лева? — с интересом спросил Крячко.

— Ты уже ему дал, — проворчал Гуров. — Человек даже заговариваться стал.

— Видели того фраера — на цепи? — совсем не стараясь быть любезным, сказал парень. — Вам очень повезет, если вас посадят рядом. Мне велено вам это передать. Если будете вести себя тихо, может быть, живы будете.

— Ты что-то не понял, — возразил Гуров. — Место Ильи Ликостратова займешь сейчас ты.

— Ну хватит душеспасительных бесед! — рявкнул Крячко и рванул парня за шиворот. — Вставай, пошли!

Он вытолкал его в соседнюю комнату и буквально загнал за металлическую решетку. Парень пытался сопротивляться, но у него все еще кружилась голова и подкашивались ноги, а Крячко был по-настоящему разъярен и силы своей не сдерживал. Он пихнул своего пленника на подстилку и, прежде чем тот успел опомниться, защелкнул у него на запястье наручники.

Дальше он обыскал парня, но ничего не обнаружил, кроме складного ножа с широким блестящим лезвием.

— Ну вот, а теперь поговорим, как джентльмены, — сказал Крячко, встряхивая пленника так, что тот врезался затылком в каменную стену. — Твое имя, адрес, место работы, семейное положение, хобби... Собираешь марки или пробки от бутылок? Выкладывай все, или я уже по-настоящему вышибу тебе мозги!

— Полегче, сука! — плачущим голосом простонал детина, опять хватаясь свободной рукой за голову. — Озверели совсем, падлы! Ну, Тюрин я, Дмитрий Николаевич, семьдесят второго... А марки ты сам собирай. Мне бабки больше нравятся, понял?

— А ты, оказывается, у нас с юмором, Дима! — заметил Гуров. — Это хорошо. Так скажи нам для смеху, чем ты занимаешься, а? На кого работаешь? На Квадрата?

Разбитая голова Тюрина непроизвольно и резко дернулась. Он почти с ужасом посмотрел на Гурова, но тут же застонал и опять потянулся рукой к затылку.

— Ну, по глазам вижу, что на Квадрата, — удовлетворенно констатировал Гуров. — Значит, все сходится.

Он обернулся. Илья Ликостратов уже находился за пределами клетки. Теперь он сидел у стены на каких-то ящиках, безвольно опустив руки, а Маргарита Альбертовна опять судорожно обнимала его, нежно гладя ладонью по спутанным немытым волосам. Синицын с пистолетом в руке нервно прохаживался рядом, то и дело оглядываясь на дверь.

— Кто такой Квадрат, Лева? — с любопытством спросил Крячко. — И что сходится?

— Есть тут такой деятель по прозвищу Квадрат, — пояснил Гуров. — Занимается в том числе и контрабандой животных. А все эти гаврики из его команды. Вот я и говорю, что все сходится. Илья и все остальное. Не хватает только старшего Ликостратова.

— И свежего воздуха, — прибавил Крячко.

— Не сей панику, — сказал Гуров, доставая мобильник и набирая номер Черкасова. — Никуда он не денется, свежий воздух.

Однако связаться с Черкасовым так и не удалось. Гуров с сожалением спрятал трубку и обвел взглядом окружающих его людей. Кажется, только мать с сыном не понимали катастрофичности положения, в котором они все находились. Илья был слишком слаб и измотан, а Маргарита Альбертовна была по-своему даже счастлива. Дима Тюрин хоть и играл в этой ситуации роль козла отпущения, почти не скрываясь, торжествовал. Синицын, осунувшийся и сердитый, был уже, кажется, на пределе, и только субординация мешала ему высказать все, что он думает о начальстве и его безумных идеях. Крячко держался по-прежнему невозмутимо и уверенно, но в глазах его ясно читалась тревога.

— Ничего страшного не случилось, — заговорил Гуров. — Снаружи у нас остались люди. Мы здоровые умные мужики. У нас есть оружие. Что-нибудь придумаем.

Он внезапно замолчал. За стеной, в том месте, где наружу выходила вентиляционная отдушина, вдруг послышался шум, а потом незнакомый голос, усиленный мегафоном, провозгласил:

— Господа ищейки! Слушайте сюда! Предлагаю по-хорошему договориться. Пользуйтесь случаем, пока я добрый. Тут у меня трое ваших — сыскари и водила. И у вас трое моих. Предлагаю махнуться. Но с условием — вы все остаетесь внизу. Но сначала передаете нам все оружие. Оставите его там, где заходили. Если попробуете сыграть с нами шутку, своих товарищей живыми больше не увидите. Даю вам пять минут на размышление.

Голос смолк, и Гуров услышал, как удаляются чьи-то шаги. Он обернулся. Лица Крячко и Синицына были мрачны. Тюрин откровенно скалился. Даже Маргарита Альбертовна подняла голову, и в глазах ее появился осмысленный и тревожный блеск. Гуров кивнул Крячко и Синицыну. Они втроем отошли в дальний конец помещения.

— Ну и что будем делать? — спросил Гуров, обводя взглядом лица товарищей.

— Может, они блефуют? — с надеждой спросил Синицын.

— Вряд ли, — покачал головой Гуров. — Они все правильно назвали — два опера и водитель. Просто они не знают, что водитель сам попал как кур в ощип. И потом, были же выстрелы. Возможно, кто-то из ребят даже ранен. Я уверен, что их взяли. Силы слишком неравные.

— Значит, нужно принимать условия, — заявил Синицын. — У Черкасова мать старше вот этой... Сердце больное. И вообще, не бросим же мы ребят на произвол судьбы!

— А кого бросим? Женщину с избитым человеком? — спросил Гуров.

Синицын бросил на него сердитый взгляд, но не нашел что сказать.

— Думаешь, они не решатся расправиться с нашими? — помолчав, сказал Крячко. — Вообще-то для них это лучший выход. Если не считать, конечно, тот вариант, когда они доберутся до нас всех.

— В том-то и дело, что мы нужны им все, — заметил Гуров. — Все до последнего человека. Поэтому идти на уступки глупо.

— Что же ты предлагаешь?

— Есть только один выход — тянуть время, — сказал Гуров. — Для начала отдадим им Диму. Поторгуемся, а там бог рассудит.

Ждать, когда наверху поинтересуются их решением, пришлось недолго. Едва они вернулись туда, где оставили Маргариту Альбертовну с сыном, как сквозь отдушину вновь загремел голос, усиленный мегафоном:

— Время кончилось! Что будем делать, господа сыщики?

Возникла пауза. Гуров крикнул:

— Мы согласны на обмен! Но только на наших условиях! Иначе не о чем разговаривать, господин Сумской!

Кажется, он угадал с фамилией, потому что наверху иронически хмыкнули, а потом сказали:

— Ах, господин сыщик, как же это верно сказано — меньше знаешь, крепче спишь! У вас, похоже, серьезные проблемы со сном? Ну, ничего, даст бог, мы вас вылечим. Однако вы говорили что-то об условиях — любопытно послушать...

— На первом этапе мы отдаем вашего камикадзе! — крикнул Гуров. — А вы отпускаете наших ребят. Всех!

— А не слишком жирно получится? — спросил Сумской. Его, кажется, забавлял этот диалог. — Может, добавите маленько?

— Прокурор добавит! — отозвался Гуров.

— Мне надо подумать, — уже серьезно ответил Сумской и на некоторое время пропал.

Оперативники молча ждали. Они даже не смотрели друг на друга. Момент был крайне напряженный. Сейчас от них мало что зависело. Гуров уже прикидывал в уме, что делать в случае отказа, — они попытаются отстрелить замок на двери с помощью автомата и пойдут на прорыв. Выход отчаянный, но больше ничего не остается.

Наконец Сумской вернулся. В голосе его опять звучала еле уловимая насмешка.

— Хорошо, мы согласны, — неожиданно сказал он. — В конце концов, это удобно, когда все в одном месте. Только единственное уточнение. В придачу к нашему человеку вы, как оговаривалось, сдаете все оружие. Условия те же. За вами автомат, «беретта» и три табельных.

— Не пойдет! — спокойно ответил Гуров. — Если мы сдадим вам оружие, вы просто зайдете сюда и всех нас покрошите. Такой вариант нас категорически не устраивает. Если не согласны на наши условия, то будем разговаривать по-другому. Со стрельбой и всем прочим. То же самое вас ждет, если вы попытаетесь причинить вред нашим товарищам. Нравится вам это?

— Не очень, — признался Сумской. — Мы любим делать все тихо. Но вы требуете слишком многого. Сам я решить этот вопрос не могу. Придется вам подождать.

— И долго ждать? — спросил Гуров.

— Нет, осталось совсем немного, — успокоил его голос наверху. — Вам сообщат.

Он ушел. Оперативники опять собрались в дальнем конце помещения.

— Скверно! — произнес Крячко. — Давно я не бывал в мышеловках. Оказывается, очень неприятная вещь.

— Не понимаю, как вы можете так спокойно говорить об этом? — вспылил Синицын. — Нашим товарищам грозит опасность...

— Может, ты не заметил, Синицын, — с досадой перебил его Гуров, — но нам всем грозит опасность. И давайте без лозунгов. Они еще не готовы проявлять инициативу. Ждут, насколько я понимаю, шефа. Подождем и мы. Бросаться с головой в омут не будем. Отложим это на крайний случай.

Синицын резко повернулся и с вызывающим видом отошел в сторону.

— Не обращай на него внимания, Лева! — добродушно сказал Крячко, увидев, как потемнели глаза Гурова. — Человек просто голодный. Я вот тоже, когда голодный, становлюсь ужасно нервным. Это закон природы.

Гуров не принял шутку, но гнев его постепенно улегся. Синицын и Черкасов были друзьями. Истерика Синицына была естественной реакцией растерянного человека. Не стоило придавать ей большого значения, тем более что нервы им понадобятся совсем скоро.

Чтобы не терять времени даром, Гуров попытался поговорить с Маргаритой Альбертовной, надеясь выяснить у нее какие-нибудь подробности. Но оказалось, что ничего интересного сказать она не может. Она выглядела совершенно больной, едва ли намного лучше собственного сына. Единственное, что она сумела произнести членораздельно:

— Они его все время били...

И еще она сказала Гурову, что Квадрата на самом деле зовут Андреем Владимировичем. Но эта информация мало проясняла ситуацию, а ничего более связного госпожа Вагнер предложить не могла. Илья вообще молчал, хотя Гурову показалось, что отсутствующий вид, который являл этот молодой человек, был во многом напускным. Он явно хитрил, и раза два Гуров ловил на себе его вполне осмысленный испытующий взгляд.

Гуров решил отложить расспросы на будущее. В тех условиях, в которых они сейчас находились, трудно было рассчитывать на какие-то откровения. По существу, они напоминали сейчас пассажиров тонущего корабля. Трюм его медленно наполняется водой, рация бездействует, а шлюпки в руках неприятеля. В такие минуты в голове бьется только одна мысль — выжить.

В подвал практически не доносилось никаких звуков, и, что делается наверху, никто не знал. Однако в какой-то момент ему определенно показалось, что он слышит отдаленный шум автомобильного мотора. Потом шум оборвался, и опять наступила тишина.

Приуныл даже Тюрин. Он начинал подозревать, что его драгоценная жизнь не является для его соратников такой уж драгоценной, а положение узника, прикованного к стене, бодрости не добавляло.

Примолк и неунывающий Крячко. Ожидание и неизвестность подействовали даже на его цельную натуру. О Синицыне и говорить нечего — он метался по подвалу, как тигр в клетке, время от времени бросая в сторону Гурова уничтожающие взгляды. Напряжение накапливалось.

И вдруг из отдушины послышался голос Сумского. На этот раз он был предельно строг и официален.

— Господа сыщики, будьте внимательны! Сейчас к вам спустятся. Не делайте глупостей — помните, что ваши товарищи в наших руках. Мы хотим с вами поговорить.

Голос его внезапно оборвался, будто радиоприемник выключили.

Глава 16

Примерно через минуту все услышали, как гремит замок входной двери. Гуров знаком приказал Синицыну, чтобы тот взял под наблюдение противоположный выход, а сам, подняв автомат, укрылся за генератором. Крячко с «береттой» наготове пристроился в другом углу.

Дверь открылась. И в подвал ввалились четыре накачанных молодых человека с пистолетами в руках. Они толкали перед собой Самохина, Черкасова и шофера Гришу. Все трое были в наручниках. Лица у обоих оперов были мрачны, как туча, а Гриша едва не плакал. Вся эта компания выстроилась по обе стороны двери, а вперед вышел невысокий, но крепенький, как боровок, человек, слегка похожий на императора Бонапарта, каким его рисуют в учебниках истории, и уже знакомым, но без помех усилителя голосом сказал:

— Сразу предупреждаю — ваших дружков пристрелят первыми, если вы начнете дергаться. Осознайте этот факт хорошенько. Осознали? Значит, попробуем поговорить.

Он отступил в сторону, а через порог шагнул еще один. Этот господин был высок и осанист, широкая мясистая физиономия имела выражение бесконечной самоуверенности и презрения к окружающему миру. Глаза смотрели холодно и угрожающе. Отлично сшитый светло-серый пиджак едва не лопался на могучих плечах. На квадрат в геометрическом смысле он не походил нисколько, но Гурову подумалось, что это прозвище подходит ему, как никакое другое, — был в нем многозначительный подтекст, выражающий, может быть, его незатейливую и несгибаемую внутреннюю суть. Внутри этот человек действительно был плоским и однозначным, как квадрат.

— Значит, так! — провозгласил он безо всякого вступления булькающим презрительным голосом. — По ночам я обычно сплю, поэтому давайте по-быстрому, без этих ваших заходов! Прямо скажите, господа менты, — будем договариваться или будет драчка? Только, по-моему, в драчке вам уже ничего не светит. Согласны?

— Нет, не согласны, — возразил Гуров. — Вот сейчас, например, ты, Квадрат, у меня на мушке. Одно движение пальцем, и тебя нет на белом свете. А ты говоришь, не светит!

— Я, мент, не люблю фамильярности! — мрачно сказал Квадрат, сверкая глазами. — И ты меня больше этой кликухой не зови, понял? Если хочешь ко мне обратиться, можешь звать меня Андреем Владимировичем. А насчет пальца я тебе вот что скажу — а ты слушай и мотай на ус, — палец этот можешь засунуть себе в задницу, потому что раньше, чем ты им пошевелишь, твоим шестеркам уши поотстреливают и вообще всех здесь положат на хрен. У нас это просто делается. Так что еще раз говорю — ничего вам у меня не светит. Лучше договоримся по-хорошему.

— А мы не против, — сказал Гуров. — О чем будем договариваться?

— А вот об этой бабе и ее ублюдке, — махнул рукой Квадрат. — Ты, мент, не знаешь, сколько они мне крови попортили. Я за это из них самих кровь выпью, высосу всю до капли! Твое дело тут вообще сторона. Они тебя не касаются. Ну и вон того парнишку, которого вы в клетку посадили, тоже мне отдашь. Он же не виноват, что его тут забыли. По-моему, справедливо.

— А нам что полагается? — спросил Гуров.

— Как — что? А твои орлы? Получишь их обратно, целками! — засмеялся Квадрат. — Разве плохо? Они уж и не думали в живых остаться, а ты им такой подарок сделаешь! Давай по рукам?

Гуров внимательно посмотрел на группу, стоявшую за спиной Квадрата. Четверо головорезов слегка расслабленно поигрывали пистолетами, насмешливо поглядывая по сторонам. Сумской был собран и внимателен, но оружия у него Гуров не видел. Сколько противников наверху, трудно было даже предположить, но сейчас это не очень занимало Гурова. Ему важно было спасти жизнь ребятам. Переговоры ни к чему не приведут — это он осознавал очень ясно. Квадрат — подлец и отморозок, жалеть он никого не будет. Сейчас он просто заговаривает зубы. Получив свое, он тут же разделается со всеми. Значит, придется рискнуть. Гуров уже придумал, что нужно сделать.

Он встретился взглядом с Самохиным и едва заметно подмигнул ему. Он увидел, как сразу же оживились у того глаза, и понял, что Самохин тоже его понял.

— Допустим, я соглашусь, — сказал Гуров. — И что дальше?

— А дальше мы забираем, что нам причитается, и спокойно уходим, — почти добродушно объяснил Квадрат. — Уезжаем. А потом — вы, но уже пешочком. Извини, мент, но тачка ваша поломалась. — Он довольно засмеялся, оборачиваясь к своим шестеркам.

Те подобострастно заулыбались, не сводя глаз со своего шефа. Гуров снова посмотрел в глаза Самохину и понял — пора!

— Все на пол! — закричал он и рванул пусковой рычаг генератора.

Треск оборвался. Погас свет. Уже в полной темноте Гурова нажал на спусковой крючок и выпустил короткую очередь в потолок. Темнота наполнилась грохотом выстрелов и отчаянными криками. Со всех сторон слышались звуки ударов, столкновений, грязная ругань. На удивление, никто не стрелял.

Желая внести побольше сумятицы, Гуров дал поверх голов еще одну короткую очередь. Было слышно, как свистят рикошетирующие от бетонных стен пули. Гуров про себя молился, чтобы ни одна из них никуда не попала.

Неожиданно за спиной у него послышался какой-то новый шум, и через мгновение стало ясно, что в подвал пытаются проникнуть с противоположной стороны. Агрессивный лязг дверей и топот многих ног давали понять, что намерения у нападающих самые серьезные. По стенам метнулся белый луч электрического фонаря.

Но тут из темноты размеренно и упорно забухал пистолет Синицына. Выстрел, другой, третий... Фонарик полетел на пол и погас. В коридорчике кто-то вскрикнул от боли, кто-то упал, кто-то выстрелил в ответ. И тут же истерический голос крикнул: «Не шмаляй! В шефа попадешь! Пошли назад, а эти пускай здесь подыхают!»

Прорыв закончился так же неожиданно, как и начался. Нападавшие выскочили из подвала и ушли наверх. Как выяснилось позже, дверь в суматохе никто запирать уже не стал.

Гуров слышал топот шагов и на ближней лестнице. Он удалялся. А потом наступила тишина. Гуров решил рискнуть и запустил генератор. Тот задергался, зачихал, лампы под потолком мигнули несколько раз, а потом постепенно налились устойчивым белым светом, выхватив из темноты все углы и человеческие фигуры, замершие в самых неожиданных позах.

У Гурова будто камень с души свалился. Все были живы, и, кажется, никто даже не был ранен. Только злой, как черт, Синицын раздраженно тер рукавом щеку, размазывая по ней свежую кровь. Крячко уже снимал наручники с освобожденных заложников.

— Как Лев Иваныч выстрелил, так он сразу в дверь ломанулся! — возбужденно объяснял ему Самохин, блестя глазами. — А я еще раньше ему под ноги! Он — с копыт! Тут паника началась. В кого стрелять, куда бежать — никто не знает, темно...

— Ладно-ладно, потом расскажешь, — добродушно заметил Крячко. — Кстати, что темно было, мы тоже заметили...

Гуров выбежал на лестницу и, задрав голову, прислушался. Наверху происходило что-то странное — оттуда доносились возбужденные крики, железный лязг и еще какой-то непонятный звук, словно шумел большой вентилятор. Тарахтенье генератора в подвале мешало определить, что это такое. Но Крячко, подойдя к Гурову, догадался сразу.

— Лева! — сказал он удивленно. — А ведь это вертолет!

— Что за вертолет? — настороженно отозвался Гуров.

В этот момент наверху метнулась человеческая фигура, а по лестнице, металлически цокнув, покатился вниз какой-то предмет. Гуров инстинктивно прыгнул в сторону, втолкнув Крячко обратно в подвал.

Они упали на пол, и тут же у подножия лестницы со страшным грохотом разорвалась граната. Подхваченная ударной волной, дверь захлопнулась. Несколько осколков прожужжали под потолком, выбив искры из холодного бетона. Следом взорвалась граната в той стороне, которую караулил Синицын. Вреда она никому причинить не могла, и Гуров предположил, что их просто хотят замуровать в подвале, разрушив обе лестницы. Это предположение подтвердилось, когда с обоих концов взорвалось еще по одной гранате. Идти на прорыв в такой ситуации было бы безумием — пришлось целиком положиться на судьбу.

Но взрывы вдруг прекратились. Зато совершенно отчетливо прорезался звук снижающегося вертолета, а вслед за ним — предостерегающий о чем-то, сердитый голос, многократно усиленный мегафоном, — но это был уже не голос Сумского. Гуров и Крячко посмотрели друг на друга.

— А ведь это, похоже, наши, Лева! — с изумлением сказал Крячко. — Менты это! Но откуда?!

— Кажется, я понял, откуда, — усмехнулся Гуров. — Таксист! Он все-таки смылся, когда услышал первые выстрелы. Но по пути, должно быть, позвонил в милицию. Как говорится, нет худа без добра.

Поднимались по искореженным, перевитым взрывами ступенькам с превеликой осторожностью. Маргариту Альбертовну едва ли не на руках несли. Ее сын, к удивлению Гурова, заметно ожил и от помощи категорически отказался. Но выходил он последним — за совершенно убитым, растерявшим весь оптимизм водителем Гришей. Со стороны могло показаться, что эти двое только что перенесли тяжелую долгую болезнь.

Был и еще один человек, который не выказывал никакого восторга по поводу освобождения. Тюрин был мрачен, погружен в свои думы, а во взглядах, которые он изредка бросал по сторонам, ничего, кроме злобы, уловить было невозможно.

Первым наверх вышел Гуров. И сразу же попал под ослепительный луч прожектора, укрепленного на вертолете, который приземлился на ровной площадке позади здания. Грубый голос потребовал от Гурова бросить оружие и встать к стене лицом. То же самое предложили всем, кто шел за ним. Они выполнил требуемое. Гуров довольно равнодушно отнесся к тому, с каким чрезмерным рвением обыскивал его незнакомый сердитый человек, от которого пахло сложной смесью сапожного крема, одеколона и дезодоранта. Человек был одет в форму капитана милиции, и за это Гуров готов был простить ему любые злоупотребления.

— Оба-на! Так вы из Москвы, что ли? — вдруг воскликнул милиционер, добравшийся до гуровского удостоверения. — Старший оперуполномоченный... Ничего себе! Так вы из милиции?!

Все еще стоя лицом к стене, Гуров сказал иронически:

— Ты, капитан, еще спроси — печать у меня настоящая? Для полного, так сказать, счастья.

— Да я в смысле, что очень это неожиданно, товарищ полковник! — оправдываясь, сказал капитан. — Тут нам распоряжение пришло проверить этот участок — якобы какая-то банда человека похитила и все такое... — Он кашлянул и смущенно добавил: — Извиняюсь, забылся — вы можете быть свободны, товарищ полковник.

Гуров повернулся. Возле стены были выстроены все его товарищи и Тюрин. Два милиционера не слишком любезно помогали подняться наверх тем, кто шел последним, — Илье Ликостратову и Грише. Лишь одна Маргарита Альбертовна, совершенно обессилевшая, сидела в сторонке на голой земле, и никто ее не трогал.

Впрочем, наличного состава у капитана явно не хватало. Кроме него самого и пилота, присутствовали еще три милиционера, да и то третий появился лишь в самый последний момент. Он подбежал запыхавшийся и, поправляя на плече сползающий ремень автомата, доложил:

— Товарищ капитан, на территории никого. Смылись, собаки!.. Ну, ничего, я вижу, вы тут взяли кое-кого?

Капитан поморщился и махнул рукой:

— Уйди, Орехов, не долдонь! Взяли, да, похоже, не тех...

— Ты, капитан, остальных тоже бы освободил, а? — нетерпеливо сказал Гуров. — Ты, может, не понял, а это все мои коллеги, кроме вон того, в курточке. Этого советую сразу в наручники. Он человек Квадрата.

Капитан вытаращился на Гурова:

— Нашего Квадрата в Москве знают?

— В Москве про всех знают, — туманно ответил Гуров. — Это не вопрос. Вопрос в том, что у вас здесь про него знают. У меня сложилось впечатление, что практически ничего. А он, между прочим, только что нас гранатами забросать пытался, капитан. Это порядок?

— Но мы же здесь, — с некоторой обидой ответил милиционер.

— Вы здесь, и мы здесь, — сказал Гуров. — А его и след простыл. Что делать будем?

— У нас следователь есть по фамилии Крылатов, — сказал капитан. — Он давно Квадрата достать пытается. Вам к нему нужно. А еще мы вот этого гражданина заберем, на которого вы показали, что это человек Квадрата. Пускай его Крылатов допросит.

— Пускай, — согласился Гуров. — Только немедленно, по свежим следам. И здесь, на месте. Мало ли — вдруг дождь к утру пойдет, или Квадрат опомнится, захочет здесь что-нибудь подчистить.

— Между прочим, там, внизу, покойник лежит, — вдруг мрачно сказал Синицын, глядя мимо всех в темную даль. — Когда они войти хотели, я одного завалил, товарищ полковник.

— Тем более, — заключил Гуров. — Так что связывайся со своим руководством, капитан, вызывай кого положено. Случай тут не рядовой, как видишь.

Капитан, озабоченный свалившимися на него проблемами, убежал докладывать по рации начальству, а Гуров попытался подвести кое-какие итоги. Вместе с Крячко они подошли к Илье Ликостратову, который теперь, поднявшись на поверхность, будто поменялся с матерью ролями. Теперь он успокаивал ее и гладил по голове, говоря при этом какие-то утешительные неловкие слова. Когда Гуров с Крячко подошли к нему, он поднял голову и посмотрел на них беспокойным взглядом. Сейчас, несмотря на все лишения, которые ему пришлось пережить, он выглядел вполне адекватным и дееспособным. Гурову снова пришло в голову, что там, в подвале, парень играл роль сломленного и разбитого человека, на самом же деле дух его был далеко не сломлен.

Маргарита Альбертовна, напротив, выглядела теперь совершенно раздавленной и лет на десять постаревшей. Огромное нервное напряжение, которое ей пришлось выдержать, в конце концов добило ее. Гуров никогда не думал, что ему придется увидеть слезы в ее глазах. Но это произошло.

— Это вы послали сюда мою мать? — сурово спросил Гурова Илья.

— Скорее это она привела нас сюда, — ответил Гуров. — Правда, до определенного момента не ведая об этом.

— Мать сказала, что вы — сыщик, — все тем же требовательным тоном произнес Илья. — Что вам от нас нужно?

— Мастер ты задавать вопросы, сынок! — усмехнулся Гуров. — Только, боюсь, права на это ты не имеешь. Тебе самому скоро придется отвечать на множество вопросов — в кабинете следователя. А мне пока скажи только одно — как же это ты впал в немилость у своего благодетеля? Только не надо врать, я не люблю, когда врут. Твоя мать нам все рассказала, а твой дружок давно сидит в камере. Наверное, ты будешь не прочь с ним увидеться? Это он сообщил твоей матери условия ультиматума.

186

— Сволочь! — хмуро сказал Илья. — А с другой стороны, куда ему было деваться?

— Верно, куда вам деваться, пока Квадрат на свободе и делает все, что пожелает? — заметил Гуров. — Вы все его рабы.

— Чего теперь об этом говорить? — буркнул Илья. — Назад не повернешь.

— Это верно, назад не получится, — кивнул Гуров и внимательно посмотрел на парня. — А если вперед посмотреть?

— Мать жалко, — опуская глаза, сказал Илья.

— Матери твоей ничего не грозит, — возразил Гуров. — Суд наверняка найдет ей смягчающие обстоятельства. А вот тебе, чтобы к нормальной жизни вернуться, придется отвечать. Или Квадрата тебе тоже жалко?

— Квадрата я ненавижу, — спокойно сказал Илья. — Если бы Квадрат меня не опередил, я бы его сам прикончил. За отца.

— А ты знаешь, что твой отец убил человека? — спросил Гуров.

Илья выдержал его взгляд.

— Я отцу не судья, — сказал он. — Это было стечение обстоятельств. Его взяли за горло. Он так мне сказал. Я ему верю.

— Он тебе сказал? Когда?

— Отец мне звонил, — неожиданно ответил Илья. — За день, как меня сюда сунули.

— И ты... Ты знаешь, где он сейчас? — осторожно спросил Гуров.

Илья ответил не сразу. Признание было мучительным для него. Но он понимал, что такая игра не может вестись бесконечно.

— Я знаю, где отец, — сказал наконец он. — Это не очень далеко отсюда, в деревне. На вертолете минут за тридцать можно добраться. У его друга-художника там дом. Про него никто не знает. Это его старый друг, еще по молодости. Он сейчас в Америке живет, преподает там. А ключ отцу передал.

— А Квадрат знал, что ты знаешь об этом?

— Догадывался.

— И ты молчал?!

— А вы считаете, что я должен был продать родного отца? — язвительно спросил Илья.

— Нет, просто догадываюсь, как тебе было нелегко, — сказал Гуров.

— Хуже всего было, когда они взялись за мать, — признался Илья. — Она-то ведь ничего не знала. Тут они меня просто взяли за горло. Так что, в сущности, хорошо, что вы за ней увязались.

— Ничего, теперь мы попробуем взять за горло Квадрата, — пообещал Гуров.

— Трудно, — сказал Илья. — У него так поставлено, что за всю грязную работу кто-то другой отдувается. На него никто не покажет. Знают, что лучше отсидеть, чем с Квадратом связываться. Пощады не будет. Вот увидите, что и на этот раз он будет ни при чем.

— Погоди обещать, — нахмурился Гуров. — А твое похищение? А контрабанда животных? А нападение на представителей милиции? Разве этого не было?

— Мое похищение еще доказать надо, — махнул рукой Илья. — И с животными тоже... Все машины оформлены на подставных лиц, бригады и маршруты все время меняются. Сейчас они вообще все свернут. На вас напали, конечно, но они скажут, что оборонялись. И поймать их еще надо. У Квадрата небось уже и алиби есть в кармане.

— По-твоему, получается, что его вообще зацепить невозможно! — сердито сказал Гуров.

— Можно, наверное, — спокойно заметил Илья. — Только трудно. Отец говорил, будто знает за Квадратом что-то такое... Совсем беспредельное, короче. Он же, Квадрат этот, по характеру беспредельщик, зверь.

Гуров после этих слов будто удар током почувствовал. Он оглянулся на вертолет. Его жесткий силуэт все яснее вырисовывался на фоне светлеющего неба.

От вертолета шел милицейский капитан. На ходу он снял с головы форменное кепи и вытер им вспотевший лоб.

— Минут через сорок прибудут, товарищ полковник, — сообщил он. — Дежурный следователь и группа с ним. Крылатова тоже должны поставить в известность. Но он если появится, то попозже.

— Когда бы он ни появился, а увидеть я его должен, — заявил Гуров.

Глава 17

В деревню Костылиха, расположенную километрах в двухстах севернее, выехали на следующий день автомобилем, который обеспечил им начальник местного УВД при содействии следователя Крылатова. Вместе с Гуровым поехали Крячко, Самохин и Илья Ликостратов. Маргариту Альбертовну положили в неврологическое отделение областной больницы. Состояние ее требовало неотложной помощи. Однако Гуров, наученный горьким опытом, не пожелал оставлять ее без присмотра. При ней остались Синицын и Черкасов.

Илью по мере возможности приодели, но со своим разбитым лицом, с содранными в кровь запястьями он все равно выглядел страшновато. Однако держался хорошо и ни на что не жаловался, хотя было ему тяжело — и морально и физически.

Ночное происшествие принесло в итоге некоторые плоды. Удалось установить личность убитого Синицыным бандита и даже подтвердить его связь с Квадратом. Удалось выследить одну машину, которая была этой ночью на заброшенной станции. Однако ее водитель категорически отказывался подтвердить этот факт, и теперь предстояло ждать результаты многочисленных экспертиз, чтобы уличить его во лжи.

Но Гуров не мог ждать, тем более что ни один из задержанных не давал показаний, направленных против Квадрата. Поиски Ликостратова приобретали теперь двойной смысл. Кроме того, что он сам подозревался в убийстве, он еще знал что-то о Квадрате. Поэтому Гуров был очень настойчив при встрече с местным следователем по фамилии Крылатов.

Крылатов оказался моложавым и щеголеватым человеком с немного странной, рассеянно-добродушной улыбкой, которая постоянно блуждала на его лице. Кажется, с первого момента их встречи он очень ревниво отнесся к Гурову, к его манере держаться, носить костюм и вообще к способности выглядеть джентльменом в любой ситуации — может быть, потому, что в его кругу ему в этом отношении не было равных. При этом он оставался человеком деловым, решительным и даже, как сейчас выражаются, «упертым», а Квадрата считал едва ли не своим личным врагом. Крылатов вел с ним длительную борьбу и был уверен, что рано или поздно одержит в ней победу. Гурова он понял с полуслова.

— Если надыбаешь что-то серьезное на Квадрата, Лев Иванович, — совсем по-свойски поведал он ему, когда разговор шел с глазу на глаз, — то я просто памятник тебе здесь поставлю. Ну, может, не памятник, но ящик коньяку — точно. Сам видишь, какая это изворотливая тварь. Взять хотя бы последний случай. Конечно, мы найдем тех, кто устроил это безобразие, но голову даю на отсечение — ни один из них не станет свидетельствовать против Квадрата. Зато найдется сто свидетелей, которые видели его ночью за сто километров отсюда. И ваши показания ничего не изменят, потому что вы — лица заинтересованные. В крайнем случае мы возьмем Сумского. Конечно, это тоже мерзавец первостатейный, но я хотел бы добраться до самого.

— Он у вас заколдованный, что ли? — сказал на это Гуров. — Никак до него, понимаешь, не добраться. Что за причина?

— Причина тут простая — страх. Расскажу я тебе один случай. Лет пятнадцать назад, когда все здесь кипело и бурлило, когда одни делили лакомые куски, а другие вообще не понимали, что происходит, сошлись на узенькой дорожке два бывших дружка. Пересеклись, так сказать, их коммерческие интересы. Оба считали себя правыми, а друг друга, соответственно, неправыми. А так как с неправыми людьми у нас обычно не церемонятся, то один дружок кинул другого не моргнув глазом. Не буду вдаваться в суть того старого конфликта, потому что суть не в нем. А суть в том, что тот, кого кинули, поступил очень просто — чтобы не быть посмешищем в глазах коммерческого мира, он просто взял и отрезал обманщику голову. Кстати, ее так до сих пор и не нашли. Как и убийцу, кстати. Не до убийц тогда было.

— А я слышал недавно очень похожую историю, — вспомнил Гуров. — Очень похожую, но, кажется, совсем свежую.

— В том-то и дело, что свежую, — многозначительно сказал Крылатов. — И, между прочим, характерная деталь — голову опять не нашли.

— Хочешь сказать, что это его работа?

— Есть информация, что этот всадник без головы до последнего времени тоже числился в дружках Квадрата. И тоже решил его кинуть. Как говорится, история ничему не учит. Некоторые начинают забывать ее уроки, а кончается это очень плохо. Можешь считать, что Квадрат провел курс наглядной агитации. Освежил память. Вот почему я не надеюсь ни на чьи показания. Здесь нужно что-то другое. Но имей в виду, ради такого дела я на все готов пойти. Можешь на меня рассчитывать.

— А ты уверен, что я на все готов? — улыбнулся Гуров. — Ты же не знаешь, что я за человек.

— Уже знаю, — заявил Крылатов. — Ты тот человек, который мне нужен.

Такой был у них разговор перед отъездом Гурова, и это были не пустые слова. Крылатов употребил все свое влияние, чтобы создать для Гурова режим наибольшего благоприятствования, в результате чего он не потратил впустую ни одной минуты.

На место прибыли, когда уже перевалило за полдень. Деревня Костылиха располагалась в живописном месте на зеленой равнине, по которой протекала неширокая, но чрезвычайно извилистая речушка. Здесь было спокойно и тихо, как в заповеднике. Не рычали машины, не гремела музыка, и даже куры бродили по улицам с каким-то удивительным спокойствием, деликатно выклевывая что-то из теплой земли. О том, что на дворе двадцать первый век, напоминали только разлапистые телеантенны, торчащие на крышах домов.

Даже людей на улицах почти не было, и выяснить, где находится дом художника, удалось далеко не сразу. Правда, когда выяснили, то стало понятно, что дом этот, большой и добротный, с покрытой сверкающим железом крышей, с густым садом и высоким забором из янтарных отборных досок, они заприметили уже давно, еще подъезжая к деревне. Дом стоял немного на отшибе, и, чтобы добраться до него, нужно было объехать деревню стороной по узкой петляющей дороге, которая шла между засаженных картофелем участков.

Илья Ликостратов начал волноваться с той минуты, как въехали в деревню, а когда машина, покрутившись среди огородов, остановилась возле деревянных ворот, его уже бил настоящий озноб.

Крячко, который вел машину, заглушил мотор. Ворота оказались запертыми наглухо, а стучать и объявлять о своем прибытии Гуров счел преждевременным.

Решили проникнуть в дом через забор. Илью подсадили, и он благополучно перебрался в сад. Повозившись там немного, он отпер калитку и впустил остальных.

За забором, кроме дома и сада, обнаружился колодец, деревянный сарай и кирпичный гараж. Гараж был открыт, и там стояла синяя «десятка».

— Это мамина машина, — тихо сказал Илья.

— Понятно, почему ее нигде не могут найти, — отозвался Крячко. — Как же ее найти, если она тут на приколе стоит!

Гуров оглянулся на дом. Окна его были расположены высоко над землей и закрыты изнутри шторами. Даже если кто-то наблюдал из дома за пришельцами, они его видеть не могли.

— Ну, что выросло, то выросло, — заметил Гуров. — Давай, Илья, стучись к своему бате. Только погромче стучись, чтобы ошибки не вышло.

Он сделал знак Самохину, чтобы тот обошел дом кругом. Тот немедленно скрылся. Гуров и Крячко следом за Ильей поднялись на крыльцо. На двери темнела кнопка электрического звонка. Илья протянул к ней руку, но потом, словно испугавшись, отдернул ее и недоверчиво потрогал ручку двери. Створка с тихим скрипом отворилась. За ней оказался темный коридорчик, в котором на самом виду стояли старые болотные сапоги.

— А твой батя не любит запирать двери! — констатировал Крячко. — Я это за ним давно заметил. Где не появится, везде все нараспашку. Не слишком-то он осторожен.

— Значит, нам надо быть поосторожнее, — заметил Гуров. — Давай, Илья, потихоньку, без сюрпризов.

Парень пожал плечами и вошел в сени. Дальше была еще одна дверь, которая тоже оказалась незапертой. За ней обнаружился еще один коридорчик, из которого направо был выход на кухню. Это была просторная квадратная комната, обставленная современной и, видимо, очень дорогой мебелью. В центре располагался обеденный стол. Скатерти на нем не было. Зато во множестве стояли водочные бутылки, большей частью уже пустые. А возле стола на резном массивном стуле сидел человек. Он спал, уронив голову на грудь. В воздухе стоял отчетливый запах перегара.

— Отец! — потрясенно сказал Илья.

Гуров был уверен, что человека, сидящего у стола, будить теперь придется с пушками и барабанами или же вымачивая в ледяной воде. Но, к его удивлению, едва заслышав посторонний голос, спящий человек, не раскрывая глаз, наклонился и мгновенно выудил из-под стола двуствольное ружье.

Кажется, он и в ход пустил бы его так же — с закрытыми глазами, но внимательно следивший за происходящим Крячко тут же навалился на него сверху и, сдавив ручищами как клещами, тут же пресек дальнейшую активность.

Человек, однако, сдался не сразу — мыча и извиваясь, он попытался высвободиться из медвежьих объятий Крячко, и тогда тот попросту вышиб из-под него стул. Ликостратов грохнулся на пол, раскинув руки и потеряв ружье. И тут же открыл глаза.

Взгляд у него был не то чтобы очень пьяный, но порядком очумелый. И все-таки он реально оценивал обстановку, потому что, обведя глазами помещение, еще не встав с пола, растроганно произнес:

— Сынок!

Крячко пожал плечами и отошел в сторону, небрежно поигрывая ружьем. Илья бросился к отцу и помог ему подняться на ноги. Тот обнял сына дрожащими руками.

— Сынок! Ты нашел меня! — восторженно пробормотал он. — За это надо выпить!

Он обернулся к столу, и тут до него дошло, что сынок не один его нашел. Последовала немая сцена, в течение которой Ликостратов-старший пытался осмыслить увиденное. Сначала на его лице была написана тревога, но потом, махнув рукой, Ликостратов сказал:

— Что-то я вас, мужики, не помню! Но все равно... Присаживайтесь!

Гуров молча смотрел, как Ликостратов поднимает стул и старательно устраивает на нем свою задницу. Отец и сын были похожи — оба высокие и жилистые, только у старшего было побольше морщин на лице и поменьше волос на голове.

Наконец Ликостратов уселся и с недоумением посмотрел на сына:

— А ты что же? Э, постой... Что у тебя с физиономией? Кто тебя так отделал? Эти скоты? У-у, мрази!..

Илья обеспокоенно посмотрел на Гурова. Тот предостерегающе поднял ладонь, а потом придвинул к столу второй стул и сел рядом с Ликостратовым.

— Моя фамилия Гуров, — сказал он. — Полковник Гуров, старший оперуполномоченный по особо важным делам. Давно вас разыскиваю, господин Ликостратов! А нашел вот только благодаря вашему сыну.

Ликостратов поднял на него мутные глаза и потрясенно спросил:

— Илья сказал вам, где я?!

— Ну, раз мы здесь, — усмехнулся Гуров.

— Это невероятно! — пробормотал Ликостратов. — Сын меня предал...

— Сначала его предали вы, — спокойно заметил Гуров. — Неужели вы не понимали, что Квадрат отыграется на нем? Видите следы побоев на его лице? Его били, чтобы узнать, где вы прячетесь. Боюсь, в конце концов вашего сына просто бы убили. Как и вашу бывшую жену, между прочим. Скажите лучше нам спасибо, что мы их освободили.

— Вы? — опять удивился Ликостратов. — А, ну да! А меня, значит...

— Да, вас мы должны задержать. Как подозреваемого в убийстве гражданина Мамаева. О прочих ваших художествах, вроде торговли животными, речи пока не идет...

Но суть не в этом. От наказания вам все равно не уйти, Сергей Степанович, суть в том, чтобы по возможности уменьшить это наказание. Вы, в конце концов, не киллер, не бандит с большой дороги. Надеюсь, не откажетесь сотрудничать со следствием? Мы хотим знать все, что с вами произошло.

— Надо рассказать, отец! — хмуро добавил Илья.

Ликостратов некоторое время молчал, пристально глядя на него. Потом вдруг поднялся и, сказав: «Минуточку!», выскочил во двор. Подойдя к окну, Гуров увидел, как Ликостратов вытягивает из колодца ведро воды и махом выливает себе на голову.

Вернулся он мокрый, но почти свежий, с ясными глазами, опять сел за стол и, сцепив пальцы, заговорил:

— Это очень поганая история. Поганая с начала и до конца. И рассказывать ее я не стал бы даже лучшему другу, а тем более ментам. Но вам расскажу, потому что виноват перед сыном. Я расскажу, а там делайте со мной все, что хотите. Илью только пожалейте. Молодой он, ему все еще поменять можно. И учтите, он к моим делам отношения не имеет. Зверушек возил — это был грех, а все остальное к нему не относится.

— А мы на него лишнего вешать не собираемся, — сказал Гуров. — Наоборот даже.

— Ну, тогда поехали, — сказал Ликостратов, глядя в стол. — С чего начать-то?

— Давайте сразу с того момента, когда вы вернулись в Плетнево на черной «Ниве», — предложил Гуров. — И что там произошло.

На скулах Ликостратова заиграли желваки. Он с усилием сказал:

— Чтобы понять, что там произошло, все равно придется начать отсюда. Квадрата вы знаете? Вы его не знаете. Про него фильмы ужасов можно снимать. А я, дурак, решил, что могу с ним шутки шутить. Одним словом, должны были мы отправлять партию пеликанов в Европу через литовскую границу. Там у нас, в принципе, все схвачено, не первый раз. Ну, я и решил рискнуть, наварить кое-чего помимо. Тут ко мне подвалил один деятель, Тугаев, приятель Квадрата, и предложил груз. Мол, попутно скинешь, кому я скажу, — двадцать процентов тебе. Квадрату, естественно, ни слова. Ну, алчность во мне и взыграла. И кто мог знать, что этот Тугаев, кроме меня, еще одному из наших такое же предложение сделает? Короче, тот груз взял и Квадрату тут же стукнул. Навели у всех нас шмон и нашли у меня пакет...

— Отец, и ты все это время молчал?! — воскликнул Илья. — Почему?

— Потому что тебе этого знать не нужно было! — сурово ответил Ликостратов, даже не повернувшись в его сторону, и продолжил: — В общем, оказался я в дерьме по уши. Решил, что Квадрат кончать меня будет. Но он меня по-другому решил наказать... — Ликостратов замотал головой, будто стряхивая наваждение. — С Тугаевым разговор был короткий — ему за городом башку отрезали. А для меня Квадрат другое придумал. Не хочу, говорит, тебя убивать — хочу, чтобы ты раз и навсегда запомнил, что обманывать нехорошо. Короче, как таксидермисту, дал он мне поручение — сделать чучело из головы... Из головы Тугаева!

— И вы согласились? — спросил Гуров.

— Вы себя поставьте на мое место! — вскричал Ликостратов. — Или — или. Знаете, что чувствуешь, когда перед тобой лежит отрезанная голова? Чувствуешь, что потихоньку сходишь с ума! Вот и я с тех пор повредился в уме, понятно? Взял я эту голову, упаковал, прыгнул в «Ниву» и рванул подальше от Квадрата. Как ехал — не помню. А в Плетневе все наперекосяк пошло. Только я в дом вошел, гараж отпер и сумку занес, как вдруг влетает тачка, а в тачке — Мамай, придурок, который у Липецкого шестерит. А я уж начисто забыл, что обещал им что-то. Не до них было. Ну и представьте — у меня и без того крыша едет, башка в сумке лежит, а этот сукин сын права качает — мы тебе бабки платили, видишь ли! Я его послал, а он совсем распоясался, драться кинулся, в нокдаун меня отправил, а хуже всего — вдруг в сумку полез. Не успел я ее припрятать. Он, наверное, думал, что золото там найдет. А нашел голову! Ясное дело, он очумел. Я тоже. Ну, думаю, теперь все пропало. Расскажет всем, и мне точно крышка. Не помню, как все случилось, но только взял я монтировку и врезал по его тупой башке. Не скрою, от души врезал. Смотрю, а он уже не дышит. Тут меня совсем повело. Поверите, полный провал в памяти! Только знаю одно — бежать надо! Когда опомнился, смотрю — сижу в чужой машине, на заднем сиденье сумка проклятая лежит. И я уже Кольцевую пересекаю... Это, значит, я на тачке Мамая рванул!

— И когда опомнились, то вспомнили про свою бывшую жену, — подсказал Гуров.

— Вспомнил, — согласился Ликостратов. — Мы с Маргаритой хоть и разошлись, а дело все равно общее было. Ну и вообще, она женщина отзывчивая в этом смысле. Заехал я к ней, тачку оставил, на ее «десятку» пересел и поехал сразу сюда, пока меня менты не хватились. Засел здесь и глушу горькую. Про это место никто не знает, кроме Ильи.

— И долго собирались здесь отсиживаться? — спросил Гуров. — Здесь, конечно, симпатично, но денег-то у вас с собой не миллион, наверное? И вообще, о чем вы думали? О сыне, например?

— Я ему звонил, — хмуро сказал Ликостратов. — Он сказал, что с ним все в порядке. Конечно, сердце у меня было не на месте, поэтому голову эту проклятую я так и не выбросил. Думаю, все равно придется грех на душу брать. А сил за такую поганую работу взяться нет. Ну, нет сил! Вот сижу да пью по-черному. А что делать?

— Голова все еще у вас?! — поразился Гуров.

— У меня, — Ликостратов посмотрел на него измученными глазами. — В погребе на льду лежит. Только что толку — она все равно уже ни на что не пригодна. Пропал я, мужики! Откровенно вам говорю. Если и бывают в жизни безвыходные ситуации, то это про меня.

— Ну, не все так мрачно, — возразил Гуров. — Давайте попробуем вместе найти выход. Прежде всего нам нужно с Квадратом разобраться. Тогда половина ваших забот отпадет сама собой.

Ликостратов махнул рукой.

— Да как с ним разобраться! — сказал он убитым голосом. — Многие хотели, да ни у кого не вышло.

— А мы все же попробуем, — повторил Гуров. — Вот Илья говорил, что вы знаете про Квадрата что-то такое, за что его можно посадить безо всяких сомнений...

Ликостратов поднял голову и с недоумением посмотрел сначала на Гурова, потом на сына. Гуров почувствовал, как в груди у него начинает разливаться холодок разочарования, но Ликостратов вдруг подскочил на стуле и торжествующе выкрикнул:

— Есть! Вспомнил, мужики! Ну как же! Просто память у меня от всего этого отшибло... Есть такая вещь, которая для него как камень на шее. Я сам про нее узнал случайно. Когда Квадрат меня за глотку взял, он мне эту вещь показал — для убедительности, да и похвалиться, наверное, захотелось. У него же натура с вывертом, а не всякому такими вещами будешь хвалиться. А я, наверное, в струю попал. К тому же он тогда под газом был. Короче, у него дома еще одна голова человеческая хранится!

— Не может быть! — вырвалось у Крячко. — Тебе небось померещилось!

— Ничего не померещилось, — нахмурился Ликостратов. — У него в доме есть специальная комнатка — он меня туда водил, — дверь замаскированная, ключик он от нее у себя на шее носит. Заходишь — ни окон, ни мебели особенной, сейф в стене и бар. Кондиционер под потолком. Вот Квадрат при мне этот сейф открыл, а там — голова человеческая. Ну, и кроме — оружия несколько видов, деньги и, по-моему, даже порошка несколько пакетиков. Я слышал, что Квадрат кокаином балуется, но сам ни разу не видел...

— Может быть, вы ошиблись? — спросил Гуров. — Может быть, это муляж? Восковая фигура, так сказать?

Ликостратов фыркнул.

— Я специалист! — сказал он. — Меня не проведешь. Голова настоящая. Сделана не очень, но на такую работу хорошего специалиста поди найди! Да и слышал я, что как-то давно Квадрат уже отхватил кому-то голову. Ее так и не обнаружили. А она у него! А того, кто чучело делал, небось давно уже закопали.

— Да, серьезную вещь вы нам рассказали, — заключил Гуров. — Надеюсь, вы ничего не перепутали? Последствия могут быть самыми непредсказуемыми.

— Все как на духу! — сказал Ликостратов. — Все до последнего слова. Могу в подробностях вам описать, как дверь эту найти и даже код замка в сейфе. Квадрат при мне набирал, не стеснялся. Если не поменял с тех пор, откроете без проблем. Только... — Он жалобно посмотрел на Гурова. — Я туда, извините, не поеду. Лучше расстреливайте меня здесь.

— Расстреливать мы вас не будем, а вот в камеру, пожалуй, посадим, — сказал Гуров. — Полковник Крячко отвезет вас вместе с сыном в Москву. Вами займется следователь. Ключи от этого дома передайте мне — здесь будет произведен обыск.

Ликостратов покорно наклонил голову.

— Ну а теперь давайте ваши подробности! — деловито сказал Гуров. — И чтобы никаких ошибок! От этого вся ваша судьба зависит.

Ликостратов потер лоб ладонью и начал выкладывать подробности.

Когда следующим вечером на пороге загородного особняка гражданина Поспелова Андрея Владимировича, более известного под кличкой Квадрат, появился следователь Крылатов с постановлением прокуратуры о проведении обыска, тот был несказанно удивлен и разгневан. Он только что плотно поужинал, принял хорошую дозу коньяка и намеревался хорошенько подремать у телевизора, а тут такая незадача. Первым побуждением его было послать подальше всех законников и захлопнуть дверь перед их носом. Но Крылатов, предвидя такой оборот дела, заручился поддержкой взвода ОМОНа и, ввиду превосходства сил, взял особняк с первого захода.

Тогда Квадрат, еще не справившийся с раздражением, попытался вознаградить себя за пережитое унижение тем, что принялся отпускать язвительные замечания в адрес служителей закона. Сунув руки в карманы дорогого халата и выпятив живот, он с королевским видом расхаживал по квартире и комментировал умственные способности и карьерные перспективы каждого из присутствующих. Он явно перегибал палку, но ни Крылатов, ни Гуров не реагировали на откровенные насмешки, чем порядочно озадачили сопровождавших их милиционеров и экспертов, а присутствующих здесь же понятых вообще ввергли в трепет. Им действительно начало казаться, что франтоватый следователь взялся не за свое дело и никаких существенных результатов обыск не даст. Все знали о неуязвимости Квадрата.

К тому же сотрудники осматривали помещения както вяло, без естественного в таких случаях азарта. Все это вызывало недоумение.

Однако постепенно Квадрат примолк, и в глазах его появилась озабоченность. Он почувствовал, что происходит что-то не то. Ни Крылатов, ни заезжий полковник не реагировали на самые обидные замечания, но держались при этом так, будто Квадрат — сумасшедший и слова его не стоят ломаного гроша. Этого он вынести совершенно не мог. Когда же полковник Гуров как-то особенно пристально посмотрел на его толстую шею, Квадрат испытал унизительное ощущение наброшенной на кадык удавки.

— Послушайте, гражданин следователь, — сбавив тон, заговорил он с Крылатовым. — Ну в чем дело? К чему этот спектакль? Я намедни был у вас в кабинете, давал показания. Никаких грехов на мне нет, вы сами убедились. И вдруг мочала, начинай сначала!..

— Спасибо, слов произнесено много, — перебил его Гуров. — Но давайте пока помолчим, господин Поспелов. Я не я, и лошадь не моя — эту песню вы поете уже лет пятнадцать. Ничего не скажу — устроились удачно. Подмяли под себя всю округу. Но вам не приходило в голову, что если прокуратура все-таки решилась в данном случае выписать постановление на обыск, то она имела в виду какие-то основания?

— Да какие основания-то? — растерянно пробурчал Квадрат, поочередно заглядывая в глаза то Гурову, то Крылатову. — У меня все чисто, сами видите...

Они и в самом деле видели, что пока похвалиться нечем. Вообще, обыск был рискованной и отчаянной выходкой Крылатова, который, загоревшись после рассказа Гурова, сумел убедить городского прокурора, что предприятие закончится полной победой.

— В данном случае может сработать только жесткий вариант, — убежденно заявлял он. — Именно сейчас, когда Квадрат уверен, что ускользнул.

Гуров был с ним согласен, но испытывал некоторое неудобство. Крылатов целиком положился на него, а он целиком положился на слова преступника. Интуиция подсказывала, что тот был искренен, но то интуиция... Провались они сейчас, и язвительные предсказания Квадрата в одночасье станут реальностью.

Однако Гуров не собирался сдаваться. Он видел, что, по мере того как они продвигаются по квартире, смятение Квадрата нарастает, несмотря на то что обыск проводился достаточно формально. Тому была причина — этот осмотр проводился для отвода глаз. На самом деле Гуров, восстанавливая в памяти объяснения Ликостратова, искал потайную комнату.

И наконец ему показалось, что он нашел ее. На первом этаже за ванной комнатой имелся темноватый коридорчик, который вел в отлично оборудованный спортзал. Стены его были отделаны каким-то узорчатым металлом — тонированные панели, покрытые рядами блестящих светлых бляшек. Здесь Гуров остановился.

Он увидел, как дернулась голова Квадрата, как вдруг по лицу его обильно пошел пот. Гуров оглянулся: бойцы ОМОНа в бронежилетах, понятые — все были на месте.

— Стоп! — объявил Гуров и подмигнул Крылатову.

Он положил руки на металлическую поверхность, налег на нее всем телом — она подалась и с тихим шелестом втянулась в боковую стену.

— Ого! — сказал кто-то за спиной Гурова.

В стене обнаружилась плотно прилегающая железная дверь. Гуров обернулся к хозяину.

— Ключик, пожалуйста! — сказал он, опять пристально глядя на бычью шею Квадрата.

— А пошел ты, мент поганый! — прошипел тот, делаясь красным, как спелая свекла.

Пригнувшись, точно игрок в регби, он метнулся сквозь окружающую его толпу. Но со всех сторон его тут же облепил ОМОН. Квадрата скрутили, поставили на колени. Гуров протянул руку и сорвал с его шеи маленький ребристый ключик. Квадрат смотрел на него испепеляющим взглядом.

Гуров вложил ключ в скважину, повернул. Дверь открылась с приятным щелчком. Внутри все было точно так, как описывал Ликостратов. Гуров уверенно прошел к сейфу, принялся набирать комбинацию. За ним следом Крылатов ввел понятых, омоновцы — Квадрата. Он уже не бесновался, смотрел в одну точку и будто жевал что-то — вязкое и противное.

Когда открылся сейф, не все поняли, что они увидели. Потом кто-то из понятых пронзительно, по-женски ахнул. Крылатов поманил к себе одного из следователей.

— Итак, прошу занести в протокол следующее... — начал он.

И тут произошло невероятное — огромный звероподобный Квадрат вдруг побледнел, покачнулся и рухнул без чувств к ногам Гурова.

Гуров улетал утром. Несмотря на занятость, провожал его Крылатов лично.

— Куда ты спешишь? — убеждал он. — Все равно будешь теперь мотаться туда-сюда. Без твоего участия дело все равно завершить невозможно. И потом, я тебе ящик должен — забыл, что ли?

— Ящик подождет, — улыбнулся Гуров. — Сам говоришь, что я тут не в последний раз. Только у меня ведь главное дело там, в Москве.

— Ну, в Москве! — нетерпеливо махнул рукой Крылатов. — Так, семечки... Зато здесь мы какое дело провернули! Прошел наш жесткий вариант, а?! Страшновато, конечно, все это на свет вытаскивать, но держать такого человека на свободе еще страшнее, по-моему... И бизнес его паскудный... Так что ты давай скорее обратно! Я твоему начальству каждый день названивать буду. А твое дело и без тебя доделают.

Гуров опять улыбнулся. Говоря про свое дело, он имел в виду прежде всего свою семью, свою любовь и свою вечную вину. А поднимаясь по трапу самолета, он еще раз дал себе зарок начать новую жизнь. На этот раз никаких компромиссов не будет. Вот только закончит это страшное дело — и все, больше никаких компромиссов.

Логика
полковника

ПОВЕСТЬ

Глава 1

Выбравшись на шоссе, Гладилин почувствовал себя немного лучше. Салон машины, эта замкнутая оболочка из тонкого металла, был для него сейчас чем-то вроде раковины, куда он прятал голову от ударов судьбы — он был под защитой добрых сил, спрятанных под железной кожей «Жигулей». Спасительное одиночество, убаюкивающее урчание мотора, гладкий асфальт, мягкие сумерки, в которых светятся желтеющие рощи вдоль дороги. Это создавало иллюзию независимости. Будто не было этого суматошного, тягостного, унизительного воскресенья, еще одного в череде точно таких же бестолковых и унизительных воскресений. Самое неприятное, что выбора у него никакого не было. На свою Голгофу Гладилин шел сознательно и добровольно. Да иначе он поступить и не мог. По воскресеньям Гладилин навещал сына.

Это продолжалось уже без малого два года — с тех пор, как они с Кристиной оформили наконец официальный развод и с облегчением помахали друг другу ручкой. В первые дни пьянящее чувство свободы вытеснило из души Гладилина все прочие чувства. На какое-то время ему даже показалось, что он счастлив и что его существование приобрело конкретный и ясный смысл, который он едва не потерял, оказавшись в ловушке семейных обязательств. Это звучало жестоко, но разве не жестоко поступили с ним? Он был готов быть отцом и мужем, но отнюдь не рабочим муравьем, который неутомимо тащит что-то в закрома, повинуясь инстинктам, причем даже не своим, а инстинктам жены, которые в их семье постепенно приобрели статус закона.

Когда-то Гладилин любил ее — от такого факта никуда не денешься. Но это довольно быстро прошло, как только он догадался «поверить алгеброй гармонию». Гладилин вдруг обнаружил, что связал судьбу совсем не с той женщиной, которой назначал когда-то свидания и обнимался под синими звездами. Кристина неожиданно оказалась совсем не романтической, а претенциозной особой. Начать с того, что, как выяснилось, ее и звали-то вовсе не Кристиной — в паспорте стояло имя Екатерина, — но по каким-то сложным внутренним причинам жена придумала себе новое. Она выстраивала свой собственный мир, где все должно было выглядеть эффектным и роскошным — имена, квартиры, машины и, разумеется, мужчины.

Насчет Гладилина она, конечно, просчиталась. Как говорится, и на старуху бывает проруха. В те времена с квартиркой в не самом худшем районе Москвы, с почти новыми «Жигулями» он смотрелся почти богачом. Преподаватель университета, кандидат биологических наук — в те времена это звучало. Все, чего требовала тогда от Гладилина Кристина, — это стать доктором. Теперь это ее желание казалось ему вполне безобидным, почти романтическим.

Но потом все в одночасье изменилось. Мир перевернулся вверх дном. Откуда-то появились бешеные деньги, сверкающие лимузины на улицах, невиданные элитные дома с охраной, казино, бутики, ночные клубы, салоны. Вывески горели ослепительным огнем, а цены были умопомрачительными. На фоне этих огней фигура Гладилина заметно поблекла. Он не только не сумел занять в новом мире достойное место, но даже не особенно к этому и стремился. Как выразилась по этому поводу Кристина, проявил полную несостоятельность как мужчина.

И еще она говорила, что давала Гладилину шанс. Что это означало, было не совсем понятно. Точно знал Гладилин только одно — шансом он воспользоваться не сумел. В этом забеге выиграла, что называется, темная лошадка. Точнее сказать, жеребец. Звали жеребца Владимиром Игнатьевичем Кудасовым, и он владел несколькими магазинами в Раменском. Видимо, он имел непосредственное отношение к тому сверкающему миру, куда так стремилась Кристина. Для Гладилина внезапное появление соперника было сюрпризом, но еще большим сюрпризом оказалось для него намерение жены развестись, чтобы начать жизнь «с листа», как она выразилась.

Гладилин вынужден был отдать должное господину Кудасову — тот оказался способен на благородный поступок. Мнение Гладилина о «новых русских» сложилось в основном под влиянием анекдотов о них, но жизнь была сложнее. Видимо, в глазах Кудасова именно такая женщина, как Кристина, являлась воплощением хранительницы домашнего очага — он в ней нуждался и был согласен на все — на потерю свободы, на брак, на чужого ребенка.

Да, его наследник, его сын, восьмилетний Колька, жил теперь в чужой семье, учился звать папой «нового русского» и, кажется, был вполне счастлив. Гладилина это коробило, но поделать он ничего не мог. Приходилось смотреть правде в глаза — сыну нравился Кудасов. И тот, судя по всему, относился к ребенку совсем неплохо. Дело дошло до того, что Кудасов начал все чаще заговаривать об усыновлении. Большего унижения и придумать было невозможно.

Движение на шоссе было не слишком оживленное, и Гладилин обратил внимание на ярко-красный автомобиль, обогнавший его на повороте. Автомобиль был иностранный, но Гладилин затруднился определить марку — он не слишком в этом разбирался. Вообще, он с трудом осваивал любую технику, будь то автомобиль, или магнитофон, или даже простая электробритва — машины не любили его. Свои «Жигули» при малейшей неисправности он неизменно сдавал в автосервис, хотя было это накладно. Втайне он даже жалел, что жена при разводе не отобрала у него машину. Впрочем, на этот раз она оказалась на редкость равнодушна к совместно нажитому «богатству» — видимо, господин Кудасов сумел убедить ее, что предоставит ей в сто раз больше, хотя бы и в Раменском. Специальными подсчетами Гладилин не занимался, но машина у Кудасова явно была не одна. Сам он катался на «Ауди», а преобразившаяся и воспрянувшая духом Кристина имела в личном распоряжении «Фольксваген» — кстати, ярко-красный и совсем новый.

Правда, машина, проскочившая мимо Гладилина, на машину бывшей жены совсем не походила, но ее торжествующая расцветка неприятно резанула по глазам, и настроение у Гладилина снова испортилось. К тому же у него здорово схватило живот. Боль была режущей, едва выносимой, будто внутри кто-то невидимый кромсал его внутренности. Гладилин был вынужден притормозить и отдышаться.

В довершение ко всем неприятностям этого дня Гладилин умудрился чем-то слегка отравиться. Скорее всего, это были сосиски, которыми он пообедал в какой-то забегаловке, прежде чем ехать в Раменское. После развода ему никак не удавалось решить проблему питания, и ел он что попало и где попало, и не всегда это сходило ему с рук. Но в доме Кудасова он не проглотил бы и крошки — такую он занял позицию. Наверное, это была глупая позиция, но она хоть как-то приподнимала Гладилина в собственных глазах.

А что ему оставалось делать? Когда крупный, лоснящийся, уверенный в себе Кудасов встречал его у порога, упираясь вытянутой рукой в дверной косяк и погляды-

Н. Леонов, А. Макеев

вая на Гладилина сверху вниз насмешливыми глазами, говорил что-нибудь вроде: «А вот и наш батя! Не забывает нас!» — трудно было сохранить лицо. Кудасов вел себя вежливо, но так бесцеремонно, словно Гладилин на самом деле приходился ему родственником, да еще и самым бедным. Самое ужасное, что сын Колька тоже становился таким. Все чаще Гладилин замечал в его наивных детских глазах досаду, которая прямо относилась к несостоятельному, находящемуся на птичьих правах папаше.

Сегодня, например, Гладилину опять приготовили сюрприз. Он приехал в Раменское поздновато, а тут выяснилось, что местный «Сатурн» принимает команду то ли из Волгограда, то ли из Самары, и господин Кудасов ведет Кольку на матч. На обоих заранее красовались фанатские шарфы с клубной символикой, в кармане лежали билеты в какую-то особую ложу, оба были возбуждены и строили планы, которые включали в себя и такую заманчивую перспективу, как метание петард на газон стадиона, так что фигура Гладилина смотрелась на этом фоне особенно бледно. Нет, Кудасов был великодушен до конца и позвал Гладилина на матч, но тот решительно отказался. Он терпеть не мог футбола, фанатов, всех этих «новорусских» развлечений, к тому же его всерьез начинал беспокоить живот. Встреча получилась скомканной, особенно фальшивой и совсем короткой — в таких обстоятельствах это было ее единственным преимуществом. Гладилин с деланым оптимизмом попрощался с сыном, под насмешливым взглядом Кудасова сел в свою колымагу и уехал. У него было такое ощущение, что больше он здесь не появится никогда.

Впереди из-за поворота выплыло золотистое облако очередной березовой рощи. В сером вечернем воздухе листва светилась особенно ярко, словно насыщенная электричеством. На обочине темнела одинокая тонкая фигурка. Присмотревшись, Гладилин понял, что это молодая женщина. Кажется, она голосовала.

«Удивительно, откуда она здесь? — подумал Глади-лин. — Машин не видно, вечереет, кругом поля... Не из рощи же она вышла? Неподходящее время для прогу-лок».

Он невольно сбавил скорость. Все неписаные законы, на которых Гладилин был воспитан, требовали, чтобы он подобрал женщину. Он и собирался это сделать, но в этот момент предостерегающе вспыхнула боль в животе.

Гладилин заколебался. В такой ситуации не стоило брать пассажира, особенно женщину. Глупо будет, если ему приспичит настолько, что придется бежать в кусты на глазах у попутчицы. А живот не отпускал. К тому же Гладилина начинала мучить легкая тошнота. Теперь у него не было никаких сомнений — не стоило есть те сосиски. И вообще, пора всерьез заняться вопросом пи-тания.

Но когда машина поравнялась с замершей на краю дороги фигуркой, Гладилин совершенно автоматически нажал на тормоз. Вот так запросто проехать мимо голо-сующей на дороге женщины он не мог.

— Что-то случилось? — спросил он, открывая дверцу.

Она была невысокого роста, но хорошо сложена и с первого взгляда показалась Гладилину очень привле-кательной. Короткая стрижка, льняные волосы, перетя-нутый в талии бежевый плащ. С ответом она не спешила, словно хотела вначале присмотреться к незнакомому че-ловеку — внимательно изучила его лицо, номер машины и лишь потом сказала слегка напряженным, совсем не любезным тоном:

— У меня неприятности. Можете меня подвезти?

Собственно говоря, пути назад у Гладилина не было. И хотя боль в животе давала о себе знать все сильнее, он решил рискнуть. В конце концов, не на край света ехать. Хотя, конечно, удовольствия от общения с красивой женщиной он уже не получит. Будет добрый поступок в чистом виде — без всякой подоплеки.

— Вам в Москву? — спросил он.

— Куда же еще? — с легким раздражением ответила она, глядя на проносящиеся мимо многотонные грузовики с фурами.

Грузовики шли порожняком, на полном ходу. Ветер трепал разукрашенный рекламными надписями брезент, шоферюги-дальнобойщики с большим любопытством косились на странную пару у обочины и скалили зубы.

— Садитесь! — сказал Гладилин.

Женщина быстро уселась на переднее сиденье, захлопнула дверцу и сунула руки в карманы плаща. Гладилин стеснялся разглядывать ее, но успел заметить холодные серые глаза, неприятную складку узковатых бледных губ, слишком острый подбородок. Пожалуй, вблизи она не кажется такой уж привлекательной, решил Гладилин. Он тронул машину с места и прибавил газу — теперь ему стоило поторопиться.

Беседы он не затевал. Женщина молчала тоже, погруженная в какие-то свои думы. В другое время Гладилина неизбежно заинтересовал бы вопрос, какие неприятности ее постигли, но сейчас ему и своих хватало. Боль в животе медленно, но неуклонно нарастала. Гладилин боялся лишний раз пошевелиться — лишь морщился и в досаде кусал губы. На свою спутницу он старался не смотреть, лишь случайно обратил внимание, что ее обувь в полном порядке — если бы она действительно вышла из рощи, это было бы заметно. Значит, ее кто-то высадил — из автомобиля или из автобуса. В принципе, уже неприятная история, даже если не принимать во внимание, что за причины ее вызвали.

Откуда-то сзади возник надсадный ревущий звук мотоциклетного мотора. Гладилин посмотрел в зеркало и помрачнел. Их догоняли какие-то подонки на тяжелых мотоциклах. Кто бы еще стал раскатывать на мотоциклах в такое время года? Обкуренные, ищущие приключений подонки. Из тех, что носят кожаные куртки и стригутся наголо. Мотоциклов было два, а седоков трое — на переднем было занято и заднее сиденье.

Гладилин заметил, что и женщина посмотрела назад с беспокойством. Мотоциклисты их нагоняли. Гладилин почувствовал неприятное сосущее чувство под ложечкой. Это был страх — совершенно неподходящее дополнение к больному животу.

Передний мотоцикл поравнялся с «Жигулями» и теперь катил рядом. Его пассажиры беззастенчиво рассматривали Гладилина и женщину. Это были высоченные жилистые парни, стриженные, как и ожидал Гладилин, под ноль, в кожаных куртках. У того, что держал руль, на тыльной стороне кисти красовалась сложная татуировка — какие-то драконы, розы, иероглифы — полный набор символов, которые ровным счетом ничего не выражали. Мотор их мотоцикла трещал над ухом у Гладилина угрожающе, как пулеметная очередь.

Он с большим трудом заставил себя повернуть голову. Их взгляды встретились. Несколько мгновений оба парня пристально рассматривали Гладилина, словно прикидывая, много ли понадобится труда, чтобы от него избавиться. Увиденное, видимо, удовлетворило их, потому что оба разом ухмыльнулись — глумливо и презрительно, а потом тот, что сидел сзади, поднял вверх средний палец и поднес его едва ли не к самому носу Гладилина. Потом они вдруг прибавили скорость, и оба мотоцикла в одно мгновение унеслись далеко вперед.

На спине у Гладилина выступила испарина. Он испытал что-то похожее на кратковременный восторг, но почти сразу же его охватило чувство гадливости, которое относилось и к нему самому тоже. Ему повезло — эти типы могли сделать что угодно — разбить стекло, избить, изуродовать автомобиль, надругаться над женщиной. Но они только показали палец, а он едва не наложил в штаны от страха. Если бы рядом не было незнакомки с льняными волосами, Гладилин воспринял бы случив-

Н. Леонов, А. Макеев

214

шееся гораздо спокойнее. На глазах у женщины трудно быть малодушным.

Он осторожно покосился на свою спутницу. Она по-прежнему казалась замкнутой и погруженной в себя. Похоже, этот эпизод уже вылетел из ее головы. Гладилин позавидовал ее выдержке. Он-то был теперь взбудоражен надолго. Такие вещи очень задевали его. Будучи ученым, занимающимся поведением животных, Гладилин знал силу инстинктов и агрессии в особенности и теоретически мог детально объяснить поведение и мотивации подобных субъектов, но одно дело теория, а другое — самому быть предметом, на который направлена такая враждебность.

Почему-то Гладилина особенно возмущал поднятый вверх палец — жест не русский, неестественный, пришедший из глупых кинофильмов, так же, как драконы на коже и серьги в ушах. Бессмысленно и претенциозно. Эти люди не только наводили страх — они еще и оскорбляли вкус и здравый смысл. Этого Гладилин им простить не мог.

Однако постепенно он успокоился и смог сосредоточиться на дороге. Вести машину становилось все труднее — после пережитого страха еще сильнее заболел живот. Терпеть уже почти не было сил. Закусив губу, Гладилин высматривал по сторонам место поукромнее. Присутствие незнакомой женщины теперь его почти не беспокоило. Против природы не попрешь.

На промелькнувшую перед глазами ярко-красную машину Гладилин едва обратил внимание. Ему было не до того. Справа из сумерек выплывала одинокая роща. Гладилин уже обернулся к своей соседке, чтобы предупредить ее об остановке, как вдруг женщина сама сказала:

— Вы не могли бы остановить машину?

В другое время Гладилин наверняка удивился бы такому совпадению. Но сейчас ему было не до этого.

— Да-да, именно это я и собирался сделать, — пробормотал он отрывисто, отворачивая лицо. — Как говорится, мальчики направо, девочки налево... — добавил он, криво усмехаясь.

Он предусмотрительно сунул ключи в карман, поставил машину на ручник, вышел и торопливо сбежал с дороги. Поблекшая увядшая трава сухо шелестела под его подошвами. Женщина окликнула Гладилина, кажется, попросила остановиться. Но он сделал вид, что не слышал, — положение его становилось по-настоящему серьезным. Только со стороны подобная ситуация может выглядеть анекдотично. Но сейчас Гладилину было вовсе не смешно.

Он углубился в рощу и перешел на рысь. Обернувшись напоследок, он сквозь марево листвы с досадой увидел, что попутчица идет за ним следом, осторожно выбирая место, куда поставить ногу. «Что за бестолковая баба! — подумал он. — Впрочем, не попрется же она за мной дальше!» Однако он зашел на всякий случай подальше и присел за кустами.

В какой-то момент со стороны шоссе донесся мимолетный грохот мотоцикла, заставив Гладилина вздрогнуть. Но он отогнал от себя скверные мысли. «Идут они все к черту! — решил он. — Все эти самоутверждающиеся агрессивные особи, требующие к себе повышенного внимания. Бывают минуты, когда человек принадлежит только самому себе».

Он проторчал в зарослях дольше, чем рассчитывал, и вышел только минут через десять, испытывая естественное смущение и неловкость. Но теперь ему стало немного полегче, и Гладилин полагал, что сможет доехать до Москвы без приключений. А с этой женщиной ему не детей крестить. За городской чертой он ее высадит и забудет раз и навсегда.

Однако, еще только выходя из-за деревьев, он почувствовал что-то неладное. Что-то на дороге было не так, и Гладилин даже не сразу понял, в чем дело. Но когда понял, то едва не упал в обморок от потрясения.

Нет, его машина стояла на прежнем месте, и даже, кажется, на ней не прибавилось ни одной новой цара-

Н. Леонов, А. Макеев

216

пины. Но здесь же, в кювете, колесами вверх валялся тяжелый черный мотоцикл, а рядом — два неподвижных, упакованных в кожу тела.

Гладилин приблизился, пошатываясь и спотыкаясь. Сердце у него бешено стучало. Он тупо уставился на лежащего у его ног человека. Татуировку с драконами и розами на восточный манер он узнал бы и через год. Ее обладатель был несомненно мертв — как биолог, Гладилин не мог в этом ошибиться. Только он никак не мог понять, что здесь произошло, пока он отсиживался в пустой роще. Просто так такие типы не умирают. Он вспомнил треск мотоцикла, но это ничего не объясняло — следов дорожной катастрофы поблизости не было и в помине.

Гладилин беспомощно оглянулся по сторонам — как назло, дорога была пуста. Он облизнул пересохшие губы и присел рядом с трупом. Преодолевая отвращение, перевернул его лицом вверх. Тяжеленный неповоротливый мертвец презрительно взглянул на него сквозь полуопущенные веки. Гладилин содрогнулся. В груди мертвеца зияло маленькое, перепачканное кровью отверстие. Нож, пуля? Гладилин в этом не разбирался.

Он встал и снова стал озираться по сторонам, будто надеясь на чью-то скорую помощь. Однако шоссе словно вымерло. Гладилин потер виски пальцами, пытаясь собраться с мыслями. На глаза ему попался второй мертвец — тот самый, который, будучи живым, показывал ему палец. Теперь он даже на это был не способен. Но в траве около него что-то тускло отсвечивало. Гладилин наклонился и увидел, что на запястье убитого намотана стальная цепь. Для кого была предназначена эта цепь и успел ли байкер пустить ее в ход? Эти вопросы промелькнули в голове у Гладилина, вызвав у него приступ мгновенной тоски. Он представил, что эта самая цепь могла обрушиться на его собственную голову. И тут он наконец вспомнил про женщину.

Теперь Гладилин напугался по-настоящему. Он завертел головой, пытаясь понять, куда она могла деваться.

Женщины нигде не было. К счастью, не было и ее тела, но все равно все это было очень странно. Гладилину показалось, что он сходит с ума.

— Эй, где вы? — осторожно крикнул он, но ветер тут же унес его слова, и больше Гладилин не повторял попытки. Он понял, что это бессмысленно — женщина исчезла.

Надо было решать, что ему самому делать дальше. Вдали на шоссе вспыхнули тревожные огоньки фар, потом еще и еще — машины вдруг пошли потоком. Со стороны Москвы промчался автобус. В салоне было темно. Гладилину почему-то расхотелось просить помощи — да и чем ему мог сейчас кто-то помочь?

Он растерянным взглядом проводил еще одну машину, едущую на юг, — ее пассажиры ничего, похоже, не заметили — и вдруг стремглав бросился к «Жигулям». Трясущимися руками он распахнул дверцу, сунул ключ в замок зажигания. В салоне еще пахло духами — странно, но этот почти неразличимый теплый запах Гладилин заметил только сейчас. Может быть, потому, что раньше его занимало совсем другое. Да, он с удивлением отметил, что живот теперь совсем его не беспокоит. Стресс мобилизовал защитные силы организма, машинально подумал он, худа без добра не бывает.

Он автоматически, не задумываясь, завел машину, аккуратно выехал на асфальт и, наращивая скорость, погнал прочь от жуткого места, дав себе зарок, что немедленно выбросит из головы всю эту нелепую историю и никогда никому о ней не расскажет.

Глава 2

— Ну что, Лева, у меня для тебя сюрприз! — сокрушенно произнес генерал Орлов, поднимаясь из-за стола навстречу Гурову. — Чем ты сейчас занимаешься? Нападением на помощника депутата Государственной думы, кажется?

— На двух помощников, — уточнил старший опер-уполномоченный Гуров, пожимая генералу руку. — На двух помощников одного и того же депутата. Один из них получил тяжкие телесные повреждения и лежит в Склифе, а другой отделался легким испугом, но зато у него стало очень плохо с памятью — кто на него нападал, чего хотел — ничего не помнит. Скользкий парнишка. А что, наверху срочно требуют представить результаты?

Генерал поморщился:

— Честно говоря, на всех этих помощников и депутатов я и сам бы напал с удовольствием... Между нами, конечно. Но в данном случае они ни при чем. Наверху считают, что есть дело поважнее. Помощниками другие займутся, а тебе есть дело поважнее.

— Вот как? — Гуров испытующе посмотрел в глаза генералу. — Значит, действительно сюрприз... Разумеется, неприятный?

— Разумеется, — кивнул Орлов. — Сюрпризы, исходящие сверху, приятными не бывают. За исключением повышения, конечно. Но такое обычно становится известным заранее, поэтому под определение сюрприза не подходит. Да нам с тобой в нашем возрасте вряд ли вообще стоит об этом мечтать.

— А я и не мечтаю, — невозмутимо заметил Гуров. — Мне бы дело потруднее да зарплату поменьше.

Генерал сдержанно посмеялся, понимающе кивнул головой.

— Это ты верно сказал, — еще улыбаясь, продолжил он. — Это нам только подавай. Вот тут как раз кое-что и подвернулось.

— Деликатное дело? Кто-то из приличного общества влип в нехорошую историю?

— Догадливый ты, черт! — одобрительно сказал генерал. — Примерно так все и вышло. Только речь идет о ребенке.

Гуров поднял брови.

— Я не воспитатель детского сада, — возразил он.

— Да и ребенок не маленький, — примирительно заметил Орлов. — Двадцать пять оболтусу. Отец — генерал МЧС, Кадошкин Константин Валерьяныч — может, слышал? Нет? Ну, не важно. Я его немного знаю — серьезный человек, специалист, организатор. Вот только с сыном у него проблемы... — Он сердито нахмурил брови и прошелся вдоль стола. — Понимаешь, тут какая штука... Восьмого сентября вечером на Новорязанском шоссе между Жуковским и Люберцами — не помню точно, на каком километре, — были обнаружены два трупа. Молодые парни, байкеры, как их теперь называют. Черт бы всех их драл! Работать не хотят, семью заводить не хотят — вот и мучаются дурью кто во что горазд!.. Ну, ладно, одним словом, оба были убиты из огнестрельного оружия. Свидетелей — ни одного. Следов практически тоже. Когда их нашли, уже начинало темнеть, да еще и дождь пошел — в общем...

— Я понял, о чем речь, — сказал Гуров. — Я читал сводку. Ты хочешь сказать, что один из убитых и есть сын генерала?

— Слава богу, нет! — ответил Орлов. — Насколько мне известно, сын Кадошкина жив и здоров. Поэтому про тебя и вспомнили. Учитывая твой огромный опыт и старую закалку.

— При чем тут моя закалка? — спросил Гуров.

— Ну сам знаешь, как сейчас эти молодые — или прут напролом, так что кости трещат, или стелются перед любым начальством, только что сироп из ушей не течет. А тут нужна твердость, но твердость деликатная, лучше твоей кандидатуры и не придумаешь.

— Не придумаешь для чего? — нахмурился Гуров. — Уж не Кадошкин ли этих двоих прикончил?

Генерал развел руками.

— А вот это пока одному богу известно, — сказал он. — Если поднапряжешься, ты тоже будешь в курсе. И нам расскажешь.

— Та-а-ак! А поподробнее можно? — строго поинтересовался Гуров. — Откуда в этом деле вообще взялся сей молодой человек?

— Расследование поручили подполковнику Жмырину из отдела тяжких. Он мужик упорный, землю носом роет. Уже на второй день установил личности погибших и круг их общения. Как и предполагалось, все это молодые бездельники, занимающиеся чем попало. Пьянки, мотоциклы, девочки. Не исключен и мелкий криминал. В общем, обычная история. В основном это дети не самых бедных родителей. Только пока мама с папой делают деньги, их чада предоставлены самим себе — отсюда и все беды. Ну, подробности Жмырин тебе сам расскажет. Я его сюда вызвал, вот-вот должен подойти...

— А почему его-то отстраняют? — спросил Гуров. — Если он землю роет?

— А вот потому, что он этого Кадошкина и нарыл, — назидательно сказал генерал. — Дальше уже тонкость нужна, а начальство опасается, что Жмырин таких дров наломает, что только ахнешь. Тут дело в том, что у старшего Кадошкина уже один инфаркт был, не дай бог второй случится... А Жмырин деликатничать не может, он всегда сплеча рубит...

— А почему ты решил, что я не стану рубить сплеча?

— Потому что я тебе этого не рекомендую, — строго сказал Орлов. — Ну ты меня понял, не будем придираться к словам... Кстати, Жмырина никто не отстраняет. Его просто отдают под твое руководство. У него там пара своих оперов в распоряжении, да еще твой Крячко — вот и будет команда. Дело вообще-то странное, я бы сказал, загадочное дело. Я тебя еще и поэтому рекомендовал. Ознакомься с обстоятельствами, пораскинь мозгами — может, чего сообразишь. А с этим Кадошкиным все-таки поаккуратнее.

— Не обещаю, — сказал Гуров. — Это, если хочешь знать, в большей степени от него зависит. Если он причастен к преступлению и начнет козырять папой генералом...

— Ну, то, что от него зависит, это одно, а то, что зависит от тебя, ты уж постарайся, сделай! — сказал Орлов. — В общем, разберись по-человечески. Жмырин сейчас прибудет — сам с ним тут объяснишься, а я отбыл в министерство. Завтра с утра жду тебя с соображениями.

— Завтра так завтра, — согласился Гуров. — Утро вечера мудренее.

В генеральской приемной уже давно сидел подполковник Жмырин, неприветливый крупный человек с широким, почти квадратным лицом и здоровенными боксерскими кулачищами. Гуров знал, что характер у Жмырина далеко не сахар и в плохую минуту он, не задумываясь, пускает в ход свои кулаки, из-за чего частенько имеет неприятности. Хватка у него была действительно бульдожья, и ему давно уже следовало быть начальником отдела, но в силу вышеизложенных причин его без труда обходили более молодые, но гибкие коллеги. Такое невезение еще больше озлобляло Жмырина. Это был замкнутый круг. Гуров подумал, что в решении генерала отдать Жмырина под его опеку имелся резон.

— Здравствуй, Лев Иванович, защитник вдов и сирот! — ядовито улыбаясь, сказал Жмырин, протягивая Гурову руку. — Ну что, назначили тебя локомотивом, доволен?

— В наше время говорили — взять на буксир, — миролюбиво ответил Гуров. — Отстающих брали на буксир и выводили в передовики производства. Тебе не по душе числиться передовиком производства?

— Мне не по душе, когда меня за дурака держат, — мрачно сообщил Жмырин.

— Даю слово чести, — серьезно сказал Гуров, — что никогда даже не помышлял держать тебя за дурака. Просто в нашем мире многое происходит без нашего участия. Сегодня вот тоже — за нас с тобой все решили другие.

Поэтому давай перейдем от лирики к суровой прозе и обсудим наши планы. Пошли к нам в кабинет!

— А генерал? — кивнул на дверь Жмырин.

— Генерал сказал, чтобы мы сами разбирались, — объяснил Гуров.

— Хоть тут повезло, — проворчал Жмырин, поднимаясь. — Не люблю, когда на ковер вызывают. Даже если это не разнос, то все равно неприятно.

— Ты слишком на этом сосредоточен, — заметил Гуров. — Не бери все к сердцу, будь проще и чаще сплевывай. Кофе хочешь?

— Обязательно хочу, — мрачно заявил Жмырин.

В кабинете их дожидался полковник Крячко, правая рука и верный друг Гурова. Внешне чем-то схожий со Жмыриным, он являлся полной его противоположностью, никогда не унывал и любил побалагурить. Его грубоватое простодушное лицо зачастую вводило в заблуждение посторонних, но иронический огонек в глубине его глаз свидетельствовал, что полковник Крячко далеко не так прост, как кажется.

— Сваргань-ка нам кофейку, Стас! — распорядился Гуров. — Жмырин теперь наш человек, поэтому имеет право выпить чашечку.

— Наши люди не кофе пьют, — многозначительно заметил Крячко, но все-таки тут же полез в стол и достал из ящика кипятильник.

— Это в свободное от работы время, — разъяснил Гуров. — Вечно ты брякнешь, а человек может черт знает что подумать.

— А что он может подумать? — пожал плечами Крячко. — Тут нечего думать. Такие вещи решаются на уровне инстинкта... А что, его превосходительство недоволен тем, как мы справляемся со своими обязанностями? Зачем нам Жмырин? Это я без обиды, просто интересно.

— На буксир вас беру, — зловеще усмехаясь, сказал Жмырин. — Ну а если серьезно, то все очень просто — не любит меня начальство и при любом удобном случае старается это показать. Вот и сейчас — раскрутил я это дело, взял след, все путем... А меня — р-раз, и на поводок! Пусть, говорят, сливки Гуров с Крячко снимают. Вы только не подумайте, — добавил он делано равнодушным тоном. — Я без обиды. Просто мне интересно, отчего так происходит...

— Характер у тебя, Жмырин, тяжелый, — сочувственно заметил Крячко. — А начальство любит, когда у подчиненного характер легкий как перышко. Куда дунешь — туда и летит.

— Кончай трепаться, Стас! — предложил Гуров. — Восьмого сентября на Новорязанском шоссе были обнаружены двое убитых. Дело темное, свидетелей нет. Но Жмырин кое-что раскопал. Дальше будем работать вместе, поэтому хорошо бы нам с тобой вникнуть в суть дела. Плесни Жмырину кофейку, и начнем.

— Рассказывать, собственно, нечего, — без малейшего напряжения сжимая своими кулачищами раскаленную дымящуюся чашку, сказал Жмырин. — Два обормота на мотоцикле отправились вечером на прогулку. Приключений искали. Ну и нашли, как водится. Документов при них не было, но вычислить, кто такие, не составило труда. Мотоцикл был зарегистрирован как положено, все сошлось, родственники уже утром опознали обоих.

— Кто такие? — живо спросил Гуров. — Под судом и следствием не состояли?

— Один сын крутого бизнесмена — оптовые поставки косметики, моющих средств и все такое, а другой одно время ошивался в шоу-бизнесе, в охране работал. Потом ушел на вольные хлеба, но чем на самом деле занимался, пока не совсем ясно. Должно быть, рэкетом промышлял, грабежами, наркотой — все как обычно. В скромных, конечно, масштабах, иначе давно бы засветился. А так оба перед законом вроде бы чистые.

— Вроде бы? — спросил Гуров. — У тебя есть на этот счет какие-то конкретные сомнения?

— Ну какие тут сомнения! — начиная раздражаться, сказал Жмырин. — Тут достаточно на их трупы один раз взглянуть. Все в татуировках, в железках этих... Ну, которые они в пупки себе вставляют, в носы и прочие части. У одного в кармане нож выкидной, у другого на руке цепь намотана. Хотели, видно, пощипать кого-то на дороге, да нарвались. Я с их родителями побеседовал — назвали они мне кое-каких дружков-подруг, с которыми их покойные чада якшались...

— А ты не слишком пристрастен? — с беспокойством спросил Гуров. — Все-таки эти парни стали жертвами преступления. К тому же ты сам говоришь, что перед законом они чистые.

— Я говорю — вроде бы, — уточнил Жмырин. — А копни слегка — такая вонь пойдет!..

Гуров задумчиво посмотрел на него.

— Знаешь, в чем главная проблема? — спросил он. — В твоем настрое. То есть ты все делаешь, наверное, правильно, но вот настрой... Ты держишься так, будто вокруг тебя одни враги.

— А они и есть враги, — убежденно заявил Жмырин. — Что, не так?

— А презумпция невиновности?

Жмырин пренебрежительно махнул рукой.

— Сказки для дураков, — сказал он. — Да ты и сам в них не веришь. Просто тебе надо поддерживать имидж эдакого комиссара Мегрэ. Седые виски, мудрый взгляд и все такое... А на самом деле, когда ты видишь вот такого ублюдка, разукрашенного татуировками и с бешеными от дури глазами, ты невольно настораживаешься и стараешься не поворачиваться к нему спиной. И правильно делаешь, между прочим. А уж если у такого типа папаша генерал...

— А у кого папаша генерал? — с большим интересом спросил Крячко. — Ты же что-то про косметику заливал, про моющие средства?

Жмырин с шумом выпил кофе и стукнул о стол кружкой.

— Одним словом, я довольно быстро вышел на подружку этих мотоциклистов. Ксенией зовут. Чья она конкретно подружка, тут сам черт не разберет. По-моему, ее услугами все пользовались — в этом отношении в их кругу все общее, как при коммунизме. Ну и эти двое тоже ее друзья. Правда, сначала она отпиралась, все пыталась мне свое «я» продемонстрировать — тоже что-то насчет презумпции толковала, про адвокатов... Но я быстро объяснил ей, в чем смысл жизни...

— И в чем же этот самый смысл? — спросил Крячко. — Ты бы и нам открыл секрет.

— А никакого секрета, — хладнокровно ответил Жмырин. — Будто сами не знаете. Смысл жизни в борьбе. Выживает сильнейший. Когда эта соплячка начала ворочать умишком, то поняла, что против меня у нее нет шансов.

— Это точно, — сказал Крячко. — С тобой шутки плохи. Только я все жду, когда генерал появится.

— Будет тебе и генерал, — сказал Жмырин. — Когда мы с этой Ксюшей разговорились по душам, то выяснилось, что обоих убитых она знала очень хорошо, моталась с ними по всяким злачным местам, и на мотоциклах каталась, и все что угодно. А в то воскресенье она от компании откололась, потому что у нее накануне помер дядя и ей пришлось идти с родными на похороны. Но она совершенно точно сказала, что с этими двумя должен был обязательно быть третий — мол, они все не разлей вода. И вот этот третий и есть генеральский сынок, Кадошкин Валерьян Константинович — в честь деда так назвали. Дед, говорят, герой войны был и все такое. Так сказать, династия. Вот только кличка у продолжателя династии подкачала. Между своими его кличут Самовар.

— Почему Самовар? — удивился Крячко.

— Ты у меня спрашиваешь? — уничтожающе посмотрел на него Жмырин. — Вот встретишь его и спроси

Н. Леонов, А. Макеев

почему. А меня интересовало совсем другое — где этого фрукта найти. Ксюха назвала несколько мест, но поклялась, что не видела Кадошкина уже с воскресенья. Предположила, что он засел у папаши на даче. Вот тут я и сделал свою первую ошибку — доложил обо всем начальству. Остальное вы сами знаете.

Он сердито замолчал, с вызовом глядя на Гурова. Тот пожал плечами и сказал:

— Не так уж много мы и знаем. Ты говорил, что существует целая компания, а ты нацелился именно на Кадошкина. Почему?

— Да потому, что именно они гоняют на мотоциклах. На месте преступления обнаружен крутой какой-то мотоцикл, как его... «Сузуки», что ли? И у Кадошкина мотоцикл. Еще круче, между прочим. Говорят, папаша ему «Харлея» от широты души купил. Вот они когда втроем, когда вчетвером и мотались. Из всех прочих в этой компании мотоцикл есть еще у одного, но у него на воскресенье железное алиби, а значит, предположительно на шоссе мог быть только Кадошкин.

— А мог и не быть, — подсказал Крячко.

— Скорее всего, был все-таки, — не оборачиваясь, возразил Жмырин. — Во-первых, Ксюха заявила, что эти трое сговаривались вместе по шоссе погонять, а во-вторых, гаишники, которые дежурили в том районе, утверждают, что вроде бы видели похожих мотоциклистов.

— Это уже серьезно, — заметил Гуров. — Во всяком случае, есть все основания задать несколько щекотливых вопросов господину Самовару. Но поскольку не имеется никаких оснований подозревать его в совершении преступления, то нам следует быть крайне деликатными. Его отец уже перенес инфаркт. Не стоит провоцировать следующий...

Жмырин иронически посмотрел на него.

— Я же говорю, Лев Иванович у нас как главный утешитель, — заметил он.

— Скорее, громоотвод, — улыбнулся Гуров. — Однако давайте ближе к делу. Где будем искать младшего Кадошкина? Наверное, друзья его уже успели предупредить?

— Вряд ли, — самодовольно сказал Жмырин. — Собственно, главные подробности про него только Ксюха рассказывала, а она-то предупредить никак не могла.

— Это почему? — насторожился Гуров.

— А я ее на всякий случай посадил, — хладнокровно ответил Жмырин. — Ничего страшного. У нее папа не генерал, а ей это только на пользу пойдет.

Глава 3

Ксюха, о которой шла речь, согласно документам, именовалась Ксенией Владимировной Лемеховой. Было ей двадцать четыре года, и ее папа действительно не был генералом. Строго говоря, последние двадцать лет о ее папе вообще не было ни слуху ни духу. Мать ее, однако, сумела неплохо устроиться в жизни и без мужа. Она была чиновницей средней руки в одной из районных администраций, в отделе, который курировал торговлю. На хлеб с маслом ей, судя по всему, хватало, но времени на воспитание дочери не оставалось совсем. Имелось и еще одно обстоятельство, которое мешало наладить взаимопонимание, — по некоторым намекам Ксении Гуров догадался, что у ее матери есть любовник, которому она и отдавала все свои чувства без остатка. Обвинять женщину было сложно — эта любовь была, скорее всего, лебединой песней, а в таких случаях люди, как правило, напрочь теряют голову. Но и дочь можно было понять — этой неприкаянной, ершистой, но, в сущности, очень одинокой девчонке не хватало человеческого тепла, и она искала его на стороне, как могла и где могла. Видимо, в странноватой компании байкеров Ксения нашла то, чего не могла получить в семье. Или ей показалось, что она нашла.

Случившееся обрушилось на нее как лавина. Ксения была потрясена и раздавлена. Последним ударом для нее была ночь, проведенная в тюремной камере. Жмырина она боялась как огня, да и на Гурова с Крячко посматривала с явной опаской. До сих пор ее знания о милиции не выходили за рамки теоретических рассуждений «все менты — сволочи» и наглядных уроков по «отмазке» от алчных гаишников, которой, видимо, в совершенстве овладели ее моторизованные друзья. Теперь же она на собственной шкуре убедилась, какая это грозная и неодолимая сила. Повторять этот опыт ей явно не хотелось, и к моменту встречи с Гуровым она была тихой и покладистой, как Золушка.

Гуров не показывал виду, но в душе был очень сердит на Жмырина. Та сомнительная выгода, которую тот получил, запрятав безо всяких оснований в камеру ни в чем не повинную девчонку, могла обернуться большими неприятностями. Общественное положение Лемеховой позволяло ей поднять шум и обвинить оперативника в превышении служебных полномочий. Жмырину просто повезло, что пока все обошлось без последствий. Да и сама Ксения никак не заслуживала подобного обращения. Гуров был уверен, что с ней можно было с самого начала договориться по-хорошему.

Более того, едва Гуров разговорился с Лемеховой, как выяснилось, что Жмырин умудрился допустить основательную промашку. Прежде всего Гуров хотел выяснить, где можно увидеться с Валерьяном Кадошкиным и побеседовать с ним с глазу на глаз, не поднимая лишнего шума. Вариант нагрянуть прямо на генеральскую дачу не казался ему привлекательным. Он предложил проехаться по Москве на машине и заглянуть кое-куда.

— У вас должны быть какие-то излюбленные места, верно? — подсказал он Лемеховой. — Какое-то кафе, дискотека, двор, наконец. Пойми, это для самого Кадошкина важно — как можно быстрее снять все вопросы.

— Я понимаю, — пролепетала девушка, с ужасом косясь на Жмырина, который с непроницаемым лицом сидел рядом с ней на заднем сиденье. Ей, видимо, казалось, что в любую минуту он опять потащит ее в тюрьму. — Но я в понедельник везде его искала. Только что на дачу не ездила. Его нигде не было.

— То в понедельник, а сейчас, слава богу, среда! — сварливо заметил Жмырин.

— На дачу мы тоже пока не поедем, — заключил Гуров, неодобрительно посмотрев на него в зеркало. — Попробуем поискать поближе. Ты уверена, что он не дома?

— Да я не знаю, — жалобно пробормотала девушка. — Может, ему на мобильный позвонить?

— Постой! У Кадошкина есть мобильник? — грозно произнес Жмырин, явно переигрывая. — Почему ты мне сразу не сказала об этом?!

— А вы же не спрашивали... — совсем растерялась Ксения. — Вы только спрашивали, где Кадошкин и что он делал в воскресенье, и еще, что я об этом знаю...

— Ты что, глупая? — разозлился Жмырин. — Если я спрашивал, где Кадошкин, значит, я имел в виду все — и телефон в том числе...

— Брось, Жмырин! — оборвал его Гуров. — Девушка не может угадывать твои мысли. Если тебя интересовал телефон, так бы и спросил. Тем более что сейчас у всех мобильники. Зачем валить с больной головы на здоровую? Скажи лучше, что слона-то и не приметил...

— Как говорится, хорошая мысля приходит опосля, — добавил Крячко. — Это бывает. Заработаешься и уже не соображаешь, на каком ты свете.

— Чего вы ко мне пристали? — сердито буркнул Жмырин. — Сами знаете все обстоятельства. Туда не ходи, сюда не суйся... Я и не совался.

— Ладно, что выросло, то выросло, — сказал Гуров, поворачиваясь к девушке и протягивая ей свой телефон: — Будем исправлять чужие ошибки. Позвони ему прямо сейчас, милая. Про нас ничего не рассказывай, а постарайся договориться о встрече. Скажи, что встревожена... Можешь упомянуть, что тебя вызывали в милицию и спрашивали о Кадошкине. Думаю, после этого ему обязательно захочется с тобой встретиться.

Ксения неуверенно протянула руку и взяла мобильник. Держа трубку так бережно, будто это была какая-то хрупкая вещь из коллекционного фарфора, она неожиданно спросила:

— А если это он убил Джу-Джу и Бэтмена?

— А это что еще за звери? — опешил Крячко.

— Те самые, — успокоил его Жмырин. — Которых на шоссе убили. Друзья ее. Им нормальные имена не нравятся, они собачьи клички предпочитают. Джу-Джу — так у них самого авторитетного звали. Настоящая фамилия Толубеев. А Бэтмен — который с ним на заднем сиденье мотался, — Кормильцев по паспорту. Но они в паспорт последний раз заглядывали, когда получали, наверное...

— Ладно, этот вопрос к делу не относится, — перебил их Гуров и, строго посмотрев в глаза девушке, спросил: — У тебя есть основания так думать? У Кадошкина имелось оружие? Ты его видела?

Ксения едва не плакала. С трудом сдерживая слезы, она пробормотала:

— Откуда я знаю? Не было у него никакого оружия. Ну, может, нож там... Просто я подумала — они втроем поехали, двоих убили, а Валера прячется — может, что-то случилось?

— В логике тебе не откажешь, — недовольно заметил Гуров. — Кое-что и в самом деле случилось. А прятаться люди могут по разным причинам. Если тебе и в самом деле известно что-нибудь серьезное, то выкладывай сразу. Вокруг да около ходить нечего.

— Да вы что! Не мог Валера убить! — с горячностью произнесла Ксения. — И вообще, зачем ему их убивать? Они друзья же были!

— Что-то я тебя не пойму, — проворчал Гуров. — То мог, то не мог... Давай звони, будем у твоего дружка спрашивать — мог он или не мог.

Ксения со страхом посмотрела на Гурова, потом, наморщив лоб, долго вспоминала номер и наконец с горем пополам набрала его. Под взглядами немолодых и очень серьезных мужчин она чувствовала себя до ужаса неуютно, краснела, бледнела и путалась в мыслях. Гуров боялся, как бы с перепугу она не нагородила такого, что Кадошкин потом вообще на улицу носа не покажет. Но Ксения смогла взять себя в руки.

Прижав трубку к уху, она вдруг сосредоточилась и, кажется, ничего вокруг уже не замечала. Голос ее стал звонче и заметно теплее.

— Валера, ты? Слава богу! — торопливо проговорила она. — Ты куда пропал? Я себе места не нахожу, ищу тебя, ищу... Хотела уже... Да куда позвонить?! Я звонила — у тебя телефон не отвечал!.. Ты мне вчера звонил? Так это, вчера... — она испуганно оглянулась на оперативников. — Вчера меня не было. То есть... Меня вызывали в милицию. Ты знаешь, что случилось? Ужас!

Она на секунду замолчала и с широко открытыми глазами вслушалась в голос, звучащий в трубке.

— Что я сказала в милиции? — пролепетала она вслед за этим. — А что я могла сказать? Там и так все знают. В смысле, про Джу-Джу и вообще про всех наших... Чего они от меня хотели? Спрашивали, где ты. А что я могла сказать, если не знала, где ты? Конечно, ничего... Встретиться? Конечно, давай встретимся! Давай прямо сейчас... Где ты хочешь?

Она опять замолчала, а потом, опустив трубку, растерянно посмотрела на Гурова.

— Он через тридцать минут подъедет на Берниковскую набережную, — сказала она. — Велел ждать там, где съезд с большого моста. И еще он предупредил... — замялась она. — Чтобы я никому ничего не говорила.

— Ну и не говори, — кивнул Гуров. — Мы тебя сейчас до моста подбросим и там высадим. Ты подождешь на набережной, а когда появится твой дружок, мы к вам присоединимся. Ни о чем не волнуйся — ты все делаешь правильно и, главное, в интересах самого Кадошкина.

Ксения посмотрела на Гурова с сомнением, но ничего не сказала. Они поехали.

По дороге Гуров попытался выяснить у Ксении, чем занималась их компания. Вопрос поставил девушку в тупик.

— Да ничем особенно, — застенчиво сказала она. — Так, тусовались немножко... За «Клинским» бегали...

Эта робкая попытка пошутить вызвала у Жмырина приступ раздражения.

— За «Клинским» они бегали! — фыркнул он. — А про то, что у твоего Джу-Джу в кармане колеса нашли и пакетик с порошкообразным веществом, по цвету и запаху напоминающим марихуану, это ты знаешь?! Или их просто так на шоссе положили? Вас всех еще потрясти, так такая муть поднимется!..

— Ладно, ты на девчонку слишком не напирай, Жмырин! — остановил его Гуров. — Еще результатов экспертизы дождаться нужно, да и не факт, что Ксюша к этим делам причастна. Если, конечно, подтвердится, отвечать и ей придется, но пока это, как говорится, в огороде бузина, а в Киеве дядька. Нам в первую голову с Кадошкиным разобраться нужно, а для этого спокойствие требуется и расчетливость.

— Да куда он теперь денется? — презрительно сказал Жмырин. — Разве что на встречу его папаша за ручку приведет... Тогда другое дело, тогда сплошная презумпция невиновности получится...

Гуров неодобрительно покосился на него в зеркало и снова обратился к девушке:

— Скажи, милая, а вообще твои друзья по натуре какими были? Хулиганистые ребята? Приключений искали?

— Ну, вообще... — беспомощно протянула Ксения. — Немножко было... Это Джу-Джу особенно задиристый был.

— Правильно, — ядовито заметил Жмырин. — На этого теперь можно все валить. С мертвеца какой спрос? Ты лучше о себе расскажи. Сама-то чем занимаешься?

— Я в экономическом учусь, — робко ответила Ксения. — На втором курсе.

— Ага, — сказал Гуров. — И как учишься?

— Не очень, — со вздохом призналась девушка.

— А остальные?

— Валерку отец все в военное училище отдать мечтает, — сообщила Ксения. — А он в училище не хочет. И в армию тоже. Он все обещал отцу, что поступит, поэтому тот его от призыва откосил. А потом понял, что Валерка просто дурака валяет, и разозлился. Обещал этой осенью точно отправить его в армию. Короче, Валерка сейчас в трауре. Сказал, что лучше под поезд ляжет, чем в армию идти...

— Ну ясно, что за птица! — усмехнулся Жмырин. — А ты, Гуров, говоришь...

— Я ничего не говорю, — возразил Гуров. — Я говорю — разбираться будем.

На Земляном Валу они высадили Ксению и еще раз попросили ни о чем не волноваться. Потом переехали мост, свернули на набережную и остановили машину метрах в пятидесяти от предполагаемого места встречи. Никого похожего на Кадошкина поблизости видно не было.

— Уже хорошо. Здесь движение одностороннее, — заметил Гуров. — Значит, мы его никак не пропустим.

— Думаешь, он будет настороже? — спросил Крячко. — Думаешь, ему есть что скрывать?

— Я думаю, это мы должны быть настороже, — сказал Гуров. — Все прочее потом.

Минут через пять появилась Ксения. Она шла вдоль парапета, нервно оглядываясь по сторонам и кусая губы. Искала она явно одного Кадошкина, потому что на «Пежо» Гурова даже не обратила внимания. Глядя на ее юную, гибкую, но какую-то взъерошенную фигурку, Гуров подумал, что вряд ли этой домашней, в сущности, девчонке приходилось испытывать до сих пор подобные стрессы. Наверняка сейчас в ее душе творится что-то такое, что может повлиять на всю ее дальнейшую жизнь. Возможно, прав окажется Жмырин, который уверен, что вокруг него одни враги и перевоспитывать их следует только силой и без всяких сантиментов. Но могло получиться и совершенно наоборот — такие случаи Гурову тоже были известны.

— Как думаешь, он приедет или придет? — глубокомысленно спросил Крячко.

Но ответ он получил не от Гурова. Вдруг за их спиной из-за бетонного ограждения вывернулся красавец-мотоцикл, сверкающий хромом и сталью, влился в поток машин, а еще через несколько секунд притормозил возле газона, разделяющего проезжую часть и пешеходную дорожку. Ксения тут же сорвалась с места и бросилась к мотоциклу.

Гуров быстро распахнул дверцу и, выскочив из машины, быстрыми шагами направился туда, где остановился парень на «Харлее». Жмырин последовал за ним. Крячко рассудил, что негоже оставлять машину без присмотра, и остался на месте.

Мотоциклист был в сверкающем черном шлеме, из-под которого не было видно лица, но и без того было ясно, что он жутко нервничает. Заметив, что к нему идут люди, он истерически заорал, повернув голову к девушке: «Прыгай скорее, дура!» — и повернул ручку газа. Гуров предупреждающе замахал руками. Ксения в растерянности остановилась посреди газона. Парень в шлеме выкрикнул что-то нечленораздельное, намертво зажал в руках руль и стартовал. Гуров едва успел отскочить в сторону. «Харлей» мелькнул мимо него, как снаряд, и с грохотом полетел в сторону Николоямской набережной, виляя среди движущихся машин.

— Позаботься о девчонке! — крикнул на бегу Гуров Жмырину и помчался к машине.

Крячко уже принял решение. Едва завидев, как мотоциклист ударился в бега, он мигом перебросил свое грузноватое тело через спинку сиденья и, усевшись за руль, завел мотор. Гуров садился уже в отъезжающую машину.

— Гони! — коротко сказал он. — Все последствия беру на себя.

Крячко нажал на газ и одновременно на клаксон. С тревожным воем они покатили вперед. Автомобилисты, не выдерживая психической атаки, прижимались к бордюрам. Черный мотоцикл петлял уже метрах в ста впереди них.

— Зуб даю, он сейчас направо свернет и будет уходить переулками, — сказал Крячко. — Послушай, Лева, а может, нам гонки не устраивать? У парня явно рыло в пуху. Дать его в розыск, и бог с ним, с его заслуженным папой и его драгоценным здоровьем... У нас тоже здоровье не железное.

— Может, ты и прав, — сказал Гуров. — Но все-таки давай попробуем. Если у него рыло действительно в пуху, то потом нам придется слишком долго его искать.

Мотоциклист перестроился в крайний правый ряд и нервно оглянулся через плечо.

— На маневр пошел, — сказал Крячко. — Что плохо, тут его нигде не объедешь, а он мобильнее, конечно.

«Харлей» прошмыгнул перед самым носом у каких-то «Жигулей» и скрылся за углом. Крячко, чертыхаясь сквозь зубы, вертел баранку, пробираясь среди потока транспорта.

— Что за тупоголовые водители! — ворчал он. — Неужели нельзя сообразить, что, если человек торопится, значит, на то есть причины?

Они свернули в переулок и поняли, что «Харлей» уходит от них. Он был уже у следующего перекрестка и вот-вот должен был исчезнуть из поля зрения. Но вдруг впереди произошло что-то непонятное.

Гуров и Крячко увидели, что тяжелый «Харлей» будто подпрыгнул, вильнул в сторону и врезался в столб у бордюра. Мотоциклист вылетел из седла и, совершив в воздухе непроизвольный кульбит, шлепнулся на тротуар и, прокатившись по нему до стены ближайшего дома, распластался, раскинув по сторонам руки. Мотоцикл с неприятным скрежетом вспахал асфальт, распугал нескольких прохожих и тоже остановился метрах в пятнадцати дальше. К упавшему со всех сторон побежали люди.

Крячко подъехал ближе, и они поняли, в чем было дело. На том самом месте, где перевернулся мотоцикл, собралась толпа, в центре которой оперативники обнаружили совершенно окаменевшую молодую женщину в белом обтягивающем платье. Лицо у нее было точно такого же белого цвета. Перед ней стояла детская коляска, в которой мирно посапывал младенец. Публика выражала женщине сочувствие и нелестно высказывалась о чокнутых байкерах. Высказывалось пожелание, чтобы все они как можно скорее переломали себе шеи.

Такая перспектива для парня с «Харлея» была сейчас вполне реальна, и Гуров всерьез был этим обеспокоен. Они с Крячко протолкались поближе к распростертому на тротуаре телу. Кадошкин не шевелился. Пластиковое забрало на его шлеме было пополам перерезано трещиной. Люди в толпе казались растерянными. Какая-то женщина повторяла, что нужно вызвать «Скорую».

— Звони «ноль-три», — сказал Гуров Крячко и присел рядом с парнем.

Он осторожно снял с его головы шлем и нашел пальцами артерию на шее. Она слабо пульсировала. Кадошкин был жив, но находился без сознания. Удар оказался слишком силен.

«На убийцу он, судя по всему, не тянет, — с облегчением подумал Гуров. — Тот бы не стал отворачивать, когда бы перед ним на мостовую выскочила мамаша с коляской. Совесть у парня на месте, только, похоже, не совсем чиста — иначе зачем бы он задал от нас такого стрекача?»

У Кадошкина было круглое, ничем не примечательное лицо, нос картошкой и коротко стриженные рыжеватые волосы. Когда он открыл глаза, оказалось, что они у него разного цвета — один карий, а другой зеленоватого оттенка. Увидев Гурова, Кадошкин непонимающе уставился на него и хрипло спросил:

— Вот черт, что это было?

— Все нормально, — сказал ему Гуров. — Просто ты слишком быстро ехал. Сейчас тебя отвезут в больницу и приведут в порядок. Главное, не волноваться и не делать резких движений. Похоже, у тебя сотрясение мозга.

— Башка гудит, — согласился Кадошкин, облизывая сухие губы, и тут же попытался встать. — Мне нужно... Тут...

Ноги не слушались его, и он с размаху опять сел на тротуар. Лицо исказилось гримасой боли.

— О твоем велосипеде позаботятся, — пообещал Гуров. — Кому позвонить, чтобы сказать, в какой ты больнице?

Кадошкин с ужасом посмотрел на него. Соображал он плохо и медленно подбирал слова.

— Зачем звонить? — сказал он. — Не надо... Я сам... Мне нужно идти...

— Куда тебе идти? — рассердился Гуров. — Ты на мотоцикле разбился. Если ты опять от нас бежать собрался, то это бессмысленно — мы уже здесь.

По лицу Кадошкина пробежала судорога.

— Вы... с той бабой... — убежденно пробормотал он и снова потерял сознание.

Глава 4

Одежде Владимир Николаевич Гладилин придавал особенное значение. «По одежке встречают, по ней же и провожают, — любил повторять он, цинично при этом улыбаясь. — Никого не волнует ваш ум и таланты. Вообще эти качества скорее вызывают в окружающих раздражение. Ни ума, ни таланта купить нельзя. Это недостижимая мечта, мираж. Люди любят успех. Успеха может добиться каждый. А первый признак успеха — хорошая одежда. Видя на вас отлично сшитый пиджак, люди понимают, что вам палец в рот не клади».

Сам он всегда был одет безукоризненно, стригся в первоклассной парикмахерской и пользовался настоящим английским одеколоном для истинных джентльменов. Из соображений престижа он счел нужным обзавестись новенькой «БМВ», хотя такое решение далось ему нелегко — Владимиру Николаевичу были больше по душе миниатюрные японские машины, недорогие и надежные. Но если бы он не пускал пыль в глаза, окружающие могли подумать, что его дела идут не слишком удачно. В столице на такие штуки у людей глаз наметан.

Владимир Николаевич занимался исцелением болезней. Это не имело ничего общего с вульгарным «лечением», которым занимались задерганные терапевты в тесных районных поликлиниках, и к изматывающим ночным бдениям в белоснежных операционных это тоже не имело никакого отношения. Откровенно говоря, Владимир Николаевич вообще не имел медицинского образования. В свое время он окончил филологический, благодаря чему при необходимости мог поддержать любой поверхностный разговор о прекрасном. На его клиентов — а ими являлись в основном женщины за тридцать — это производило неизгладимое впечатление. Владимир Николаевич легко сходился с людьми, был стихийным, но тонким психологом и сумел раздобыть

ЛОГИКА ПОЛКОВНИКА

239

себе лицензию на осуществление нетрадиционной медицинской помощи. Расчет у него был простой — в нынешние тяжелые времена мало кто из граждан мог чувствовать себя по-настоящему здоровым и счастливым, а значит, почти каждый нуждался в помощи. К традиционной медицине в народе давно выработалось стойкое недоверие — следовательно, предлагать ему нужно было нечто нетрадиционное. И чем нетрадиционнее, тем лучше. Перебрав в уме разные варианты, Владимир Николаевич решил остановиться на квантовой терапии. Что это такое, он вряд ли мог объяснить даже самому себе, но звучало это солидно и научно, почти космически. Женщинам, от которых уходит молодость, только и остается надеяться на тайные космические силы. Если взяться за дело с умом, многие должны были клюнуть.

Так оно и вышло. Через два года у Владимира Николаевича уже был собственный центр, расположенный в помещении, где ранее размещался магазин скобяных изделий. Из торгового зала Владимир Николаевич сделал просторный холл с мягкой мебелью, расслабляющей музыкой и большим подсвеченным аквариумом, в котором плавали золотые рыбки. Подсобки он объединил в одну комнату и устроил из них лечебный кабинет, мрачновато-торжественный, с замысловатой аппаратурой, озонатором и замаскированными светильниками, источавшими приглушенный таинственный свет. Пациентов он усаживал в специальное стоматологическое кресло, выписанное из Голландии. Оно было удивительно удобным, многофункциональным и с виду напоминало космический корабль.

Со временем Владимир Николаевич сумел даже взять себе помощницу, ухоженную стильную женщину лет сорока пяти, обладавшую завораживающим убедительным голосом. До этого она работала преподавателем в школе и стойко сносила издевательства многих поколений учеников. В конце концов, заработав тяжелый невроз, она

какими-то путями вышла на Гладилина, а тот сразу угля-
дел в ней служительницу квантовой медицины. Теперь
они оба не могли нарадоваться друг на друга. Кстати,
и учительский невроз был побежден.

Сущность квантовой терапии заключалась в аппара-
тах, которыми пользовался Гладилин. В основном это
были самые обычные аппараты для физиотерапии, но
несколько модифицированные и настроенные на самое
минимальное воздействие. Имелись у него здесь еще
и списанные генераторы для создания разных частот,
которые он выпросил у одного своего родственника, за-
нимавшегося разработками новых видов связи. Гладилин
их тоже использовал — разумеется, в щадящем режиме,
но клиентам нравилось.

Сегодня прием у него был так же хорош, как это
обычно случалось в последние десять месяцев. Даже
летом, в период отпусков поток клиентов не иссякал.
И в этот день через скобяную лавку прошло человек
двадцать пять, в основном женщин в диапазоне от тридцати пяти до пятидесяти, и ни одна из них не ушла от
Владимира Николаевича разочарованной. Он чувствовал себя удовлетворенным, но слегка усталым. Хотелось
поскорее вернуться домой, принять ванну и со вкусом
поужинать. За окнами уже густо синел вечерний воздух
и призывно мигали огоньки реклам. Но в холле еще оставались люди, и Владимир Николаевич не мог покинуть
своего боевого поста.

— Ну что же, на этом можно на сегодня закончить, —
сказал он, отключая один из своих многочисленных
аппаратов и снимая с дрябловатого тела пациентки
электроды на мягких резиновых присосках. — Можете
одеваться, Виктория Александровна. Полагаю, что уже
через неделю мы можем закончить. Даже невооруженным глазом я вижу улучшение. Прекрасный цвет лица,
блеск в глазах — вы помолодели лет на пять, говорю это
без преувеличения. Мы добились прекрасных результа-

тов. Только не забывайте про фруктовую диету, которую я вам рекомендовал.

— Действительно, я чувствую себя гораздо лучше, — с энтузиазмом сказала пациентка, поднимаясь с кожаного дивана, на котором происходило таинство. — Вы — кудесник, Владимир Николаевич. Я буду рекомендовать вас всем своим знакомым.

— Очень вам признателен, — ответил Гладилин, улыбаясь. — Но от звания кудесника категорически отказываюсь. Квантовая медицина не имеет ничего общего с мистикой. Все на строго научной основе — технологии двадцать первого века. Эксклюзивные разработки. Подобного нет пока даже на Западе.

Три этих заветных слова — «квант», «технология» и «эксклюзивный» действовали на стареющих женщин безотказно. Резиновые присоски на теле только завершали дело. Это была аутопсихотерапия высшей пробы. Если человек не был по-настоящему болен, то она даже приносила несомненную пользу. Но Владимир Николаевич не связывался с больными.

Он проводил пациентку до порога и предупредительно распахнул перед ней дверь. Внимание и предупредительность действуют на женщину ободряюще — лучше женьшеневой настойки. Уходя, Виктория Александровна помахала ему ручкой и благодарно улыбнулась. Значит, была согласна платить и дальше.

В холле еще оставалось два человека — пожилой седоватый мужчина с прямой спиной и суровым взглядом, похожий на отставного военного, и тихая замкнутая женщина лет тридцати с льняными волосами, коротко стриженными и красиво уложенными. На женщине был серый брючный костюм, тщательно подогнанный по ее миниатюрной фигуре. Если бы не ее несколько отсутствующий вид, ее вполне можно было бы назвать привлекательной. Владимир Николаевич вспомнил, что уже однажды видел ее — три дня назад она впервые приходила на процедуры. Кажется, она жаловалась на головные боли.

— Кто следующий? — спросил Владимир Николаевич.

Пожилой мужчина с тревогой покосился на женщину, остававшуюся совершенно невозмутимой, а потом поспешно приподнялся и несколько смущенно пробасил:

— Вероятно, я, доктор! То есть я хочу сказать...

Женщина с льняными волосами медленно подняла на него глаза, и отставник осекся. Он пожал плечами и уже увереннее произнес:

— Значит, я, доктор! Можно заходить?

— Да, конечно, прошу вас! — Владимир Николаевич широким жестом указал пациенту на дверь, а сам направился в противоположный конец холла, где за столиком с телефоном и компьютером восседала его помощница. Она уже давно делала ему какие-то знаки, и нужно было выяснить, в чем дело.

— Что случилось, Валентина Петровна? — понижая голос, спросил Гладилин.

Обворожительно улыбнувшись, женщина совсем негромко предупредила, многозначительно покосившись на одинокую пациентку на противоположном конце холла:

— Владимир Николаевич, вон та дамочка ведет себя странно! Она уже третьего пациента вперед пропускает. Считаю, что должна вас предупредить.

Владимир Николаевич улыбнулся уголком губ и самодовольно сказал:

— Не вижу причин волноваться, Валентина Петровна! Может быть, у нее на это есть свои причины. Вы же знаете, желание пациента для нас — закон!

Такие случаи уже бывали в его практике. Иногда пациентки проникались к Владимиру Николаевичу чувством куда более теплым, чем обычная благодарность, и шли на всякие уловки, чтобы остаться с ним наедине. Такие вещи ему льстили, хотя он их и не поощрял — бизнес есть бизнес. Новая пациентка появилась в его центре совсем недавно, но кто знает — может быть, любовь с первого взгляда действительно существует?

— Не вижу причин волноваться, — повторил Гладилин. — Я держу ситуацию под контролем.

Он знал, что Валентина Петровна немного ревнует его к каждой новой клиентке. Это обстоятельство тоже грело ему душу. Внимание женщин дорогого стоит, и совсем не важно, в каком они возрасте. Слишком многое в этом мире зависит от женщин — эту аксиому Гладилин вызубрил еще в молодости.

Он вернулся в кабинет и занялся отставным военным. Иногда среди его пациентов попадались вот такие суровые, несгибаемые на вид мужчины. В прошлой жизни им приходилось выдерживать запредельные нагрузки и принимать сложнейшие решения, и тогда они не нуждались ни в чьей помощи. Но после выхода на пенсию в них происходил надлом. Они теряли сон, вступали в бесконечные конфликты со своими близкими и испытывали постоянный дискомфорт. Гладилин подозревал, что всему причиной здесь — резкий переход от активной деятельности к почти полному безделью. Вокруг человека как бы образовывалась пустота, которую ему нечем было заполнить. Гладилин предлагал свой вариант, и, в сущности, он был не хуже любого другого.

С отставником он провозился не менее получаса. Кроме всего прочего, старики обожали поговорить с понимающим, по их мнению, человеком. В основном темы касались крушения идеалов и упадка нравов. Гладилин без труда поддерживал любой разговор. В конце концов, все эти бесполезные слова превращались в звонкую монету, и это его вполне устраивало.

Когда старик ушел, сумерки на улице совсем сгустились. Работай Гладилин на чужого дядю, он с удовольствием бросил бы сейчас все к черту, и никто не заставил бы его пахать сверхурочно. Но «БМВ» и пиджаки из тонкой шерсти требовали усердия и терпения. Так что прекращать прием Гладилин ни в коем случае не собирался. Правда, его немного смущало поведение последней пациентки. Он сейчас слишком устал, чтобы отвечать на какие бы то ни было чувства. Да и присутствие Валентины Петровны сдерживало. Самое большее, что Гладилин был готов позволить этой симпатичной блондинке, — это ужин в хорошем ресторане. Это ни к чему не обязывает, но непринужденный разговор за бокалом вина позволяет узнать о человеке многое — после него сразу становится ясно, что делать дальше.

Женщина уже направлялась к дверям кабинета и Владимир Николаевич ободряюще улыбался ей, как вдруг зазвонил его мобильный телефон. Гладилин кивком предложил женщине располагаться, а сам поднес к уху трубку. Звонил его старший брат.

Владимир Николаевич едва сдержал досаду. Со старшим братом у него были, мягко говоря, сложные отношения. Сергей был человеком-анахронизмом, вымирающим динозавром, обломком той эпохи, где пудрили мозги насчет морального кодекса строителя коммунизма. В нынешней бодрой жизни он выглядел унылым идиотом. Сам не умел ничего и другим мешал. Например, он крайне резко отзывался о бизнесе младшего брата, называл его жуликом и Остапом Бендером. Ничего удивительного, что его бросила жена. Владимир Николаевич старался видеться с ним как можно реже. Строго говоря, они не общались месяцами, а то и годами, и оба не испытывали от этого ни малейшего дискомфорта. Скорее наоборот. То, что Сергей решился сегодня вдруг позвонить, уже было достойно удивления.

Однако Владимир Николаевич отнюдь не был растроган.

— Ты не мог бы позвонить через полчаса? — спросил он брата. — У меня пациент.

Ответ Сергея еще раз удивил его. В другое время он непременно бы начал нудить о праве Владимира Николаевича пользоваться термином «пациент». Старший брат язвительно предлагал заменить его словом «одураченный». Но сейчас Сергей спокойно пропустил «пациента» мимо ушей.

Впрочем, спокойным его назвать было никак нельзя. Владимиру Николаевичу показалось, что старший брат чрезвычайно чем-то возбужден.

— Послушай, ты там у себя? — спросил он и с некоторой запинкой добавил: — В центре? Я тут неподалеку. Сейчас к тебе заеду. Мне очень нужно тебя видеть.

— Ты с ума сошел, — ровным голосом сказал Владимир Николаевич. — К чему такая срочность? Я сейчас очень занят и к тому же чертовски устал. Давай договоримся, ну, скажем, на завтра...

— Это ты с ума сошел, — довольно зло перебил его брат. — Или ты думаешь, что без крайней необходимости я стал бы тебе навязываться? Мне нужно видеть тебя как можно скорее. Со мной произошла очень странная вещь. Не знаю, что и думать. Почему-то мне кажется, что ты можешь мне что-нибудь посоветовать...

— Может быть, тебе это только кажется? — сдержанно подсказал Владимир Николаевич, втайне очень довольный, что сумел осадить брата.

— Может быть, но мне очень нужна помощь. Если бы не чрезвычайные обстоятельства, я бы тебя не беспокоил, ты знаешь...

«Уж не собирается ли он занять у меня денег? — с тревогой подумал Владимир Николаевич. — Правда, он никогда раньше не просил, но мало ли...»

А вслух он сказал, стараясь придать голосу насмешливые нотки:

— Уж не врезался ли ты в «Мерседес», братец?

— Гораздо хуже, — лаконично ответил Сергей.

— Господи, что же может быть хуже этого? — озадаченно промолвил Владимир Николаевич. — Ты меня пугаешь. Я, право, не знаю... Ты можешь хотя бы намекнуть, что с тобой такое?

— Это не телефонный разговор, — отрезал брат. — Скоро я буду у тебя, тогда поговорим.

— Э, подожди! — испугался Владимир Николаевич. — Подожди хотя бы полчаса. Мне нужно отпустить последнюю клиентку. Неудобно.

— Ладно, полчаса я могу подождать, — сжалился брат. — Но не больше. Я на взводе, серьезно тебе говорю!

— Верю, верю! — поспешил сказать Владимир Николаевич. — Я же не сказал — нет. В конце концов, ведь мы же братья, верно?

Последние слова он проговорил в пустоту — Сергей уже отключился. Владимир Николаевич пожал плечами, спрятал мобильник и оглянулся на Валентину Петровну, которая старательно делала вид, что разговор босса ей нисколько не интересен. Ему пришло в голову, что ей не стоит видеть его брата — сгоряча тот может ляпнуть что-нибудь нелицеприятное о его бизнесе — получится глупо.

— Вы можете идти домой, Валентина Петровна, — сказал он. — Я все сделаю сам. И еще мне придется задержаться. Так что вы свободны.

— В самом деле? — с сомнением произнесла Валентина Петровна. — Может быть, мне все-таки дождаться, пока закончится прием? Я могу понадобиться.

— Я же сказал, что справлюсь сам, — уже с раздражением заметил Владимир Николаевич. — Я настаиваю, чтобы вы шли домой.

— Ну что же, тогда до свидания, Владимир Николаевич! — со вздохом произнесла Валентина Петровна и, низко наклонив голову, начала наводить порядок на своем рабочем столе.

— До завтра, Валентина Петровна! — сказал Гладилин и решительно вошел в кабинет.

Пациентка сидела в кресле, положив на колени сумочку из темной кожи. Она не смотрела по сторонам, не интересовалась хитрыми аппаратами и научными трудами, которые стояли у Гладилина в застекленном шкафу в углу комнаты, она просто сидела и терпеливо ждала, как можно ждать электрички на привычном маршруте.

— Простите, что немного задержался, — мягко сказал Гладилин. — Проблемы. Надеюсь, вы не в претензии?

Женщина внимательно посмотрела на него и отрицательно мотнула головой. Гладилин подошел к столу, небрежно пробежался пальцами по клавиатуре компьютера.

— Простите, не могли бы вы напомнить мне вашу фамилию? — спросил он. — Я должен взглянуть на ваши данные. Постоянных клиентов я, разумеется, помню и так, но вы у нас новенькая... — он дружелюбно улыбнулся.

Женщина не ответила на улыбку. Немного подумав, она назвала фамилию, и Гладилин, немного удивленный, принялся за поиски ее файла.

— Вы можете пока приготовиться к сеансу, — сказал он, глядя на монитор. — Прилягте на диван, расслабьтесь, думайте о чем-нибудь приятном...

Самому ему, как назло, ничего не лезло в голову, кроме недавнего разговора с братом. Из-за этого он никак не мог сосредоточиться и найти нужную фамилию. В душе постепенно нарастало глухое раздражение. Какого черта этот праведник хочет навязать ему свои проблемы? Считает себя умником, а как приперло, сразу побежал к младшему. Наверняка ему понадобились деньги. Но денег он категорически не даст. Достаточно один раз пойти на поводу — потом тебе сядут на шею.

— Я же вам сказал — ложитесь! — повысил он голос, краем глаза уловив рядом какое-то движение.

Невольно он перенес свое недовольство на клиентку, а этого никак не следовало делать. Спохватившись, Владимир Николаевич поднял глаза и изобразил на лице лучезарную улыбку.

— Простите, но вы должны меня слушаться... — начал он и вдруг осекся.

Пациентка стояла в трех шагах от него, и в руках у нее тускло поблескивал пистолет с глушителем. Дуло было направлено прямо на Гладилина.

— Эт-то что — шутка? — пролепетал он, попятившись от стола. — Вы с ума сошли?

Женщина оставалась бесстрастной, точно разгуливать с пистолетом было для нее таким же привычным делом, как, например, звонить по телефону. Она не удостоила Гладилина ответом — только слегка повела рукой, после чего послышался отчетливый хлопок, и Гладилин ощутил мощный удар в грудь, который отбросил его к стене. Свет начал меркнуть в его глазах, и он только успел подумать без всякого страха, почти равнодушно: «Как странно...» Потом он рухнул на пол и потерял сознание.

Через двадцать минут напротив центра квантовой терапии остановились старенькие «Жигули», из которых вышел Сергей Николаевич Гладилин. Он запер машину и посмотрел на зашторенные окна центра — они были темны. Это оказалось для него неприятным сюрпризом. Он постоял некоторое время, мрачно созерцая погасшие окна, а потом все-таки направился к дверям. Подергав ручку, Сергей Николаевич убедился, что двери надежно заперты. На лице его появилось выражение огромной досады и презрения.

— В этом ты весь, братец! Аферист и скотина! — сказал Сергей Николаевич негромко, плюнул себе под ноги и, опустив плечи, медленно пошел обратно к автомобилю.

Глава 5

Двенадцатое сентября полковник Крячко назвал «днем недоумения». Кое-какие основания для этого у него были. Началось все с того, что они побывали в больнице, куда был отправлен «Скорой» байкер Кадошкин. Побывали, ни на что особенно не надеясь, но на месте неожиданно выяснилось, что полученные генеральским сыном травмы не относятся к категории тяжелых, а его катастрофическое состояние накануне объясняется нервным потрясением. Беспокоить его не рекомендовалось, но, узнав, что речь идет о двойном убийстве, врач позволил Гурову задать пациенту несколько вопросов.

Кадошкин действительно выглядел значительно лучше, но был по-прежнему напуган и на оперативников посматривал настороженно.

— Вы знаете, кто мой отец? — задал он превентивный вопрос, едва Гуров и Крячко появились в его палате и представились.

— Нервничаешь, брат? — сочувственно сказал на это Крячко. — Это нормально. Я бы на твоем месте еще и не так нервничал. Только вот на такой скорости по улицам гонять все равно не следует. Легкомыслие это, и до беды недалеко.

— Ну, нашего молодого друга не стоит упрекать, — возразил Гуров. — Все-таки он сделал все, чтобы избежать катастрофы. Рискуя при этом своей жизнью, между прочим... Одно только не в его пользу — без всей этой кутерьмы можно было спокойно обойтись. Но сделаем скидку на молодость и на некоторое состояние аффекта, в котором наш молодой друг находился...

— Какой это я вам друг? — угрюмо спросил Кадошкин. — Зачем вы мне эту ботву гоните? Я все равно ни одному вашему слову не верю.

Крячко укоризненно покачал головой.

— А зря — с милицией лучше дружить, — сказал он. — И тут не важно, веришь ты нам или нет. Главное, чтобы мы тебе поверили.

— Ты был восьмого сентября на Новорязанском шоссе вместе со своими друзьями — Толубеевым и Кормильцевым? — спросил Гуров.

Кадошкин задумался, подозрительно поглядывая на оперативников.

— Не понимаю, чего ты боишься? — пожал плечами Гуров. — Полагаешь, что мы собираемся обвинить тебя в убийстве? У нас для этого нет никаких оснований. Друзей, конечно, тоже иногда убивают, но, по-моему, это совсем не тот случай. Нам просто нужно выяснить все обстоятельства, которые этому убийству предшествовали. Кстати, ты упомянул о своем отце... Если ты хотя бы немного уважаешь и жалеешь его, то тебе стоит рассказать нам все немедленно и без утайки. Твой отец заслуженный человек, и не хотелось бы доставлять ему лишние неприятности. Твое запирательство очень осложнит дело. Будет огласка, допросы, вызовы в прокуратуру... Подумай хорошенько!

Кадошкин принялся нервно грызть ногти, а потом вдруг сказал:

— Ну, допустим, я был с ними. Говорю это без протокола! Если вы будете мне что-то шить, я возьму свои слова обратно, понятно? Потому что с этих уже не спросишь, а вам нужен козел отпущения...

— Не разбегайся, прыгай! — ласково сказал ему Гуров. — Вот всегда с вами так. С виду крутые ребята, а на деле... — он махнул рукой.

— Меня такие заходы не волнуют, — мрачно сообщил Кадошкин. — Я потому с вами разговариваю, что батю тревожить неохота. У нас с ним и так напряженка в отношениях, понимаете?

— Ну а если короче? — ласково спросил Крячко.

— А если короче, — с вызовом сказал Кадошкин, — то в то воскресенье Джу-Джу предложил сгонять по шоссе куда-нибудь подальше. Поищем, говорит, приключений на свою задницу. Это у него любимое выражение такое было.

— И что под этим обычно подразумевалось? — спросил Гуров.

— По-разному бывало, — уклончиво ответил Кадошкин. — Только в тот день сначала никаких приключений не было. Мы аж до самого Раменского сгоняли и уже домой поехали — надоело потому что. А тут «жигуль» едет. Тоже в Москву. За рулем мужик сидит — по виду стопроцентный совок. А с ним баба. Я, правда, ее рассмотреть не успел, но Джу-Джу она понравилась. Такие в его вкусе — стриженые маленькие блондинки. Короче, обогнали мы эту тачку, маленько прикололись над ними и дальше поехали. Сначала никто и не собирался останавливаться. Но Джу-Джу, оказывается, все-таки запал на ту телку, что в «Жигулях» сидела. Вдруг он тормозит и говорит — поехали обратно. Ну, Бэтмену все равно куда ехать — вперед, назад, — ему без разницы. Он все делает, как Джу-Джу скажет. А я тоже не стал спорить — если Джу-Джу заклинит, с ним спорить бесполезно.

— И вы поехали обратно? — спросил Гуров. — Какие у вас были планы?

— Да какие планы? — презрительно поморщился Кадошкин. — Джу-Джу захотел эту бабу увидеть — вот и все планы. Думал их тормознуть и перебазарить. Может, надеялся, что она с ним уедет, не знаю. Короче, едем мы назад и вдруг видим, что этот «жигуленок» на обочине стоит. Мужика вроде нет, а баба с дороги сходит. Короче, приспичило им. Тут роща рядом — самый раз... — он зло усмехнулся. — Джу-Джу подъезжает и чего-то ей говорит. Ну, типа, «в лесок, мол, собралась? Может, вместе прогуляемся?», и все такое. А она ему так спокойно — проезжайте мимо, молодые люди, я тут с мужем, не нарывайтесь на неприятности. А Джу-Джу еще больше завелся. Слезли они с Бэтменом с мотоцикла и к ней. Он говорит: «Если будешь мне угрожать, то горько об этом пожалеешь. Давай лучше договоримся по-хорошему. Сделаешь, мол, мне минет, и свободна, а иначе я вас тут вместе с мужем на лоскуты порву. Место глухое, никто вам не поможет». Джу-Джу если заведется, у него крыша капитально едет.

— А у тебя как дела с крышей? — поинтересовался Гуров. — У тебя она в тот момент тоже поехала?

— А что я? — угрюмо сказал Кадошкин. — Я даже с мотоцикла не сошел. Говорил ему — брось, Джу-Джу, поехали отсюда... Но он меня послал — и за этой бабой. И Бэтмен туда же, придурок. Цепь на руку намотал — это его любимый прикол, цепью народ пугать. Баба им чего-то сказала, а они только ржут и идут прямо на нее. А я смотрю — машины на дороге появились, и опять говорю — сваливаем отсюда! Они — нулем. Джу-Джу уже за грудь ее хватает... И тут эта баба вдруг достает пистолет и стреляет!

Он замолчал, мысленно вновь переживая жуткую сцену на дороге. Потом он опасливо покосился на Гурова и продолжил:

— Я к ней даже пальцем не прикасался! Честное слово — я даже мотор не выключал! Может, поэтому и жив остался. Я как увидел, что Джу-Джу и Бэтмен мертвые валяются, у меня в голове будто что-то отключилось. Даже не помню, как по газам ударил. Опомнился уже, когда за Кольцевой дорогой оказался...

— Ну, тут тебе виднее — помнить эти дела или не помнить, — сказал Гуров. — А вот кое-какие подробности, которые касаются женщины, постарайся припомнить обязательно. Насколько я понял, ее машину вы видели дважды. Не может быть, чтобы ты не запомнил ее номер, — он испытующе посмотрел в глаза парню.

— По правде говоря, я помню только цифры, — ответил Кадошкин. — Три-пять-девять... Машина старая, «восьмерка», такого тускло-синего цвета. Кто бы мог подумать, что в такой развалюхе такая крутая вумен катается?

— Твой дружок уж точно не подумал, — заметил Гуров. — Но это хорошо, что ты номер запомнил. А женщину сумеешь опознать, если увидишь?

— Опознать? — всполошился Кадошкин. — Это в суде, что ли? Мы так не договаривались!

— А мы никак не договаривались, — заметил Гуров. — Мы просто объяснили тебе, что есть вариант щадящий и есть очень болезненный. Щадящий — это если ты будешь во всем следовать нашим советам. И потом, неужели ты не хочешь, чтобы убийцу твоих друзей судили?

Кадошкин махнул рукой.

— Какие они мне друзья? — буркнул он. — Так, тусовались вместе... Я говорил Джу-Джу — не нарывайся! Но ему все было по барабану, — добавил он с тоской. — А я теперь расхлебывай! Батя из штанов выпрыгнет.

— Ну, кто в молодости не совершал ошибок, — глубокомысленно заметил Крячко. — Батя твой тоже наверняка не ангел был, должен понять. К тому же есть надежда, что этот случай отобьет у тебя охоту совершать подобные ошибки...

— Почему учиться не поступаешь? — спросил Гуров. — С виду вроде не дурак.

Кадошкин ничего на это не ответил.

— Ладно, что выросло, то выросло, — сказал Гуров. — Как поправишься, позвони. Мы тебя к себе пригласим — словесный портрет этой дамы составим. До суда еще далеко, а ее изображение нам позарез сейчас нужно.

— Да я ничего толком и не помню, — хмуро сказал Кадошкин. — Невысокая, светлая, стриженая. Плащ на ней тоже светлый такой был... Если бы сейчас увидел, может, и узнал бы, а так вряд ли что вспомню...

На том они и расстались. Выяснить принадлежность «Жигулей», номерной знак триста пятьдесят девять, не составило никакого труда. Совсем скоро Гуров и Крячко знали, что этот автомобиль принадлежит гражданину Гладилину Сергею Николаевичу, преподавателю университета, биологу, тридцати восьми лет, разведенному, проживающему на Красноказарменной улице. Дома его не оказалось — пришлось ехать в университет. Вот здесь-то и началось то, что Крячко с полным правом назвал недоумением.

Научное руководство характеризовало Гладилина как прекрасного специалиста, серьезного ученого и редкой порядочности человека. Он не брал взяток, не принимал спиртного, не курил и не имел беспорядочных связей. Единственным слабым его местом оказалась несложившаяся семейная жизнь, но даже и в этом случае Сергей Николаевич проявил себя с наилучшей стороны. По словам заведующего кафедрой, Гладилин утешение искал только в работе, а каждое воскресенье неукоснительно навещал сына, который теперь проживал с матерью в Раменском.

Последнее сообщение навело Гурова на некоторые размышления, и он постарался уточнить координаты бывшей жены Гладилина. Общими усилиями сотрудники сумели припомнить новую фамилию женщины и даже намекнули, что теперешний ее муж — богатый человек и бизнесмен, одним словом, не чета нищему преподу, как теперь принято выражаться.

Все это звучало достаточно странно, но самым странным было то обстоятельство, что после злополучного воскресенья никто из коллег Гладилина уже не видел. С понедельника он не вышел на работу и даже не звонил, что было совершенно не в его характере. Руководитель кафедры терялся в догадках. Он сообщил Гурову, что лично обзванивал больницы, предполагая, что Гладилин мог внезапно заболеть, но в больницах такого человека не оказалось.

— Признаться, было у меня искушение обратиться в морги, — смущенно поведал Гурову профессор. — Но я воздержался. Как говорится, не буди лихо, пока оно тихо. Мы все, конечно, люди науки, но судьба — это такая вещь... — он развел руками.

— Понимаю, — сказал на это Гуров. — Только, простите, почему вы начали сразу с больниц? Почему не попробовали обратиться сначала к родственникам Гладилина?

— Вы знаете, — объяснил профессор, — из близких родственников у Сергея Николаевича только родной брат, но он с ним как-то не ладит. Бывшая супруга, сами видите, теперь в другом городе, так что получается, что никого из его родственников мы тут и не знаем...

Уже порядком встревоженные, Гуров и Крячко выехали в Раменское. К ним хотел присоединиться и Жмырин, которому срочно требовалась смена обстановки. Он опять стал жертвой своего необузданного характера — после некоторого раздумья мать Ксении Лемеховой все-таки подала заявление в прокуратуру на неправомерные действия сотрудников МУРа по отношению к ее дочери, и теперь Жмырину приходилось отдуваться. Его уже вызывали к начальнику управления и в прокуратуру, и он написал несколько объяснительных. Гурова пока не трогали — видимо, Лемехова затаила зло персонально на Жмырина. Попутно выяснилось, что любовником этой женщины является один довольно влиятельный человек из Министерства юстиции, и в свете этого положение Жмырина выглядело совсем кислым. Он за один день осунулся, побледнел и растерял весь свой задор. Он уже предвидел следующую близкую неприятность — жалобу со стороны генерала Кадошкина, и это предвидение совершенно отравило ему существование.

— Вот увидите, — заявил он Гурову. — Кадошкина брали вы, но все шишки повалятся на голову Жмырина. Так было всю жизнь. Надо бросать к чертовой матери эту собачью работу.

— Надо самую малость соблюдать Процессуальный кодекс, — заметил на это Гуров. — Тогда и шишек на твою голову будет меньше.

Жмырин сказал, что подумает над этим, и попросился в Раменское, «чтобы не видеть больше эти рожи», как он выразился. Но Гуров его не взял, а оставил на месте, поручив заниматься поисками Гладилина и его машины. Жмырин должен был выяснить, не проходил ли этот человек по каким-либо сводкам, не попала ли его машина в аварию, и все прочее в том же духе.

Прибыв в Раменское, Гуров и Крячко через местное Управление внутренних дел быстро вышли на семью Кудасовых и, выяснив, что бывшая супруга Гладилина нигде сейчас не работает, поехали сразу же к ней домой.

Их встретила довольно симпатичная особа лет тридцати пяти, с замечательным цветом лица и прекрасной фигурой. Пожалуй, Гурова смутила в ней только прическа — по его мнению, парикмахер чересчур вдохновенно поработал над ней ножницами, так что получилось нечто диковато-футуристическое, но зацикливаться на этом он, конечно, не стал. «В конце концов, ей жить, — рассудил он. — Может быть, ее новый супруг любит все экзотическое?»

Кристина Кудасова была энергичной и уверенной в себе женщиной, это оперативники поняли сразу, но и она растерялась, когда сообразила, кто к ней пришел. На ее красивом лице отразилась такая мощная буря чувств, что Гуров сначала даже предположил, что она имеет какое-то отношение к событиям на Новорязанском шоссе. Правда, он довольно быстро догадался, что беспокоит Кудасову. Эта женщина жила исключительно будущим, и ничто, кроме обеспеченного будущего, ее не волновало. Теперь ей показалось, что милиция имеет какие-то претензии к бизнесу ее нового мужа, а значит, прямо угрожает ее будущему. Такая перспектива не могла не взволновать ее.

— Не беспокойтесь, Кристина Петровна, — успокоил ее Гуров. — Пока нас интересует только ваш бывший муж — Гладилин Сергей Николаевич.

На гладком лице Кудасовой отразилось неподдельное изумление. Она так недоверчиво уставилась на обоих оперативников, словно в голову ей внезапно пришло, что в дом к ней проникли двое ряженых, которые затеяли глупый и даже немного опасный розыгрыш.

— Вы чем-то удивлены, Кристина Петровна? — спросил Гуров.

Кудасова подняла вверх розовые руки, в меру унизанные перстнями и браслетами, и с чувством сказала приятным голосом:

— Вот этим самым и удивлена! Тем, что вас Сергей Николаевич интересует. Что этот тюха мог натворить? Задавил на дороге кошку?

— Кристина Петровна, — многозначительно заметил Крячко, глядя на хозяйку горящими глазами, — старший оперуполномоченный по особо важным делам не станет заниматься кошками!..

— Вот я и говорю, что все это довольно странно! — с нервным смешком отозвалась женщина. — Нет, правда, я не представляю, чем мой первый мог так заинтересовать органы внутренних дел. Да он улицу ни разу на красный свет не перешел — такой праведник!

— Вы это так говорите, будто быть праведником — извращение, — сказал Гуров, покачивая головой.

— А что, не извращение? — с вызовом произнесла Кудасова, храбро глядя Гурову в глаза. — Одна тоска от этих праведников. И сами не живут, и другим жизнь ломают. Я просто вздохнула, когда вырвалась из этого кошмара.

— В самом деле? Ну что ж, у каждого свое представление о прекрасном, — сказал Гуров. — Но нас сейчас интересует другое. Восьмого сентября ваш бывший муж был у вас?

— Был, — не задумываясь, сказала Кудасова и вдруг, резко побледнев, прижала ладони к щекам и охнула: — Боже мой! Я поняла! Сережку убили! Какой ужас!

Она вскочила, бесцельно метнулась куда-то в сторону, но тут же остановилась и бесстрастно произнесла:

— Все. Мне плохо.

Крячко мгновенно подскочил к ней, подхватил за талию и усадил в кресло.

— Экая у вас фантазия богатая, Кристина Петровна! — укоризненно сказал он, ища взглядом, где может быть вода. — И типун вам, кстати, на язык! С чего вы взяли, что Сергей Николаевич убит? Кто-нибудь из нас это сказал?

Кудасова успокоилась поразительно быстро. Она порозовела, глубоко вздохнула и проговорила со смешком:

— В самом деле... Не обращайте на меня внимания. Это нервы. Я почему-то подумала... Значит, он жив?

— Вот этого мы утверждать не можем, — серьезно сказал Гуров. — Дело в том, что после воскресенья Сергей Николаевич пропал. На работе он не появлялся, и никто не знает, где он. Мы надеемся, что вы сможете внести какую-то ясность в этот вопрос. Расскажите, что происходило здесь восьмого сентября...

Кудасова слегка наморщила лобик и довольно гладко рассказала, что происходило. В ее рассказе не было ничего необычного. По ее словам выходило, что все было чинно и благородно, без намеков на конфликты и недоразумения — отец повидал сына и спокойно уехал домой, а сын повидался с отцом и отправился на футбол с отчимом. Все остались счастливы и довольны.

— Вы точно уверены, что восьмого сентября не произошло ничего необычного? — с настойчивостью повторил Гуров. — Вы ничего не заметили странного?

Кудасова задумалась, а потом медленно пожала плечами.

— Н-нет, абсолютно! — сказала она. — Разве что Сергей был как-то особенно мрачен. Но он вообще мрачный человек. И он страдает, расставшись с нами, — я это отлично понимаю. Но жизнь есть жизнь. Каждый ищет свою половинку, вы меня понимаете?

— Кстати, насчет половинки, — сказал Гуров. — После развода Сергей Николаевич ни с кем не свел знакомства? Я имею в виду женщину. Может быть, вам что-то об этом известно?

— Сергей? — изумилась Кудасова. — Н-нет! Это невозможно. Не представляю его в этой роли...

— Ну почему же? — возразил Гуров. — Вы же выходили за него замуж.

— Выходила, — согласилась Кудасова. — Но учтите, что тогда все были моложе. И смотрели на мир несколько иначе. Сейчас я бы на эту удочку не попалась.

— И все-таки, — продолжал Гуров. — Ваш бывший муж приехал сюда на машине. Он был в машине один? Может быть, кто-то подсел к нему перед отъездом?

Кудасова посмотрела на него с удивлением.

— Ну не знаю, — протянула она. — Машина стояла прямо здесь, на глазах. Никого с ним не было. С Сергеем, я имею в виду. Да и не в его это стиле — появляться у бывшей жены с новой женщиной, — ее губы растянулись в саркастической усмешке.

— Он долго у вас здесь был? — спросил Гуров.

— Не знаю, часа три-четыре, — ответила Кудасова. — Потом мои ушли на футбол. Звали и Сергея, но он не пошел. Но это я уже говорила. Он попрощался, сел в машину и уехал. По правде говоря, выглядел он не важно. Я понимаю — ему сейчас нелегко, но он сам виноват. Всю жизнь думал только о себе и о своих проблемах. Вот теперь наступила расплата, а он совершенно к этому не готов. Не удивлюсь, если он сорвется и начнет пить. Так часто бывает. Кстати, вы не догадались проверить вытрезвители?

Ее взгляд был так ясен и простодушен, что Гуров даже не стал ничего объяснять. Он просто сказал:

— Да, мы все проверили. Вытрезвители здесь ни при чем. А скажите, Кристина Петровна, вам никогда не приходилось слышать такие фамилии — Толубеев, Кормильцев, Кадошкин?

— Н-нет, — растерянно помотала она головой. — Хотя Кормильцев, кажется, что-то такое пел? Вот только сейчас не вспомню, что именно...

— Не напрягайтесь, — вставил Крячко. — Этот Кормильцев не поет, это точно.

— Тогда не знаю, — уверенно сказала Кудасова. — Нет, правда, мне эти фамилии ни о чем не говорят.

— Понятно, — сказал Гуров и поднялся, собираясь уходить. — Спасибо за информацию, Кристина Петровна. Вот вам мой телефон. Если что-нибудь узнаете или вспомните о своем бывшем муже, пожалуйста, сразу звоните. А мы будем искать. Если что — мы с вами тоже свяжемся.

— Да уж, пожалуйста, свяжитесь, — сказала Кудасова. — Не чужой все-таки человек. И сын вот... Правда, Коля не возражает, чтобы Володя усыновил его, — добавила она неожиданно с неловким смешком, — но все же кровь есть кровь, правильно?

Сказано это было самым простодушным тоном, без малейшего намека, но тем не менее Гурову показалось, что он слышит в этих словах зловещий подтекст. Однако в искренности Кудасовой он нисколько не сомневался. Это было просто эхо его собственных мыслей.

На обратном пути Гуров и Крячко обсуждали полученную информацию, причем Крячко выдвинул версию, что они стали жертвой какого-то чудовищного недоразумения.

— Чертовщина какая-то! — восклицал он. — Человек, который за всю жизнь и мухи не обидел, не попадал ни в какие истории, не брал на лапу и вообще ничего предосудительного не делал, вдруг оказывается замешан в убийстве! Да такого просто не может быть. Скорее всего, этот чертов Кадошкин чего-то напутал. Или крутит. Сообщил нам запомнившийся ему номер...

— Однако почему-то ему этот номер запомнился, — сказал на это Гуров. — Ты много номеров запоминаешь, которые на дороге попадаются? И потом, ты забываешь, что Гладилин пропал. И как раз в тот день, когда все случилось. Нет, я уверен, что все это не так просто и Кадошкин действительно видел его автомобиль. Вот только меня беспокоит, что он не видел самого Гладилина. Боюсь, не случилось ли самое худшее... — покачал он головой.

— Ты думаешь?.. — начал Крячко, внимательно глядя на него.

— Вполне могло получиться так, — сказал Гуров, размышляя вслух. — Гладилин выехал из Раменского, а по дороге посадил к себе кого-то в машину. Возможно, это была женщина. Возможно — пара. Вряд ли он остановился бы, если компания была больше. По дороге пассажиры или пассажирка расправились с Гладилиным и завладели автомобилем. А дальше произошло непредвиденное — когда преступники пытались избавиться от трупа, вдруг появляются наши байкеры. Ситуация для преступников крайне неприятная — ломаются все их планы. Поневоле им приходится еще раз применить насилие...

— Все это прекрасно, — заметил Крячко. — Вот только труп Гладилина пока не обнаружен.

— Труп мог быть в багажнике, — отрезал Гуров. — В первую очередь нужно искать машину. Будем надеяться, что Жмырин на этом поприще кое-чего добился...

Говоря это, он даже не представлял, какой сюрприз приготовил им в Москве Жмырин. Новость была ошеломляющая — внимательно просмотрев сводки МВД, Жмырин обнаружил, что девятого сентября в своем собственном офисе был убит родной брат Гладилина. Убийца застрелил его из пистолета.

Глава 6

Способность более или менее связно соображать вернулась к Сергею Николаевичу Гладилину, только когда он уже добрался до своего дома, расположенного в самом конце Красноказарменной улицы. До этого Гладилин руководствовался скорее инстинктом, который безостановочно вел его прочь от опасного места, примерно так же, как тот уводит от охотников загнанного зверя. Правда, никто за Сергеем Николаевичем не гнался. Он убегал от самого себя, от того ужаса, который испытал на пустой дороге в сгущающихся сумерках этого катастрофически неудачного дня. Ничего подобного он прежде не испытывал. То, что произошло сегодня, не укладывалось в сознании. События сплелись в такой дьявольский клубок, будто кто-то нарочно хотел посмеяться над Сергеем Николаевичем, уничтожить его морально, а может быть, и физически тоже. Болезнь, унижение в доме бывшей жены, а потом это кошмарное убийство — такое кого угодно может свести с ума.

Будучи биологом, Сергей Николаевич кое-что понимал в инстинктах и, когда первый, самый сильный страх прошел, сумел взять себя в руки. Тогда он попытался осмыслить то, что произошло на дороге, и ему показалось, что более нелепой истории и нарочно нельзя было придумать. Одинокая женщина, неизвестно откуда вдруг очутившаяся на дороге, развязные байкеры с татуировками, которые тоже то появлялись, то исчезали, пока не нарвались на пулю, и, наконец, снова женщина, пропавшая так же непонятно, как и появилась.

На первый взгляд все это казалось абсурдом, цепью нелепых случайностей. Но потом у Сергея Николаевича возникли вопросы. Самым заковыристым был — куда исчезла его странная попутчица? Все остальное укладывалось в рамки логики — довольно дикой, но все же логики — байкеры вернулись, намереваясь развлечься на свой манер, а женщина оказалась вовсе не таким простым орешком и в два счета расправилась с ними. Оружие у нее, судя по всему, было с глушителем, потому что Сергей Николаевич мог поклясться, что выстрелов не слышал. Однако все это произошло за считаные минуты. Трудно было себе представить, чтобы сразу после двойного убийства, стоя над трупами, женщина сумела остановить попутную машину и уехать. Впрочем, он же остановился. Проезжий водитель мог подумать, что случилась авария, а потом женщина просто пригрозила ему пистолетом. Смущает только то, как все гладко у нее получилось. Совпадение почти невероятное. Гораздо легче было себе представить, что кто-то специально караулил женщину на том шоссе и в нужный момент оказался рядом.

Но тогда получается, что встреча блондинки с Гладилиным была спланирована заранее. Именно он был действующим лицом этой драмы, а вовсе не байкеры. Она никак не могла знать, что эти придурки вернутся. Тем более что она сама попросила остановить машину.

Зачем ей это понадобилось? В тот момент на шоссе он ни о чем другом не мог думать, кроме как о неких физиологических отправлениях. Невольно он и спутнице приписал свои проблемы. Теперь ему было совершенно ясно, что он ошибался. На шоссе в этот момент было пусто, они остановились возле рощи, а в кармане у женщины лежал пистолет.

По спине Гладилина пробежал холодок. Она села к нему в машину, чтобы убить именно его! Пораженный этой мыслью, Сергей Николаевич был вынужден сбавить скорость и даже затормозить. Его била мелкая противная дрожь. Вот теперь он напугался по-настоящему. Если она хотела убить его, тогда все сходится. Его спас случай. Он слишком торопился уединиться, а женщина полагала, что в роще ей уже ничто помешать не может, и не слишком торопилась. Но в этот момент случилось непредвиденное — вернулись байкеры. Видимо, они были достаточно агрессивными — пули, предназначенные Гладилину, полетели в них. Но после этого у женщины уже не было времени охотиться за Гладилиным — в любой момент могли появиться посторонние люди, милиция, становилось слишком опасно. Она подала сигнал сообщнику, он подъехал и забрал ее. В памяти у Сергея Николаевича промелькнула ярко-красная иномарка, которую он дважды видел на том участке дороги.

Впрочем, последний факт не имел значения. Насчет иномарки Гладилин мог и ошибаться. Важнее было понять, зачем кому-то понадобилась его смерть? Он никогда не имел сколько-нибудь значительных врагов, не занимал какого-то особенно теплого местечка, не ворочал крупными суммами, не распоряжался чьими-то судьбами. Таких людей, как он, в Москве были тысячи, и никто за ними не охотился. Самое ценное, что у него было, — это старые «Жигули» и квартира. Если кому-то пришла в голову мысль заделаться его наследником? Может быть, его не собирались убивать, а хотели предъявить ультиматум? Но зачем такие сложности? Зачем для этого нужно было караулить его на дороге? Например, угнать его машину в тот момент можно было запросто, но ее даже не тронули. Значит, машина отпадает. Остается квартира. Таких историй, когда оттяпывали квартиры у одиноких людей, Гладилин слышал множество. Но обычно страдали в таких случаях пьяницы, старики, инвалиды — те, кто не мог за себя постоять. Он не подходил ни под одну из этих категорий. И все же ему грозила опасность.

В горячке Сергей Николаевич даже заподозрил в кознях свою бывшую супругу и ее мужа, но, как ни ломал голову, придумать, зачем это могло им понадобиться, так и не смог. Притом что жизненные установки семьи Кудасовых не совпадали с принципами, по которым жил Гладилин, им обоим невозможно было отказать в некотором благородстве. Бывшая супруга могла ободрать Гладилина напоследок как липку, но делать этого категорически не стала, а что касается Кудасова, то для него жизненный уровень Сергея Николаевича вообще был поводом для шуток. При желании он мог купить себе три такие квартиры, как у Гладилина. Не стал бы он мараться с заказным убийством.

Но тогда кто? Сергей Николаевич дорого бы заплатил, чтобы получить ответ на этот вопрос. Гладилин был цельной и уравновешенной натурой, но такие вопиющие случаи надолго выбивали его из колеи. Так было и с разводом, только нынешнее положение было во сто крат хуже. Вдобавок Гладилину не с кем было посоветоваться, некому было излить душу. С Кудасовыми говорить на эту тему он не хотел категорически. Близких друзей у него не было — растерял на жизненных дорогах. Рассказывать же коллегам-преподавателям, как его чуть было не пристрелили при довольно пикантных обстоятельствах, Гладилину было стыдно. Наверное, нужно было обратиться в милицию, но, не сделав этого сразу, Сергей Николаевич боялся теперь последствий. По своей наивности он был убежден, что его постыдное бегство с места преступления будет расценено как грубое нарушение гражданского долга, если не как соучастие. Это, кстати, доставляло ему дополнительные терзания — то, что он своевременно не сообщил органам правопорядка о преступлении. Утешался Сергей Николаевич тем, что трупы на дороге будут обнаружены очень скоро.

А вообще ему было неловко излагать эту дикую историю посторонним людям. Кроме всего прочего, Сергей Николаевич всю жизнь боялся показаться в чужих глазах смешным. Вот и сейчас, испытывая ужас и омерзение, Гладилин почему-то был уверен, что сам со стороны выглядит крайне глупо.

Таким образом, получалось, что переживать весь этот ужас ему предстояло в одиночку. Мысль эта буквально жгла душу. Сергей Николаевич понял, что теперь он никогда не станет прежним. Что-то сдвинулось в нем, поменялось местами.

Сергей Николаевич продолжил путь, ведя машину предельно аккуратно и с подозрением всматриваясь в каждую фигуру, которая была похожа на милиционера. Он не очень понимал, чего, собственно, боится, но на всякий случай старался не нарушать правил и ехал очень медленно.

Наконец он свернул во двор, где, за неимением гаража, всегда оставлял машину. В этом отношении он был фаталистом — считал, что никому не придет в голову угонять его развалюху, а если и придет, то, значит, ей туда и дорога.

Вокруг него в домах весело горели огни, шла обычная жизнь, люди смотрели по телевизору новости, пили чай, рассказывали друг другу, как прошел день, укладывали спать детей, и ни один из них не чувствовал себя так плохо, как Гладилин. Сергей Николаевич был в этом убежден. Он не был эгоистом — просто слишком многое на него сегодня свалилось. Одного только визита к Кудасовым хватило бы, чтобы надолго испортить настроение, а тут еще этот кошмар...

На повороте Гладилин мельком взглянул направо и через дорогу увидел припаркованную возле тротуара машину. Он уже въехал во двор, когда его вдруг словно ошпарило — машина как две капли воды была похожа на красную иномарку с Новорязанского шоссе! И даже цвет ее, кажется, был тот же самый! И хотя Гладилин отлично знал, что при вечернем освещении самый зоркий глаз не отличит с такого расстояния серый цвет от красного, его словно наваждение охватило. Он, не останавливаясь, проскочил свой дом, потом весь двор и выехал из него с другой стороны — на Авиамоторную улицу. Здесь он затормозил, вышел из машины и с излишней горячностью побежал вкруговую к тому месту, где стояла подозрительная иномарка. Он просто должен был во что бы то ни стало убедиться, та ли это машина.

Он перешел на противоположную сторону улицы и, выбирая места потемнее, вернулся на Красноказарменную. Машина все еще стояла там. Гладилин повертелся на перекрестке и применил еще один маневр. Он вошел в чужой двор, обогнул дом и оказался как раз напротив того места, где была припаркована иномарка. Отсюда он ясно различил красный отлив на ее лакированных крыльях.

Гладилин беспомощно оглянулся. Его так и подмывало крикнуть: «Задержите их, проверьте у них документы!

Это они!» Но, во-первых, он все-таки не был уверен, что это они, а во-вторых, кто бы его послушал? Скорее уж его самого бы забрали для выяснения личности.

В самом деле, никаких особенных примет, чтобы Гладилин мог с уверенностью показать на нее пальцем, у этой машины не было. И все же только при одном взгляде на нее отчетливое чувство тревоги охватывало Сергея Николаевича. Эта неподвижная, с темными стеклами машина казалась ему зловещим существом, выжидающим в засаде свою жертву, и этой жертвой был он — Гладилин!

«Нет, это бред какой-то! — попытался он себя урезонить. — В городе десятки тысяч машин, тысячи из них красного цвета. У тебя просто расшалились нервы. Не будешь же ты теперь шарахаться от каждой иномарки? Кстати, какая все-таки марка у этой тачки?»

Преодолев робость, он осторожно приблизился к машине и взглянул на багажник. Это был «Ниссан». Сергей Николаевич удовлетворил свое любопытство, но это не принесло ему никакого облегчения. Он пожал плечами, смущенно втянул голову в плечи и быстро пошел прочь, ругая себя в душе на все корки. Уже свернув за угол, он сообразил, что раз уж он подходил к машине, то следовало бы взглянуть заодно и на номер. Но он этого не сделал — почему, Гладилин сам не мог объяснить. Эта простая мысль как-то не пришла ему в голову.

Сергей Николаевич загнал «Жигули» в свой двор, запер машину и пошел домой. Он был выжат как лимон. Ему даже есть не хотелось. Хотелось упасть поскорее на кровать и забыться мертвым сном. Он совершенно забыл, что совсем недавно у него мучительно болел живот. Теперь у него болела душа, а это было во сто крат хуже.

Он отпер кодовый замок подъезда и вошел в дом. Было тихо. Унылый электрический свет под потолком, плохо выкрашенные панели — все привычно и до тошноты знакомо. Но было еще что-то настораживающее, вызывающее холодок между лопаток. Гладилин остановился и прислушался.

Нет, это был не звук, это было что-то другое. Гладилин сначала никак не мог понять, что его смущает, и вдруг осознал — запах! В воздухе плавал слабый, но еще вполне отчетливый аромат духов. Здесь только что прошла женщина. И запах ее духов был очень хорошо знаком Гладилину. Потому что именно так пахло в салоне его «Жигулей», когда в него села блондинка с льняными волосами. Он не мог ошибиться. В духах Гладилин не разбирался, но запахи запоминал надолго. Это воспоминание было совсем свежим.

Гладилину опять стало страшно. Он задрал вверх голову и попытался рассмотреть, есть ли кто наверху. Ничего у него, конечно, не получилось, но ему показалось, что он слышит тихий шорох, будто кто-то этажом выше осторожно отошел от лестницы.

«Черт знает что! — с тоской подумал Гладилин. — Готов спорить, что все это мне мерещится, но я также готов спорить, что теперь у меня не хватит духу подняться к себе на этаж, потому что там стоит она. Она сидела в «Ниссане», когда я так глупо там нарисовался, а теперь опередила меня и дожидается у дверей, чтобы всадить мне пулю в лоб. Это естественно. Теперь я в любом случае нежелательный свидетель. На шоссе ее что-то спугнуло, но она решила исправить ошибку. Боже, что за чушь я несу!»

Сергей Николаевич прислонился спиной к стене и вытер рукавом выступивший на лбу пот. Это могло быть чушью, но это могло быть и правдой, и тогда подняться наверх означало одно — смерть. Гладилину вовсе не хотелось умирать. При всем критическом отношении к окружающему его миру Сергей Николаевич любил жизнь, любил свою работу, науку и верил, что однажды ему тоже улыбнется удача. Если сейчас на третьем этаже замкнутая женщина в изящном плаще выстрелит в него из бесшумного пистолета, удача ему уже никогда не улыбнется.

Гладилин попятился и на цыпочках вышел из дома. Стараясь не щелкать, он прикрыл дверь и рысцой побежал поперек двора. У него был один вариант — в доме напротив жил бывший коллега, преподаватель ботаники Кипренский, изгнанный из университета за пьянку. Гладилин не слишком любил этого человека, но все-таки, когда-то они вместе работали, имели общие интересы и до какой-то степени понимали друг друга. Теперь Кипренский опустился, работал грузчиком в соседнем магазине, веселя покупателей и собутыльников научными сентенциями, которые он вставлял в свою пьяную болтовню. Но больше Гладилину некуда было идти. В Москве жил его родной брат, но они с ним уже несколько лет были в ссоре, а остальные родственники давно отдалились настолько, что появиться у них без предварительного звонка было совершенно невозможно.

Кипренский был дома и был, разумеется, пьян в стельку. Увидев на пороге Гладилина, он прослезился и долго обнимал его, намочив слезами пиджак. Расспрашивать он ни о чем не стал, зато предложил немедленно выпить — разумеется, за счет Гладилина. Даже в этой ситуации Гладилин испытывал неловкость и, чтобы вознаградить Кипренского за гостеприимство, дал ему денег. Тот пришел в восторг, еще раз обнял Гладилина и убежал за выпивкой, пообещав через пять минут вернуться. Дожидаясь его, Сергей Николаевич сел в старое продранное кресло на кухне и незаметно для себя уснул тяжелым, но крепким сном.

Проснулся он, когда в окно уже вползал рассвет. Где-то за стеной у соседей телевизор вовсю наяривал новости. По квартире бестолково слонялся Кипренский, трезвый, опухший и мрачный. Похоже, он только что вернулся домой и теперь был сильно удивлен, обнаружив на кухне бывшего коллегу. Догадываясь, что кое-что важное вылетело у него из памяти, Кипренский решил своего удивления не показывать, а только хмуро извинился за то, что завтракать ему нечем и к тому же пора идти на работу в магазин. Гладилин не обиделся. Наоборот, он был благодарен Кипренскому за то, что тот не стал задавать никаких вопросов. Он только попросил разрешения посидеть у него еще часок. Кипренский не возражал — Гладилину он доверял, а кроме того, у него в доме давно не осталось ничего ценного.

Гладилин отсиживался в квартире бывшего коллеги до восьми утра, а потом прямиком направился к участковому. С утра он чувствовал себя значительно лучше, и решимости у него поприбавилось. Он рассудил, что в его положении контакта с правоохранительными органами все равно не избежать и разумнее будет не затягивать это дело. Своего участкового Гладилин не знал и, кажется, даже ни разу не видел, но счел, что начать следует именно с него.

Участковый Малюгин, сравнительно молодой, розовощекий, но очень серьезный с виду человек, только что появился в своем офисе, который назывался опорным пунктом правопорядка, но, похоже, собирался уже уходить и Сергея Николаевича принял неласково.

Гладилину Малюгин тоже не понравился. Он был в новой форме, с новенькой кожаной папкой под мышкой, весь какой-то хрустящий и как будто ненастоящий. Гладилина он выслушал не слишком внимательно, копаясь в каких-то бумажках на своем столе, потом неодобрительно оглядел с головы до ног и посоветовал написать заявление.

Это предложение явилось для Гладилина полной неожиданностью. Он всегда боялся заявлений, объяснительных и прочих письменных обращений. Но отступать на попятную было поздно.

— Написать? — только пробормотал он.

— Так точно, — неумолимо сказал Малюгин. — По полной форме. Напишете, принесете мне, будем работать. Сейчас вы не успеете, мне надо идти... — Он, сморщившись, посмотрел на часы. — Но это даже к лучшему. Может быть, еще что-нибудь вспомните. Значит, завтра в это же время я вас жду. А пока свободны!

Гладилин покинул опорный пункт правопорядка и отправился к себе домой. Не то чтобы он уже не боялся, но поддаваться страху при дневном свете было как-то стыдно. В подъезде никого не было, и уже ничто, казалось бы, не указывало на грозящую Сергею Николаевичу опасность, но на сердце у него все равно было неспокойно.

Особенно усилилась тревога, когда Гладилин отпер дверь и вошел в квартиру. Все здесь было по-прежнему — каждый предмет находился на своем месте, те же запахи, та же пыль на мебели, но тем не менее Гладилин был уверен — что-то здесь неуловимо изменилось. Он готов был голову дать на отсечение — в его жилище побывал кто-то посторонний.

Сергею Николаевичу показалось, что он сходит с ума. Он прошел в ванную, заглянул в настенное зеркало. На него взглянуло незнакомое, почти отталкивающее лицо — небритые щеки, лихорадочный блеск глаз, несвежий воротничок — ничего удивительного, что этот чистюля-участковый ему не поверил. Сергей Николаевич был сейчас похож на человека, только что вышедшего из запоя.

В таком состоянии он не мог идти на работу. Решившись сказаться больным, он позвонил на кафедру, но, как на грех, никого из преподавателей на месте не было. Трубку взяла молодая лаборантка, которая выслушала Гладилина и пообещала передать все заведующему. Гладилин был свободен и смог заняться своими делами.

Перво-наперво он побрился и принял душ. Потом позавтракал тем, что нашел в холодильнике, и стал думать, что делать дальше. И тут ему в голову пришла поразительная мысль. Он удивился, что она сразу не пришла ему в голову. Это было элементарно просто. Его спутали!

Его спутали с его любезным младшим братцем, с Гладилиным Владимиром Николаевичем. По характеру и роду деятельности брат был именно тем человеком, за которым вполне возможна охота. По мнению Сергея Николаевича, Владимир был законченным аферистом, мошенником, он обманывал людей и делал деньги на их доверчивости. Рано или поздно таких людей всегда настигает возмездие.

Но сейчас произошла ошибка. Вместо младшего брата мстители взялись за старшего. Эту ошибку нужно было немедленно исправить, а заодно предупредить этого прохиндея. Все-таки родная кровь.

Но для этого следовало прежде всего разыскать брата. У Сергея Николаевича где-то был его домашний телефон, но в порыве негодования он засунул эту записную книжку куда подальше, и теперь ее поиски заняли целый час. В довершение ко всему брата дома не оказалось.

Рабочего телефона у Гладилина не было. К тому же он довольно туманно представлял себе, чем в настоящее время занимается Владимир. На выяснение этого ушел практически весь день — пришлось обзвонить кучу знакомых и незнакомых людей, проверить множество медицинских центров и салонов. На заведение Владимира он вышел уже к вечеру. Брат подошел к телефону, но сначала не хотел даже слышать о встрече. Кое-как Сергею Николаевичу удалось убедить его.

Договорившись о встрече, он спешно отправился искать офис Владимира. «Жигули» стояли на том же месте, где он накануне их оставил. Уже заведя мотор и выехав со двора, Гладилин вдруг подумал, что при желании ему запросто могли воткнуть бомбу в машину, но, поскольку эта мысль явно запоздала и бомбы никакой не было, Сергей Николаевич успокоился и стал думать о том, что он скажет брату.

— Учитывая доводы, которые вы представили, решено было объединить эти два дела в одно производство, — сообщил Гурову генерал Орлов. — К сожалению, узнали вы о втором убийстве слишком поздно и кое-что, несомненно, упустили, но в вашем распоряжении, насколько я знаю, довольно подробные материалы. Во всяком случае, так мне докладывали...

— Да, ребята там поработали дотошные, — кивнул Гуров. — Ничего, кажется, не упустили. Но я согласен — если бы мы оказались первыми на месте преступления, то толку было бы больше. Но что выросло, то выросло.

— Ну и что ты обо всем этом думаешь?

Гуров пожал плечами.

— Пока у меня не только выводов, но и версий-то нет, — сказал он. — Мы были нацелены на это убийство на шоссе, которое казалось хотя и вопиющим, но в какой-то степени случайным эксцессом, а тут вдруг выясняется, что кому-то покоя не дают братья Гладилины. Или они друг другу покоя не дают... Не знаю.

— Да, братья... — вздохнул генерал. — Но ведь между ними мало чего общего, так?

— Совершенно верно. Один брат ученый, биолог. Судя по отзывам коллег, серьезный и скромный человек, а другой... По образованию филолог. Последние годы занимался тем, что лечил стареющих дамочек квантами, можешь себе представить? Имел лицензию, крупный заработок, от клиенток отбою не было. Мы с Крячко просмотрели его банк данных — там очередь на полгода вперед.

— Убийца — кто-то из клиентов? — живо спросил Орлов.

— Судя по всему, так оно и есть. Картина преступления выглядела, видимо, следующим образом: убийца появился в центре «Квант» под вечер. Видимо, дожидался, пока остальные пациенты разойдутся. Затем он был приглашен в кабинет на процедуры, где и выстрелил Гладилину в грудь. Затем произвел контрольный выстрел в голову. Никаких следов борьбы, никакой суеты. Затем, судя по всему, преступник спокойно вышел в холл, где застрелил женщину, которая была у Гладилина кем-то вроде регистратора. Он не хотел оставлять свидетелей.

— Ну да, его же знали в лицо! — подхватил генерал.

— Несомненно. Но имеется одна закавыка, — сказал Гуров. — Убийца постарался сделать все, чтобы уничтожить следы своего пребывания в центре. Уходя, погасил свет и тщательно запер двери. Однако компьютер на столе Гладилина остался включенным — подозреваю, что убийца стер там все, что касалось его личности. И еще он вырвал несколько страниц из книги регистрации. Сейчас наши специалисты изучают этот компьютер — надеются восстановить уничтоженную информацию. Хотя, думаю, ничего это нам не даст — вряд ли преступник зарегистрировался под своим собственным именем. Гораздо более перспективным представляется возможность восстановить фамилии прочих клиентов, записанных на тот же день. Среди них наверняка был тот, кто видел убийцу. Эксперты сказали мне, что это возможно, но необходимо подробно изучить записи Гладилина. На это потребуется некоторое время. Когда эти фамилии будут у меня в руках, появится реальная возможность составить словесный портрет убийцы. У нас уже имеется один — составленный по показаниям Кадошкина, — но он довольно слабый...

— А в свете того, что со вторым Гладилиным, гм... не все ладно, — предположил генерал. — Не может такого быть, что это он замочил братца? Какие у них были отношения между собой?

— Отношения были не самые приятные, — сказал Гуров. — Но, говорят, они не встречались месяцами. Правда, это не столько свидетельства, сколько слухи, но все-таки... Для убийства родного брата нужен серьезный мотив. И потом, вряд ли при этих обстоятельствах старший Гладилин мог быть клиентом младшего. Вспомни про уничтоженную информацию.

— Для отвода глаз, — подсказал генерал.

— Маловероятно, — покачал головой Гуров. — В любом случае убийство родного человека — огромный стресс. Сомнительно, чтобы в таком случае старший Гладилин сохранял такое хладнокровие. На работе его характеризуют как спокойного, но очень легко приходящего в волнение человека. В «Кванте» же действовал профессиональный убийца — это единственное, в чем я уверен на сто процентов. Убийство — заказное.

— В таком случае где второй брат и чей заказ выполнялся? — спросил Орлов. — Есть соображения на этот счет?

— Нам пока практически ничего не известно о младшем Гладилине, — сказал Гуров. — Придется перелопатить массу материала — клиенты, личные связи, «крыша», бухгалтерия, которую он вел... Скорее всего, тут замешаны какие-то денежные дела.

— Мне кажется, ты сам в это не слишком веришь, — заметил Орлов. — Между убийством на шоссе, к которому имеет отношение старший Гладилин, и... и его последующим исчезновением, кстати, а также смертью младшего явно имеется связь. Ты сам на этом настаивал и был абсолютно прав. На это косвенно указывают и данные баллистической экспертизы. Оружие-то то же самое, что и в первом случае, а?

— В самом деле, оружие то же, — согласился Гуров. — «Вальтер ПП», с глушителем. Если подтвердится, что и в байкеров, и в Гладилина выпущены пули из одного того же ствола...

— Я почему-то уверен, что подтвердится, — сказал генерал. — Слишком много совпадений.

— Да, наверное, подтвердится. Но дело в том, что старший Гладилин, как ты остроумно выразился, исчез, и мы не можем его нигде найти. Ни его самого, ни машину. Кое-что, правда, прояснилось. Крячко еще раз наведался в университет, на кафедру, где работает Гладилин, и выяснилось, что в понедельник утром Гладилин, оказывается, позвонил на работу и предупредил, что не может выйти, потому что заболел. Разговаривала с ним лаборантка, довольно легкомысленная особа, которая попросту забыла передать просьбу начальству и только потом, после моего прихода, когда на кафедре начали гадать, что такое могло случиться с Гладилиным, она вспомнила о звонке и призналась. Так что получается, что в понедельник утром Гладилин был еще жив, хотя и болен.

— Гладилин скрывается, — убежденно заявил генерал. — Однозначно. Он что-то знает и скрывается. Нет никаких оснований не верить показаниям сына Кадошкина. Вполне возможно, что на шоссе в его дружков стреляла женщина. Но это ведь не исключает, что у нее могли быть сообщники, Гладилин в том числе.

— Одного не пойму — с какой стати человек, сорок лет проживший на свете тихо и мирно, вдруг угодил в сообщники хладнокровных убийц? — пожал плечами Гуров. — Тут что-то не вяжется. Ты, Петр, прав — даже насчет младшего Гладилина я сомневаюсь. Не такой уж у него крутой был бизнес, чтобы так беспощадно его убирать. Мало ли таких целителей по Москве, и кто их трогает? Тут вот какая робкая идея у меня появляется...

Генерал заинтересованно посмотрел на него и наклонился поближе.

— Ну-ка, что там созрело в твоей черепной коробке? — спросил он. — Я же знал, что ты наверняка что-то уже придумал.

— Не то чтобы придумал, — возразил Гуров. — Так, забрезжило кое-что... Я вот что подумал — если в деле замешаны двое братьев, столь разных по характеру, то, может быть, вся загвоздка в том, что они оба стали невольными свидетелями чего-либо или вместе узнали что-то такое, чего постороннему знать никак не положено?

— Так! — Генерал откинулся в кресле, нахмурил брови и хрустнул пальцами. — И что же такое они могли, по твоему мнению, узнать, если месяцами не встречались и вообще были в ссоре? Какую такую военную тайну? Один биолог, преподаватель, а другой вообще непонятно кто — Остап Бендер от медицины?

— Ну, Петр, ты слишком многого от меня хочешь! — воскликнул Гуров. — Я только зачаточную идею изложил, а тебе сразу подавай адреса и явки! Откуда я знаю? Может быть, это вообще ошибка? Но, между прочим, круг общения у обоих был обширный, особенно у младшего брата. К нему ходили жены крупных бизнесменов, чиновников, генералов... Кто-нибудь из них вполне мог сболтнуть что-то лишнее. А встречались братья или не встречались — тоже еще надо уточнять. Может быть, в какой-то роковой день как раз и встретились?

— Ну что ж, мысль интересная, — подумав, сказал генерал. — Интуиция тебя вроде редко когда подводила. Давай копай в этом направлении. А Гладилина и его машину — немедленно в розыск! Пусть на всех дорожных постах навострят уши — я лично прослежу, чтобы все службы подключились. Согласись, что проще и надежнее все узнать от самого виновника, чем опрашивать кучу шокированных дамочек. Я, конечно, имею в виду, что Гладилин до сих пор жив. О чем-то другом мне и думать, признаться, не хочется.

— Мне тоже, — сказал Гуров. — Тем более что есть слабая надежда, что старший брат может появиться на похоронах младшего. С похоронами вышла заминка — из-за следственных мероприятий и еще потому, что родственники не сразу разобрались, кому достанется эта почетная обязанность. Близких родственников, по сути дела, нет — одни двоюродные тетки да троюродные братья. При жизни они друг друга, можно сказать, и в глаза не видели, а тут — раскошеливайся на погребение. Женат младший Гладилин не был, детей не имел. Естественно, вышло недоразумение. В конце концов разобрались, конечно, и сегодня похороны состоятся. Намерен присутствовать там лично. Вполне возможно, узнаю что-то интересное.

— Это в том случае, если на похороны потянет убийцу, — заметил генерал. — В жизни такое бывает, хотя и не так часто, как принято думать. А в остальном не думаю, что тебе сильно повезет. Сам говоришь, там сплошная седьмая вода на киселе.

— Как знать, — возразил Гуров. — Могут быть самые разные неожиданности.

К его удивлению, первая неожиданность ждала его уже в собственном кабинете. Едва Гуров переступил порог, как Крячко объявил:

— Представь себе, Лева, вся милиция с ног сбилась — ищет тачку Гладилина, на всех постах повышенная готовность, а его тачка знаешь где?

Глаза его горели огнем, как у ребенка, приготовившего сногсшибательный, по его мнению, сюрприз для родителей. Гуров устало поморщился.

— Не разбегайся, прыгай! — сказал он. — Где его тачка?

— В его собственном дворе! — объявил Крячко. — И похоже, она там все время стояла. Знаешь, как это бывает — вещь, которая на виду, становится как бы невидимой. А обнаружил ее местный участковый. Наш генерал такого везде шороху навел, что даже до участковой службы докатилось. Короче, этот парень записал на инструктаже номер, а поскольку память у него хорошая, то он его еще и запомнил. А когда шел по своему участку, то первая же тачка, попавшаяся ему на глаза, оказалась с этим самым номером. Он сверился со своими записями, а потом доложил начальству. Оттуда уже нам позвонили.

— Это очень интересно, — сказал Гуров. — С этим дотошным парнем следует обязательно поговорить. Если у него такой острый глаз, то, может, он что-нибудь и за Гладилиным замечал? Ты выяснил фамилию участкового?

— Не только выяснил, а даже потребовал, чтобы его немедленно направили к нам, — торжествующе сказал Крячко. — Так что скоро он прибудет. Его фамилия Малюгин.

Гуров посмотрел на часы.

— Значит, так, — сказал он. — Займешься этим Малюгиным сам. Выспроси у него все хорошенько. Что происходит у него на участке, знаком ли он с Гладилиным, и вообще... А я сейчас на похороны поеду. Младшего брата в последний путь провожать... А Жмырин так и не появлялся?

— Жмырин к адвокату Лемеховой поехал, — усмехнулся Крячко. — Баба, не будь дура, все дела через адвоката ведет. А тот из бывших следователей, между прочим, нашу кухню от и до знает. Пообещал Жмырину, что устроит ему веселую жизнь.

Гуров покачал головой.

— Я Жмырина не одобряю, конечно, — сказал он. — Но сейчас эти разборки совсем некстати. И ни к чему они, эти разборки. Особенно с участием бывших следователей. Вот немного разгрести бы все это, и надо бы как-то Жмырину помочь. Может быть, переговорить с этим адвокатом — пусть уговорит свою клиентку на мировую? Ну, заплатит Жмырин за моральный ущерб... Главное, чтобы на службе все нормально было.

— Странно, что генерал Кадошкин помалкивает, — вспомнил вдруг Крячко. — Нам с тобой тоже светит разбирательство.

— С Кадошкиным все утряслось, — сказал Гуров. — Петр намекнул, что с Кадошкиным был разговор на высшем уровне. В задушевном разговоре сошлись на том, что сын тоже вел себя не слишком красиво, при этом на удивление легко отделался, и посоветовали генералу не становиться в позу. Генерал внял совету. Так что Жмырин будет отдуваться один.

— Одного мы товарища никогда не бросим, — возразил Крячко. — Хотя какой он нам товарищ? Если честно, то неприятный он человек, этот Жмырин. Правда, толковый, вот что грустно.

Глава 8

День похорон выдался необычно жарким для сентября. Горячий воздух вяло струился над рядами надгробий, создавая иллюзию, будто колышется неподвижная желтеющая листва на деревьях. Из-за ограды печально и приглушенно доносился звук погребального оркестра, а с Кольцевой дороги долетал равномерный, ни на минуту не затихающий шум транспорта.

В полусотне метров от ворот кладбища в небольшой белой «Тойоте» сидела молодая женщина. Несмотря на тонированные стекла машины, она предпочла надеть черные очки. Судя по нетерпеливым взглядам, которые она бросала то на циферблат наручных часов, то на ворота, она кого-то ждала.

Ожидание затягивалось, и женщина, смирившись, закурила длинную тонкую сигарету, откинувшись на спинку сиденья, но продолжая внимательно наблюдать за людьми, которые выходили с кладбища. Ни в каких похоронах она явно не собиралась принимать участия, и то, что на ней в этот день был черный брючный костюм, являлось всего лишь совпадением. Волосы у женщины тоже были темные, искрящиеся, свободно распущенные по плечам.

Когда сигарета кончилась, женщина снова посмотрела на часы, а затем на ворота кладбища, и лицо ее просветлело. В ее сторону быстрым шагом шел высокий,

ЛОГИКА ПОЛКОВНИКА

чуть сутуловатый мужчина в расстегнутом плаще, из-под которого выглядывал черный костюм. Лицо мужчины с двумя глубокими морщинами по углам рта казалось серьезным и даже сумрачным.

Подойдя к машине, он оглянулся через плечо, беспечно мотнул головой и решительно открыл дверцу.

— Здравствуй, Светлана! — сказал он, усаживаясь на переднее сиденье. — Ты опять курила? Нехорошо! Ты давала слово, что бросишь.

— Что мне оставалось делать? — с некоторым раздражением сказала женщина. — Я обалдела тут тебя дожидаться. Место не самое приятное, согласись. К тому же у меня срочные дела, я нервничаю...

— Не сердись, — неожиданно печальным голосом сказал мужчина и, притянув женщину к себе, нежно поцеловал ее в висок. — Мы все в делах, в заботах, а потом все вдруг заканчивается вот в таком тихом уголке, и мы даже не успеваем попрощаться с теми, кого любим...

— Ты хочешь сказать, что так любил этого своего родственника? — с вызовом спросила Светлана. — Не смеши меня. Ты едва его знал.

— Ну, положим, не едва, — возразил мужчина. — В молодости мы были с ним довольно дружны. С ним, а особенно с его братом. Да и уже в наше время у нас с Владимиром были контакты. Но вообще-то я говорил в общем смысле. Если хочешь, то о нас с тобой. За суетой мы не видим главного...

— Суета и есть это самое главное, — убежденно сказала Светлана. — Не уверяй, Алексей, что не сможешь жить без меня. Ты не сможешь жить без своих идей, без всяких этих своих высоких частот и микрочипов. Как это ты говоришь — мы делаем будущее?

— Это разные вещи, — ответил мужчина.

— Я об этом и говорю — что это разные вещи. Но я не собиралась затевать с тобой разговор о смысле жизни. Ты просил меня приехать, и я приехала, хотя это совсем не входило в мои планы. Что такое стряслось? Какая была необходимость мне сюда приезжать? Наверное, и жена твоя тоже здесь?

Мужчина серьезно посмотрел на нее.

— Моей жены здесь нет, — сказал он. — Просто не обязательно, чтобы нас видели здесь вместе. А необходимость тебя увидеть, поверь, была, и очень серьезная. Мне нужно сказать тебе кое-что важное, и я прошу, чтобы ты меня внимательно выслушала.

— Это уже забавно, — Светлана посмотрела на него с недоверием. — Если сейчас ты скажешь, что нам надо на время расстаться, я буду просто в восторге.

Ее спутник отвернулся и посмотрел в окошко — туда, где люди в траурных одеждах рассаживались по машинам.

— Тебя ждут? — спросила Светлана.

— Нет, я сказал, что не смогу присутствовать на поминках, — ответил Алексей. — Но, между прочим, ты почти угадала — нам действительно следует некоторое время не встречаться.

— Та-ак! И он еще спрашивает, почему я опять закурила! — с иронией произнесла Светлана, доставая из сумочки еще одну сигарету. — Честно говоря, сейчас я бы и от коньяка не отказалась. Чтобы приглушить душевную боль...

Она щелкнула зажигалкой, затянулась и сказала неожиданно горьким тоном:

— Оказывается, это совсем не забавно. Знаешь, это действительно очень болезненные ощущения...

Алексей медленно повернулся к ней.

— Ты не понимаешь, — покачал он головой. — Я не собирался причинять тебе боль. Между нами все остается по-прежнему. Просто из некоторых соображений мы должны быть сейчас подальше друг от друга. И это очень серьезно, поверь мне.

— Жена о чем-то догадывается? Мне кажется, тебя это никогда особенно не волновало.

— Жена тут ни при чем, — поморщился Алексей. — И я прошу тебя — не задавай дурацких вопросов! Если бы я мог объяснить, я объяснил бы все с самого начала. К сожалению, это невозможно, и я просто прошу мне поверить. Когда все кончится, я сразу тебе скажу.

— Что кончится? — холодно спросила Светлана. — Я не понимаю.

— Кончится этот неблагоприятный период, — уклончиво сказал Алексей. — Не забивай себе голову. В конце концов, у тебя же есть своя суета... — он слабо улыбнулся.

Светлана раздраженно фыркнула, выпустила носом табачный дым и заявила:

— Да, к счастью, мне есть чем заняться. А ты не боишься, что к тому времени, как закончится твой период, в моей суете уже не будет для тебя места?

— Боюсь, — признался Алексей. — Но еще больше я боюсь... — Он замялся, потом махнул рукой и продолжил: — Ну, не могу я ничего объяснить! Сам до конца не уверен. Но у меня предчувствие. Одним словом, все уже решено. Ты всегда была умной женщиной, пойми меня и на этот раз. Так будет лучше для нас обоих.

— Ну так, — решительно произнесла Светлана, затушив в пепельнице сигарету. — У меня больше нет времени. Я и так убила его на тебя целый вагон. Наверное, стоит заняться чем-то более разумным...

— Зря ты злишься, — мягко заметил Алексей.

— С чего ты взял, что я злюсь? — пожала плечами Светлана. — Подвезти тебя напоследок?

— Ты так ничего и не поняла, — поморщился Алексей. — Я же сказал, что пока нас не должны видеть вместе.

— Нас больше не увидят вместе, — сказала Светлана. — Ни разу. Это я тебе обещаю. Но если ты решил расстаться немедленно...

— Черт! Да, я решил расстаться немедленно! — неожиданно вспылил Алексей. — Если иначе твои мозги работать не могут... — Он сильно дернул за ручку дверцы. — Значит, понимай именно так!

Светлана внимательно следила за ним и в последний момент сказала совсем другим, почти умоляющим тоном:

— Остановись! Я готова выполнить все твои условия. Даже не буду больше спрашивать, почему и отчего. Все равно с моим умишком мне этого не понять. Я согласна не встречаться, пока ты не дашь команду. Видишь, я как преданная собачка... Но сегодня ты можешь уделить мне капельку внимания? Я нервничаю с самого утра, строю самые ужасные предположения... Я же видела, что ты приехал не на своей машине. Просто подброшу тебя до центра... Не хочется расставаться вот так — со злом...

Ее спутник, помрачневший и раздраженный, действительно задумался, убрал ногу, которую уже поставил на асфальт, и медленно захлопнул дверцу.

— Ладно, будь по-твоему, — сказал он, неловко усмехаясь. — А то действительно как-то не по-человечески... Только уговор — больше об этом ни слова. Лучше расскажи, чем собираешься сегодня заниматься?

— А! Есть один заказ, — ровным голосом произнесла Светлана, заводя машину. — Вчера позвонила дама и заявила, что желает обустроить свой участок. Она приобрела дом в каком-то новом элитном поселке — по Калужскому шоссе, кажется, — и теперь ей нужен модный ландшафт. Она так и выразилась. Кто-то из знакомых порекомендовал ей меня как дельного специалиста, и вот она позвонила нам в бюро и договорилась со мной о встрече. Так что еду сейчас к очередным нуворишам. Надеюсь, они не станут скупиться и отстроят ландшафт по полной программе. Знаешь, сейчас все помешались на ландшафтном дизайне, и каждый стремится перещеголять соседа. Один, например, загорелся отрохать на своем участке точную копию Версаля! Правда, об этом мне только рассказывали — не знаю, насколько это со-

ЛОГИКА ПОЛКОВНИКА

ответствует действительности... Скоро начнут возводить на своих участках горы и высаживать кокосовые пальмы... — Она засмеялась. — Нам, собственно, это не в убыток...

Алексей рассеянно слушал ее — внимание его в этот момент сосредоточилось на высоком широкоплечем человеке с седыми висками, который садился в «Пежо», припаркованный неподалеку от ворот кладбища. На человеке был черный костюм, он скорбно стоял на заднем плане, пока гроб с телом Владимира Гладилина опускали в могилу, и он только что расстался с одной из тетушек покойного, но Алексей готов был поклясться, что к похоронам этот человек имеет самое косвенное отношение.

— Он что-то здесь вынюхивает, но что? — пробормотал он сквозь зубы. — Если бы знать...

Светлана с укоризной посмотрела на него.

— Мне казалось, что тебя интересуют мои планы, — сказала она.

— Что? Ну да, конечно, интересуют! — спохватился Алексей. — Просто я никогда раньше не видел этого человека. Наверное, кто-то из Володькиных знакомых... Знаешь, на похоронах были женщины, которых он еще вчера пользовал своими «лучами». Многие рыдали. Удивительно устроен этот мир! Им правят иллюзионисты. Они ведут за собой людей, они придумывают для них богов, и они же, в конечном счете, снимают все сливки...

— Ну, про твоего родственника уже трудно сказать, что он снимает сливки, — заметила Светлана. — По-моему, ему-то как раз не повезло. И очень сильно.

— Да, Володьке не повезло, — наклонил голову ее спутник. — Но это исключение, которое лишь подтверждает правило. Я начал с того, что Володьку боготворили женщины. Знаешь, за что они его любили? Он поставил в своем офисе несколько старых списанных генераторов, которые выпросил у меня еще года три назад, и назвал их излучателями квантов. Представляешь? Эти ящики даже в старом качестве не могли ничего излучать в принципе. У них только лампочки светились на панели. Но женщинам оказалось этого достаточно, чтобы почувствовать себя моложе и здоровее...

— В твоих словах я слышу торжество ярого антифеминиста, — заметила Светлана. — Наверное, дело было все-таки не в лампочках, а в той атмосфере внимания, которую создавал твой родственник. Женщинам этого вполне достаточно — атмосферы благожелательности и внимания... — Она на мгновение повернулась и серьезно посмотрела в глаза Алексея.

Тот нисколько не был смущен.

— То есть того, чего я тебе дать совсем не способен, — с иронией произнес он, кивая головой. — Наверное, так оно и есть. Ты сейчас к себе в офис?

— Нет, мы договорились, что я встречусь с клиенткой у памятника Маяковскому.

— Тогда высади меня, не доезжая Садового кольца, — попросил Алексей. — Мне пора.

— Опять в свою лабораторию?

— Ну а куда же? — улыбнулся Алексей. — Человек никогда не перестанет задавать вопросы и искать на них ответы...

— Интересно, когда я получу ответы на свои вопросы? — спросила она, подъезжая к тротуару и останавливая машину.

Он наклонился и поцеловал Светлану в щеку.

— Это время придет, — сказал он. — Только нужно чуть-чуть подождать.

Алексей открыл дверцу, вышел из машины и, не оглядываясь, зашагал в сторону Смоленского бульвара. Светлана смотрела на его сутуловатую широкую спину, спину усталого, но сильного и уверенного в себе человека, и ничего не могла придумать. В голове было необычно пусто. Такого поворота она не ожидала. Этот человек стряхнул ее с колен, как надоевшую кошку, пообещав, что, возможно, еще как-нибудь приласкает ее. В те туманные причины, на которые он ссылался, Светлана абсолютно не верила. Алексей был мастер на всякие риторические фигуры и никогда не желал прислушиваться к чужому мнению. Вселенная существовала только в его гениальном мозгу и должна была подчиняться только ему. Все, что ее населяло, являлось плодом его воображения, она, Светлана, в том числе. Когда она пыталась возражать, это попросту казалось Алексею смешным. Но с этим приходилось жить. Она любила сильных мужчин.

Когда высокая фигура Алексея исчезла в толпе прохожих, Светлана завела мотор и поехала на Триумфальную площадь. Она уже опаздывала и потому спешила — нельзя, чтобы из-за всех этих личных передряг страдал бизнес. Не те сейчас времена — если ты не самодостаточна и не крутишься как белка в колесе, ты никого не интересуешь. Ты действительно становишься как бы плодом чьего-то воображения. Реальность всему придают только деньги, зеленые хрустящие бумажки. Это они наполняют жизненной силой современный мир, что бы там ни говорили идеалисты.

Накануне они договорились с клиенткой, что осматривать участок поедут на машине Светланы. Это было довольно необычно — как правило, заказчики ждали ее в своих владениях. Светлана предлагала подъехать прямо на место, но эта клиентка заявила, что так ей будет удобнее. Спорить не было смысла — желание покупателя закон.

Светлана еще не общалась с новой заказчицей лично — только по телефону — и почему-то представляла ее молодящейся особой бальзаковского возраста, кричаще разодетой и с вульгарными манерами. Но возле памятника Маяковскому ее дожидалась молодая тихая женщина в светлом плаще, с короткой стрижкой и с небольшой сумочкой в руках. Она совсем не выглядела той самоуверенной особой, за которую Светлана эту женщину приняла, разговаривая с ней по телефону. Отстраненность новой клиентки подчеркивали также черные очки, надежно прятавшие ее взгляд от посторонних. Кроме нее, никого возле памятника не было, и Светлана без колебаний направилась прямо к ней.

— Авдеева Елена Владимировна — я не ошиблась? — спросила она, улыбаясь. — А я — Светлана, тот самый дизайнер, с которым вы вчера разговаривали.

— Очень приятно, — ответила женщина с некоторой заминкой. — Я рада, что вы столь обязательны. Не люблю ждать.

— Я тоже, — сказала Светлана. — Поэтому не будем медлить. Я готова ехать. Это далеко? Как, вы сказали, называется ваш поселок?

Женщина пожала плечами.

— Разве я говорила? — возразила она. — Красный Ключ. Шестьдесят километров по Калужскому шоссе... А вас что-то смущает?

Голос ее звучал требовательно и слегка раздраженно. Светлана подумала, что все-таки тот образ, что сложился вчера в ее голове, тоже имеет право на существование. Простушкой клиентку никак нельзя было назвать.

— Нет, не смущает, — сказала она с улыбкой. — Просто я ни разу не слышала о поселке Красный Ключ, хотя по роду деятельности такая информация не должна была пройти мимо меня...

— Это совсем новый поселок, — сказала Авдеева. — Можно сказать, зародыш поселка.

— У вас там участок? Стройка? — спросила Светлана. — Дело в том, что, если там ведутся строительные работы, боюсь, рано делать какие-либо прикидки.

— Там нет стройки, — сказала клиентка. — У меня есть проект будущего дома. Есть его виртуальный проект. Вы посмотрите его, посмотрите участок и что-нибудь посоветуете. Строительство будет осуществляться уже на основе ваших рекомендаций.

— Довольно редкий, но разумный подход, — согласилась Светлана. — Мне нравится ваш взгляд на вещи.

— В таком случае, может быть, поедем?

— Да, разумеется, — сказала Светлана. — Идемте, вон моя машина.

Они поехали. Клиентка все время молчала, и это странным образом начинало нервировать Светлану. Она привыкла к более открытым отношениям и боялась, что отсутствие контакта между ней и заказчицей приведет к тому, что сделка сорвется.

— Вообще, хотелось бы заранее знать, какой стиль вы предпочитаете? — спросила она. — Европейский, восточный? Что-то еще? Мне было бы легче ориентироваться, если бы я знала ваш вкус.

— Это не имеет никакого значения, — сказала Авдеева. — Я целиком полагаюсь на вас. Мне главное, чтобы было стильно и не мешало жить.

— Понятно, — сказала Светлана, хотя на самом деле была озадачена.

Теперь они молчали вдвоем — до самого выезда из Москвы, когда Светлана обратила внимание, что за ними постоянно движется ярко-красная машина. Это показалось ей странным, и она поделилась своими сомнениями с клиенткой.

— Это мой секретарь, — невозмутимо пояснила Авдеева. — Моя тень, если хотите. Он нам пригодится. У него все материалы.

Вероятно, это звучало достаточно убедительно, но отчего-то Светлана почувствовала себя неуютно. Спутница, кажется, уловила ее растерянность и заметила:

— Теперь вы понимаете, почему я не предложила вам подъехать прямо на место? Скорее всего, вы бы заблудились, и мы потеряли бы целый день. Я сама еще не слишком хорошо знаю дорогу. Но мой ангел-хранитель нам, в случае чего, поможет.

На этот раз Светлана предпочла промолчать. Она внезапно почувствовала удивительное равнодушие ко

Н. Леонов, А. Макеев

всему. Ей вспомнились волевые глаза Алексея, его жесткие складки у рта, его беспощадные слова, ни в одном из которых он ни на секунду не сомневался. Светлана подумала с горькой иронией: «Вот он ушел, и все потеряло смысл. И работа, и самодостаточность, и люди вокруг кажутся полными идиотами... Должно быть, я действительно никто, порождение его грубой мужской фантазии...»

Поглощенная своими мыслями, она уже не слишком тяготилась обществом странноватой замкнутой заказчицы. Даже толком не заметила, как проскочила Кольцевую автодорогу и выехала на Калужское шоссе. По часам получалось, что едут они уже не менее получаса. Вдоль дороги тянулись тронутые осенним золотом леса. В зеркале заднего вида неотрывно маячило алое пятнышко — ангел-хранитель был на месте.

— Видите впереди поворот направо? — вдруг спросила Авдеева. — Нам туда.

Светлана удивленно посмотрела на нее.

— Я полагала, что ваш поселок находится дальше, — сказала она.

— Разумеется. Но этой дорогой мы доберемся скорее.

— Вы уверены? Если мы будем ехать проселочными дорогами, то скорее заблудимся, — засомневалась Светлана. — Я-то уж точно.

— О боже! — пробормотала Авдеева. — Вы всегда спорите со своими клиентами? Это не слишком-то разумно...

«Не более неразумно, чем ездить по лесам, — мысленно парировала Светлана. — Но в конце концов, это ее дело. Тут она права — если хочешь зарабатывать деньги, приходится смиряться с любым прибабахом заказчика».

Она свернула на боковую дорогу и въехала в лес. Дорога была сухой и хорошо укатанной. По обочинам лежали желтые листья. Их пока было немного.

«Скоро зима, — невольно ежась, подумала Светлана. — Снова снег, ветер и красный нос. Нет, не люблю я зиму!»

Она посмотрела в зеркальце. За листвой не было видно, следует ли за ними красный автомобиль.

— Вы представляете, куда дальше ехать? — спросила она у Авдеевой.

— Как видите, поворотов здесь нет, — парировала та, но вдруг сказала: — А впрочем, остановитесь-ка, я сверюсь с картой.

Светлане не понравилось, каким тоном это было сказано. Она подозрительно посмотрела на свою спутницу, но послушно нажала на тормоз. Машина остановилась. Вокруг было удивительно тихо — Светлана даже различила шорох упавшего на крышу листа.

Авдеева с озабоченным видом раскрыла сумочку и запустила в нее руку.

«Странная она все-таки, — мелькнуло в голове у Светланы. — Я бы сказала — более чем. Ей бы полечиться надо, а не ландшафты на даче устраивать... Боже, что это?!»

В руке Авдеевой был зажат пистолет.

— Выходи! — сказала она.

Светлана взвизгнула и, сама не понимая, что делает, извернулась и ударила Авдееву каблуком в грудь. Автоматически нащупала ручку дверцы, надавила на нее и вывалилась наружу.

— Помогите! На помощь! — закричала она и, спотыкаясь, бросилась бежать в лес.

Авдеева сквозь зубы чертыхнулась, аккуратно подняла с сиденья упавшие после удара черные очки и сунула их в карман. Внимательно посмотрела по сторонам, а потом быстро выбралась из машины и легким бегом пустилась вслед за Светланой. Она не слишком торопилась — та не могла далеко уйти на высоких каблуках.

Между стволов мелькнул черный силуэт. «Так и есть — бедная девушка уже выдохлась! — злорадно подумала Авдеева. — А туфельки сбросить ума не хватило».

Она пошла прямо на Светлану. Та резко обернулась и уставилась на странную женщину полным ужаса взглядом.

— За что?! — в отчаянии выкрикнула она.

— Какая тебе разница — за что? — удивилась Авдеева и нажала на спусковой крючок.

Глава 9

К началу церемонии Гуров немного опоздал, но довольно быстро выяснил, в какой части кладбища происходит захоронение, и через несколько минут присоединился к процессии. Несмотря на то что родственники Гладилина долго не могли решить, кто возьмет на себя инициативу в столь печальном и затратном деле, похороны вышли на славу. Судя по всему, всех удовлетворила перспектива вероятной компенсации расходов — за одиноким Гладилиным оставалось приличное наследство.

Гроб был из хорошего дерева, надгробие из мрамора, и оркестр играл, почти не фальшивя. Речей над могилой было маловато, но женщины, которых собралось немало, плакали. Провожающие держались как бы двумя не смешивающимися между собой группами — одну представляли родственники покойного, в основном пожилые и серьезные люди, а другую — женщины от тридцати до пятидесяти, хорошо одетые, пахнущие духами и безутешные. Вполне возможно, что кто-то из них был свидетелем последних часов жизни Гладилина и даже видел убийцу.

Однако сейчас Гуров не стал этого выяснять. На основании записей в компьютере Гладилина эксперты должны были точно установить фамилии свидетелей, и не стоило сейчас суетиться. Кладбище не место для суеты. Однако кое-что Гуров все-таки решил разузнать. Но для этого он пристроился поближе к группе родственников и, изучив незнакомые ему лица, выбрал маленькую седую старушку, не по годам бойкую и, видимо, по натуре смешливую, потому что даже сейчас она с большим любопытством шныряла по сторонам глазами и время от времени улыбалась, хотя тут же старалась от этой улыбки избавиться и приобрести чинный и строгий вид, более соответствующий обстановке.

Она тоже приметила Гурова и, когда он подошел к ней, кивнула ему как хорошему знакомому.

— Жарища сегодня, не приведи господь! — шепнула она, кивая на небо. — Вставайте сюда, в тенек, а то враз напечет голову...

— Здравствуйте, — негромко сказал ей Гуров. — Меня зовут Лев Иванович. А вы, наверное, родственница Владимира Николаевича?

— А я и сама уже не пойму — родственница я или нет, — сокрушенно сказала старушка. — Мой муж, покойный Иван Трофимович Губанов, доводился ему троюродным дядей по матери — как это правильно сформулировать, я и до сих пор не знаю. Родной крови между нами, выходит, не было, однако и чужими назвать тоже нельзя. Если бы здесь был Иван Трофимович, то уж точно мы были бы родственники. А как я одна в таком качестве... — она пожала сухонькими плечами.

— Ну полагаю, раз вы здесь, то вполне можете считаться родственницей, — сказал Гуров. — Вы же знали покойного? Простите, как ваше имя-отчество?

— Антонина Ивановна, — сказала старушка. — Антонина Ивановна Губанова, обломок, так сказать, сталинской империи. Мой муж на высоком посту в свое время был. Да еще где — в самом НКВД! Сейчас-то это звучит дико, а раньше это была рекомендация — лучше не придумаешь. Самое-то смешное, что отец Ивана Трофимовича в Белой армии служил, в чине полковника. Потом, правда, к большевикам ушел — должно быть, в душе что-то сломалось... Ну а с тех пор вся наша семья верой и правдой служила народному делу... Видите, как все перемешалось? А Володю я, конечно, знала — раньше мы все беднее жили, но дружнее. Его родители по строительной линии работали, часто в командировках бывали, а так сложилось, что в семидесятых мы с ними неподалеку проживали, в Сокольниках. Вот они к нам иногда детишек и приводили — Сергей-то постарше, а Володя еще совсем малыш был. Я его и потом видела, конечно, но запомнила вот четырехлетним пацаном. Чудно, правда? Так он у меня перед глазами и стоит — белобрысый, глазенки наивные... А где он, тот пацан? И Володи-то уж нет, а я все скриплю, старая карга...

— Судьба, — коротко сказал Гуров.

— Судьба, конечно, — согласилась старушка, хитро взглядывая на Гурова. — А вы, Лев Иванович, не по следственному ли ведомству будете?

— Скрывать не стану, я из милиции, — признался Гуров. — А что — заметно?

— У меня глаз наметан, — с гордостью сказала Антонина Ивановна. — Иван Трофимович всю жизнь погоны носил, огонь и воду прошел, и я настоящего мужчину нюхом чую. Да и странно было бы, если бы милиция здесь не появилась — убийцу всегда ведь тянет посмотреть на дело своих рук, правда?

— Ну, это не аксиома, — возразил Гуров. — Но получить представление о родственниках погибшего я просто обязан.

— Вы, наверное, подозреваете кого-то из нас! — заговорщицки прошептала старушка. — И это правильно! Я прожила большую жизнь и знаю, какими негодными могут быть твои собственные родственники. Это называется — пригреть змею на своей груди...

— Ну, я не думаю, чтобы Владимир Гладилин слишком тепло относился к своим родственникам, — заметил Гуров. — Никто пока этого не подтверждает. Говорят, он даже с родным братом месяцами не разговаривал. Кстати, старшего брата, кажется, нет на похоронах?

Старушка озабоченно оглянулась по сторонам.

— Да, Сережи тут нет, — сказала она с сожалением. — Не знаю, в чем причина. Мне говорили, что между ним и Володей кошка пробежала, но я, честно говоря, не поняла, в чем там дело. Сережа всегда был прямым и честным. Книжки читал. Очень серьезный был мальчик. А Володя с детства был как ртуть — все проказничал, на месте минуты усидеть не мог. Старший брат всегда на него ругался.

— Итак, его здесь нет, — заключил Гуров. — Но, может быть, кто-то знает, где он?

— Может быть, он в командировке? Или в отпуске? Хотя нет, он же преподает в университете — какой отпуск? Я и сама не понимаю, почему его здесь нет. И никто, по-моему, этого не знает. Но вы же сами видите, какое здесь старье собралось. Мы и между собой-то мало общаемся, встречаемся только на похоронах... А Володя с Сережей — люди еще молодые, своя жизнь, м-да...

— Да, это все очень печально, — подхватил Гуров, заметив перемену в ее настроении. — Но ведь кто-то из родственников взял на себя заботы по организации похорон? Наверное, он должен был оповестить всех?

— А всех и оповещали. Кто хотел, тот пришел. Значит, не захотел. Сейчас все такие жестокие стали! Если затаит человек обиду, так даже и могила его не примирит. А вы уж не на Сережу ли думаете? — Антонина Ивановна подозрительно уставилась на Гурова. — Вот это уж вы зря! Он с детства не способен был на дурной поступок, а человек с детства мало меняется. Поверьте, я уж знаю, что говорю!

— Вы зря волнуетесь, — успокоил ее Гуров. — Сергея Гладилина мы в убийстве не подозреваем. Но то, что его здесь нет, это неспроста. Возможно, ему тоже угрожает опасность. Так что если появится хотя бы малейшая информация о старшем брате — она должна быть немедленно доведена до нашего сведения, понимаете?

— Я-то понимаю, — сказала Антонина Ивановна. — Только откуда мне взять эту вашу информацию? Сейчас вот проводим Володю, всплакнем, помянем и — по домам. Своей очереди дожидаться будем. Какая уж тут информация? Он небось уж и не помнит, Сережа, что живет на свете такая Антонина Ивановна Губанова...

В толпе, окружавшей свежевырытую могилу, произошло движение. Жилистые загорелые парни из похоронной бригады стали опускать гроб в яму, и все невольно придвинулись поближе. Какая-то женщина заплакала в голос.

— По-моему, если убийцу искать, то только среди этих дамочек расфуфыренных, — неожиданно сказала Антонина Ивановна. — Говорят, Володя их какими-то лучами лечил. Не знаю, что из него за лекарь, только вот с такими дамочками мужчине особенно нужно ухо востро держать. Такие истерички запросто могут выстрелить. Из ревности или еще что-нибудь себе вообразят... А потом волосы на себе рвут. Вот увидите, еще кто-нибудь из них к вам придет — каяться.

— Вполне возможно, — согласился Гуров. — Только пока никто не приходил еще. Но с ними мы обязательно со всеми побеседуем. Они у нас все на примете. Нам бы вот с родственными связями разобраться. Неужели братья Гладилины ни с кем из родни близко не общались?

— А вы сами разве не так? — откликнулась Антонина Ивановна. — Вы-то своих теток-племянников сколько раз в год видите? Общаетесь с теми, в ком нужда — по службе, там, с женой...

— Это верно, — поддакнул Гуров. — Большой город разъединяет. Но я вижу тут и мужчин помоложе. Может быть, они все-таки почаще общались?

Антонина Ивановна приподнялась на цыпочках.

— Вон, видите, такой высокий, худой, в сером плаще? — спросила она. — Это Алексей Ямщиков, сын Петра Алексеевича Ямщикова. Тот в пятидесятых годах в Управлении железных дорог работал. А сын его университет окончил, физиком-электронщиком стал. Работал долго на каком-то закрытом военном заводе, потом вроде ушел, коммерцией занялся, а теперь, говорят, опять в какой-то лаборатории наукой занимается, чего-то конструирует. Башковитый он, Алексей!.. Они с Сережей Гладилиным троюродные братья, только Алексей чуть постарше. В юности они дружили. Вот с ним поговорите — он вполне может что-то о Сереже знать.

— Ага, спасибо! — воодушевился Гуров. — Я был уверен, что вы мне что-нибудь дельное подскажете. Как вы думаете, не будет слишком навязчивым, если я обращусь к Алексею Петровичу прямо здесь?

— Вы же не по личному вопросу, а по службе, — со значением сказала Антонина Ивановна. — Вы имеете полное право. Тем более всем здесь важно, чтобы убийцу нашли и наказали. Вы могли бы и на поминках поприсутствовать. А если не хотите, так задержитесь с Алексеем, когда все закончится. Он сегодня без семьи почему-то, значит, никто вам не помешает.

Гуров присмотрелся к высокому, лет сорока мужчине, который, широко расставив ноги и склонив голову, задумчиво стоял у края могилы. С первого взгляда было ясно, что это сильный, жесткий и абсолютно самостоятельный человек. В каждом его движении ощущалась уверенность в собственных силах и привычка действовать. В то же время у него было спокойное, располагающее к себе лицо, и Гуров подумал, что с ним можно без труда договориться — если, конечно, найти к этому человеку правильный подход.

Однако произошло непредвиденное. Пока Гуров провожал до машины Антонину Ивановну и слушал ее отрывочные рассказы о старых временах, Алексей Ямщиков куда-то исчез. У Гурова сложилось впечатление, что тот сделал это намеренно. Нет, Гуров не предполагал, что троюродный брат Гладилина таким образом уклоняется от встречи — вряд ли тот даже подозревал о существовании Гурова, — но факт оставался фактом, Ямщиков после похорон куда-то исчез. Возможно, он просто не желал принимать участие в поминальном обеде. Расстраиваться по этому поводу Гуров не стал — выяснив у милейшей Антонины Ивановны адрес Ямщикова, он поехал в главк. Он надеялся, что за время его отсутствия у Крячко появились какие-нибудь новости, и коллега не обманул его ожиданий.

Первая новость касалась участкового Малюгина, который обнаружил машину Сергея Гладилина.

— Ты не представляешь, Лева, с кем приходится иметь дело! — пожаловался Гурову Крячко. — Этот участковый Малюгин — уникальный экземпляр. Его за деньги можно показывать. У меня было огромное искушение оторвать ему голову, пока тебя нет — все равно она ему без надобности, — но я сдержался. Потому что у парня есть одно несомненное достоинство — честность. Другой бы на его месте промолчал, а этот про свою глупость доложил не моргнув глазом. Поэтому я решил его пощадить. Такие вещи заслуживают поощрения.

— Кончай трепаться! — попросил Гуров. — Переходи к сути дела.

— А суть такова, — сказал Крячко, — что этот уникум держал, можно сказать, нашего Гладилина в руках, но все же предпочел от него избавиться. Потому что тот отвлекал его от решения актуальных задач — поддержания в надлежащем состоянии вверенных участковому газонов и подъездов...

— Ты опять за свое? — поморщился Гуров. — Что значит — держал его в руках?

— Собственно говоря, участковый Малюгин знать не знал никакого Гладилина, — объяснил Крячко. — Еще бы! Ведь Гладилин не устраивал пьяных дебошей, не бил стекла и не топтал газоны. Просто утром в понедельник он сам явился к Малюгину и сказал, что ему угрожают, что его хотят убить...

— Что?! Гладилин сделал такое заявление?! — не поверил Гуров. — В жизни не знаешь, где найдешь, где потеряешь! И что же?

— А ничего, — развел руками Крячко. — Заявление было сделано в устной форме. Лейтенант Малюгин посоветовал гражданину Гладилину хорошенько подумать, изложить все на бумаге и приходить завтра. Назавтра Гладилин не пришел. Малюгин с удовольствием о нем забыл и вспомнил только после того, как мужественно обнаружил гладилинские «Жигули» у себя на участке. Собственно, он не связывал их с Гладилиным, просто тут всплыла фамилия, и он вспомнил. Память у парня хорошая.

— Так почему же он не стал разбираться с Гладилиным тогда же, в понедельник? — возмущенно спросил Гуров.

— Сам Малюгин сказал, что его смутил внешний вид гражданина и особенно его характерная небритость в области лица. Я не шучу — он именно так и выразился. Он принял его за бомжа, одержимого белой горячкой. Посчитал, что день-другой отдыха гражданину не повредит. Мол, на трезвую голову его показания станут более реальными.

— А Гладилин был пьян? — подозрительно спросил Гуров.

— Не думаю, — ответил Крячко.

— Тогда этот Малюгин заслуживает наказания, — серьезно заметил Гуров.

— Его не исправит никакое наказание, — возразил Крячко. — Да и не нужно его наказывать. Подумай, он мог ведь просто промолчать, и мы бы до сих пор ничего не знали. Так что в данном случае Малюгин сделал даже больше, чем мог. Он прыгнул выше головы.

— Ну, невысоко пришлось ему прыгать, — пробормотал Гуров и тут же спросил: — И где же теперь находится Гладилин? В понедельник он навещал участкового, машина его стоит во дворе... Может быть, все эти дни он находился у себя дома? У Малюгина имеются соображения на этот счет?

— Малюгин не рассматривает обстоятельства, которые не изложены в письменном виде, — важно сказал Крячко. — Но клянется, что больше ни разу с Гладилиным в контакт не вступал. И вообще на вверенном ему участке полный порядок. Есть, конечно, отдельные недостатки, но они устраняются в оперативном порядке.

— Это он так сказал? — неприязненно спросил Гуров.

— Ну не я же, — ответил Крячко.

— Так, значит? — задумчиво проговорил Гуров. — Жизни Гладилина угрожает опасность, о чем им и сделано собственноручное заявление... Что-то подобное мы и предполагали. Весь вопрос в том, не опоздали ли мы со своими предположениями? Гладилина нет на работе, и, кроме Малюгина, никто его в эти дни не видел. Небритый преподаватель университета — это настораживает. Мне кажется, пора просить разрешения на досмотр его жилища. Боюсь, как бы не случилось худшего.

— Хочешь сказать, что он тоже получил пулю из пистолета «вальтер ПП»? — деловито поинтересовался Крячко. — Дело в том, что экспертиза совершенно однозначно подтвердила тот факт, что и в байкеров, и в младшего Гладилина стреляли из одного и того же пистолета. Кто-то открыл сезон охоты. Вот только ружьишко забыл зарегистрировать. Ствол этот ни по каким нашим сводкам до сих пор не проходил.

— Зато теперь проходит, — буркнул Гуров. — А больше ничего эксперты не сообщали?

— Было и еще кое-что, — кивнул Крячко. — Наши спецы по компьютерам просили тебя немедленно к ним заглянуть. Им удалось восстановить график приема клиентов в центре «Квант» на минувший понедельник, и у них есть теперь фамилии людей, которые предположительно могли видеть убийцу.

Глава 10

Сказать, что Сергей Николаевич Гладилин был расстроен, было бы слишком слабо. Он был опустошен и раздавлен. Впервые в жизни он столкнулся с чем-то выходящим за рамки понимания, с чем-то неодолимым и пугающим, как кошмарный сон. Вдобавок представитель власти практически отказал ему в поддержке, а тут еще родной братец повел себя как последняя скотина. Конечно, он и раньше не отличался высокими моральными качествами, но так беспардонно повести себя в тот момент, когда Сергей Николаевич, смирив гордыню, просил о помощи, мог только совершенно безнравственный тип. Тем более что, как подозревал Сергей Николаевич, все его страдания возникли из единственного недоразумения — кто-то спутал его с младшим братом.

Сергей Николаевич сел в «Жигули» и, машинально выстукивая пальцами на рулевом колесе какой-то погребальный ритм, мрачно уставился на темные окна центра «Квант». В душе у него росло совершенно бессмысленное, но жгучее желание взорвать этот шарлатанский офис. Все, что имело связь с именем брата, вызывало у него сейчас чувство, очень похожее на ненависть. Сергей Николаевич понимал, что это недостойное чувство, но поделать ничего не мог — вероломство брата стало последней каплей, которая переполнила чашу его терпения. Даже неурядицы в личной жизни он сейчас каким-то образом связывал с фигурой брата, хотя это было уже полной нелепостью.

Потребовалось достаточно времени, чтобы Сергей Николаевич сумел привести свои мысли в относительный порядок. Он вынужден был признать, что злиться и вешать нос в его положении — занятие совершенно бесплодное, тем более что он обязан позаботиться не только о себе, но и о младшем брате, какой бы свиньей тот ни был. Это был его долг, который не предполагает благодарности. Он просто обязан это сделать, и все.

Приняв решение, Сергей Николаевич не стал больше ломать голову, а просто позвонил брату на мобильный. Телефон не ответил. Тот же результат получился, когда Сергей Николаевич набрал домашний номер Владимира. Больше звонить было некуда. Владимир мог отправиться ужинать в ресторан, мог закатиться к любовнице, но места, где развлекался брат, были Сергею Николаевичу неизвестны.

Оставалось надеяться, что Владимир все-таки еще включит свой телефон. Сергей Николаевич завел машину и поехал домой. При воспоминании о красном «Ниссане» и запахе духов в подъезде на душе у него слегка скребли кошки, но Сергей Николаевич заставил себя не сосредотачиваться на этом. Время еще было не позднее, и можно было легко проверить, не ждет ли его дома какой-нибудь сюрприз. С этой целью Сергей Николаевич решил опять прибегнуть к помощи бывшего коллеги — если посулить ему бутылку портвейна, Кипренский не откажется составить ему компанию — только не нужно отпускать его далеко от себя. В случае же, если они обнаружат что-то подозрительное, можно будет опять переночевать у Кипренского — как говорится, в тесноте, да не в обиде.

Однако, вернувшись, Сергей Николаевич прежде всего старательно объехал на машине весь свой квартал, выискивая, не притаился ли где ярко-красный «Ниссан». Он понимал, что выглядит глупо — в конце концов, кто мог помешать убийце приехать, например, на синем автомобиле? — но поделать с собой ничего не мог. Так ему было спокойнее.

Красных машин на этот раз нигде поблизости не стояло. Сергей Николаевич поставил «Жигули» на своем законном месте и, даже не заглядывая к себе, отправился к бывшему ботанику Кипренскому.

Его визит оказался очень кстати. Кипренский находился как раз в том состоянии, когда добавить нужно просто позарез, а денег нет и не предвидится. Едва Гладилин намекнул, что деньги есть, как ботаник пришел в восторг и был готов следовать за соседом в огонь и в воду. Его даже нисколько не удивило предложение перебраться в квартиру Гладилина, хотя даже в лучшие времена они в гости друг к другу не ходили. Гладилину и сейчас не улыбалось коротать ночь в компании горького пьяницы, но одному было еще хуже. В конце концов, если Кипренский будет очень докучать, его всегда можно будет выставить, решил он, — главное, что в самый неприятный момент он не будет один. Сергей Николаевич психологически еще не был готов войти в свой подъезд в одиночку.

Но сначала они заглянули в магазин. Гладилин купил кое-какой еды, а развеселившийся Кипренский огромную бутылку мутного красного вина с какой-то жуткой этикеткой — Гладилин не присматривался, но ему показалось, что на вине изображен мертвец в саване. Набрав припасов, они пошли к Гладилину.

Ничего подозрительного во дворе Сергей Николаевич не заметил. Ничем угрожающим не пахло и в подъезде. Он приободрился, воспрянул духом, и даже неопрятный, перманентно опухший Кипренский перестал вызывать у него раздражение.

Еще одним испытанием было проникновение в собственную квартиру. Сергею Николаевичу казалось, что он не был дома уже месяц, хотя не прошло еще даже суток. Дверь он отпирал с некоторым трепетом не только из-за того, что опасался обнаружить там чужих.

На этот раз ощущения, что в доме побывал посторонний, не было. Гладилин подумал, что утром он был слишком взвинчен, чтобы правильно оценивать ситуацию, вот и мерещилась ему всякая чепуха. Как ни в чем не бывало он занялся приготовлением ужина и даже не отказался выпить с Кипренским его мутной бурды, хотя в принципе никогда ничего не пил, кроме шампанского в новогоднюю ночь.

Бывший ботаник, попав в приличную квартиру, расчувствовался и стал горевать о своей погибшей жизни и загубленной карьере. «Жизнь моя, иль ты приснилась мне?» — сказал он Гладилину. Гладилин не возражал.

В последнее время ему тоже начинало казаться, что жизнь — всего лишь сон, и порой весьма страшный.

Больше он пить не стал, а только плотно поужинал и предложил Кипренскому или выметаться, или ложиться спать, потому что ему обязательно нужно было хорошенько выспаться. С утра он собирался опять навестить участкового, а заявление все еще не было написано. Кипренский возражать не стал, просто не мог — как алкоголик со стажем, он пьянел моментально, с первого стакана уже не вязал лыка. Он только немного покружился по квартире и, как показалось Гладилину, свалился где-то в прихожей. Выяснять подробностей Сергей Николаевич не стал — он для этого слишком устал.

Перед тем как лечь спать, Гладилин еще раз позвонил брату. Тот по-прежнему не отвечал. Это очень не понравилось Сергею Николаевичу, но что делать в такой ситуации, он не знал. Если сейчас же обратиться в милицию и сказать, что он обеспокоен тем, что брат не отвечает на звонки, его окончательно примут за идиота, тем более что он имел глупость выпить из бутылки с саваном на этикетке и теперь от него разит, как от винокурни. Если даже рассказ об убийстве не произвел на участкового ни малейшего впечатления, то кому какое дело до беспокойства нетрезвого гражданина Гладилина? Он решил оставить все как есть, рассчитывая, что до утра такой прохиндей, как его братишка, продержится.

Кипренский признаков жизни не подавал, что произвело на Гладилина благоприятное впечатление. Он ожидал, что с бывшим коллегой будет гораздо больше хлопот. Однако, учитывая необычность ситуации, Сергей Николаевич изменил своим привычкам и спать улегся не на кровать, а на диван, который стоял около балкона. По какому-то наитию он даже не стал раздеваться.

Тем не менее заснул он на удивление быстро и крепко. Кажется, ему даже ничего не снилось в ту ночь, хотя обычно неприятные сны частенько докучали Гладилину. Только в середине ночи какой-то странный звук пробудил его и заставил прислушаться. Кто-то тыкался впотьмах в прихожей, шаркал подошвами. Спросонок Гладилин облился холодным потом, но потом вспомнил, что было вечером, и сообразил, что это проснулся Кипренский и теперь ищет выход. Он-то наверняка ничего не помнил и, скорее всего, был уверен, что находится у себя дома. Впрочем, Сергей Николаевич не знал, что может прийти в голову сильно пьющему человеку, и решил ему помочь.

— Кипренский! — позвал он.

В прихожей раздался кашель, а потом тихо щелкнул дверной замок. Кажется, гость собирался уйти по-английски. На всякий случай Гладилин решил посмотреть, что там происходит, и встал с дивана. Он надел тапочки и, ругая мысленно шебутного ботаника, направился в прихожую.

Из коридора в комнату упал косой луч света с лестничной площадки, и опять послышался щелчок. Звук был странный — это не мог быть щелчок закрывающейся двери, Гладилин отличил бы звук своего замка среди тысячи других. Но однако же полоса света у порога пропала. Наружная дверь закрылась — и уже с привычным звуком. И в это же время в прихожей раздался шум упавшего тела. Кроме пьяного Кипренского, там некому было падать. Машинально Гладилин сделал еще один шаг вперед, и в этот момент в прихожей вспыхнул свет!

Волосы поднялись на голове у Гладилина. Он явственно услышал, как в прихожей кто-то разочарованно вздохнул и шепотом выругался. Голос этот никак не мог принадлежать Кипренскому. Это вообще был не мужской голос. Гладилин, душа которого наполнилась ужасом, попятился и, наткнувшись на диван, едва не упал. В коридоре разом погас свет.

Поняв, что времени у него нет и не будет, Гладилин бросился к балконной двери — к счастью, шпингалет не

Н. Леонов, А. Макеев

был опущен — и с шумом выскочил на балкон. Боковым зрением он увидел — или это только померещилось ему, — как метнулась в комнату призрачная зловещая фигура. Не раздумывая, он ухватился за перила и перемахнул через них.

Третий этаж — не самое подходящее место для таких упражнений, а Сергей Николаевич не слишком-то следил за своей спортивной формой. Да и прыгать с балкона ему совсем не хотелось. Но еще меньше ему хотелось оставаться в темной квартире, где происходит что-то страшное, где продолжается этот кошмар, тянущийся за ним последние дни.

Гладилин повис на вытянутых руках, зажмурился и рухнул вниз, ожидая, что сию минуту услышит, как хрустнут его переломанные ноги и содрогнутся в животе внутренности. Но ничего этого не произошло. Во дворе многие заботились о благоустройстве и любовно высаживали под окнами разнообразную растительность. Сергей Николаевич упал в кусты жасмина — он был весь оцарапан и напуган, но жив и даже ничего себе не повредил.

Несколько мгновений он торчал в кустах, бессмысленно глядя в темноту над собой. Наконец шок от падения прошел, и Гладилин стал соображать, что делать дальше. Он не был уверен, но ему показалось, что с его балкона кто-то на секунду выглянул во двор и тут же скрылся. Сергей Николаевич понял, что через минуту ОНИ будут здесь. Он выпутался из ветвей и бросился бежать к выходу со двора — туда, где было светло и где могли быть люди.

Уже заворачивая за угол дома, он услышал позади ритмичный стук каблуков — кто-то бежал за ним. Гладилин выскочил на улицу и панически завертел головой. Ночные огни, пустынные тротуары, зловеще подмигивающие светофоры — все шло ходуном перед его глазами. Он не знал, куда ему бежать и кого просить о помощи.

Москва казалась вымершей и обезлюдевшей. Гладилин даже не представлял, что она может быть такой.

Топот за спиной оборвался, но зато откуда-то сбоку послышалось урчание автомобильного мотора, и из-за угла, слепя фарами, выкатился автомобиль и медленно поехал прямо на него, и тогда Гладилин припустил через улицу, вбежал в чужой двор и попытался скрыться в его закоулках. Автомобиль последовал за ним.

Гладилин уже задыхался. Бегать он не умел и, если бы не отчаянный страх, охвативший все его существо, давно бы остановился. Куда он бежит, Сергей Николаевич не представлял. Окна в домах были темны, двери подъездов были надежно заперты на кодовые замки. Вокруг ни души. Повинуясь инстинкту, он бежал куда глаза глядят, надеясь на чудо.

Автомобиль за спиной на секунду притормозил — слабо хлопнула дверца, — и тут же кто-то побежал следом за Гладилиным уверенной, тренированной поступью. Он даже не стал оглядываться.

Из последних сил он выбежал со двора, обогнул еще один большой дом, оказавшийся на пути, и вдруг очутился перед железнодорожной насыпью. Слева с нарастающим гулом полз тяжелый товарный состав. Из темноты огненным шаром выкатывалось слепящее пятно прожектора. Локомотив издал короткий гудок, и в тот же миг над ухом у Гладилина зажужжал воздух — словно рядом пролетел шмель. Сергей Николаевич обернулся. Сзади метрах в тридцати от него неподвижно стояла человеческая тень — мужчина или женщина, Гладилин не смог разобрать. Но поза этого человека не оставляла сомнений — он только что стрелял в Гладилина.

Сергей Николаевич опрометью бросился к железной дороге. Он рассчитывал перебежать рельсы под самым носом у локомотива и таким образом оторваться от преследователей. Но в последний момент споткнулся о какую-то железяку, грянулся оземь и сильно ударился головой о край бетонной шпалы. Из глаз у него полетели искры.

Когда он опомнился, состав уже громыхал мимо. Гладилин застонал от досады. Подняв глаза, он увидел, что между ним и преследователем было уже не более десятка шагов. Теперь он убедился, что это женщина. Невысокая, ладная, в обтягивающих брючках и короткой куртке, она вполне могла сойти издали за подростка-парня. Она не спешила, шла наверняка. В правой руке ее чернел пистолет с глушителем.

Гладилин издал пронзительный вопль, почти наугад схватился за липкие поручни товарного вагона, подпрыгнул и полез наверх. В нос ему ударил резкий запах мазута и какой-то химии. Поезд внезапно дернулся, пошел быстрее, и Сергей Николаевич едва не сорвался. Скосив глаза вниз, он увидел, что женщина бежит вдоль полотна, подняв руку с пистолетом. Пуля смачно щелкнула о борт вагона и улетела в ночное небо. Он поднялся на самый верх металлической лесенки и оказался на краю открытого вагона. Тот почти доверху был наполнен какими-то железными болванками. Гладилину ничего не оставалось делать, как нырять туда. Но прежде чем он успел это сделать, снизу что-то сильно стукнуло его по черепу.

В глазах Гладилина образовалось огромное багровое пятно. Он разжал руки и безвольно рухнул вниз на груду металла. Боли от удара он уже не почувствовал.

Глава 11

Первым в кабинет к Гурову вошел пожилой мужчина с военной выправкой, сердитый и насупленный. Крячко, который шел у него за спиной, виновато развел руками, показывая, что никакого отношения к настроению отставника не имеет.

— Виктор Степанович Бунчуков, наш первый свидетель! — медовым голосом объявил он. — Явился минута в минуту, как и положено. Прочие пока не подошли...

— Я, с вашего позволения, за всю жизнь никогда и никуда не опоздал! — сурово заявил свидетель, гневно сверкая глазами. — В наше время за опоздание дорого приходилось платить, молодые люди! Порой и своей жизнью!

— Боюсь, вы слишком к нам снисходительны, Виктор Степанович! — с улыбкой сказал Гуров. — Молодыми нас с полковником Крячко можно назвать с очень и очень большой натяжкой. И, кстати, наше отношение к опозданиям не менее отрицательное, чем ваше.

— Не рассказывайте мне сказок! — оборвал его отставник. — Наша милиция уже давно растеряла свои славные традиции. Она опаздывает везде и всюду. Я даже примеров приводить не буду — пример у вас перед глазами. Я, Виктор Степанович Бунчуков, чудом ушел живым из лечебного центра. Вместо процедур я запросто мог получить пулю! И это, можно сказать, в центре Москвы! Когда такое было возможно? Даже в самые тяжелые годы...

— Сейчас тоже не самое спокойное время, — примирительно сказал Гуров. — Но давайте не будем спорить. Наша главная забота сейчас — найти преступника, и вы должны нам помочь. Присаживайтесь, пожалуйста, и расскажите о том, что произошло девятого сентября в центре «Квант». Ведь вы там были?

— Разумеется! — грозно сказал Бунчуков, усаживаясь на стул и с вызовом глядя на Гурова. — Я человек в возрасте, организм уже не тот, одолевают болячки — вот знакомые и порекомендовали мне чудесного доктора. Можете мне поверить, это был настоящий волшебник, талант! Тот, кто посмел поднять руку на такого человека, достоин самой страшной казни. Жаль, что у нас в стране не практикуется четвертование — это у многих поумерило бы пыл... Ведь этот негодяй не просто человека убил — он косвенно и во всех нас попал, в больных и страждущих. Он лишил нас надежды, понимаете?

— Да, это печально, — наклонил голову Гуров. — Искренне сочувствую и во многом с вами согласен. За исключением четвертования. Это все-таки варварство, согласитесь! Наша задача не запугать, а восстановить справедливость. Поверьте, неотвратимость наказания производит гораздо больший эффект, чем самая жестокая казнь.

— Ну, это вы так думаете, — буркнул отставник. — А у меня свое мнение, и я от него не отступлюсь. Преступников нужно вешать — публично и прямо на улицах. Вот тогда у нас наступит порядок, а милиция перестанет спать.

— Уверяю вас, милиционеры спят не больше, чем другие граждане, — терпеливо объяснил Гуров. — А порой даже меньше. Наверное, на этот счет у вас тоже особое мнение, но мне все-таки хотелось бы поговорить о том, что произошло в центре «Квант» в понедельник вечером...

— А что там произошло? Произошло кровавое, циничное убийство. Беспрецедентное преступление, бросающее вызов всему обществу... — сердито начал старик.

— Да, это мы знаем. Хотелось бы выяснить, что предшествовало этому преступлению, — сказал Гуров.

Отставник неожиданно задумался, а потом сказал с некоторым удивлением:

— А ничего на первый взгляд не предшествовало. Все было как обычно. Владимир Николаевич вел прием. Народу, правда, в этот день было многовато. Пришлось ему задержаться, бедолаге. Считай, часов до восьми, а может, и дольше. Я вообще-то в этот день последним был по записи, но получился предпоследним, потому что одна молодая женщина уступила мне свою очередь.

— Молодая женщина уступила вам очередь? — насторожился Гуров.

— Именно, — подтвердил старик. — Есть еще среди молодежи те, у кого совесть не окончательно улетучилась. Сейчас ведь как — в метро зайдешь, ни одна свиристелка места не уступит! Смотрят мимо тебя, как будто ты пустое место. А в наше время...

— Скажите, а как выглядела эта совестливая женщина?

— Обыкновенно выглядела. Тихая такая, скромная, волосы короткие... Что-то такое на ней было серое — то ли платье, то ли костюм, — не припомню сейчас. Она не из завсегдатаев. Тех, кто постоянно к Владимиру Николаевичу ходит, я почти всех в лицо знаю, а эту — нет, не видел раньше.

— Как ее зовут, не знаете случайно?

— Мы с ней не общались. Откуда же мне знать? Валентина Петровна, это женщина, которая у Владимира Николаевича регистрацию вела, вызывала ее по фамилии — что-то вроде Краснова... или Белова?.. Два раза вызывала. Эта ведь женщина не только мне уступила, она еще двоих вперед себя пропустила...

— Вы хотите сказать, эта женщина намеренно пропускала прочих пациентов вперед, чтобы остаться последней в очереди? — спросил Гуров.

Бунчуков хмуро уставился на него.

— Может быть, — сказал он наконец удивленно. — Наверное, так оно и есть. Я уходил, а она все еще была там — последняя. Верно. Может быть, ей было необходимо поговорить с Владимиром Николаевичем с глазу на глаз... — Вдруг старик произнес потрясенно: — Постойте! Вы хотите сказать...

— Сказать мы пока ничего не хотим, — охладил его пыл Гуров. — Пока мы хотим выяснить, что происходило непосредственно перед убийством. Итак, вы появились в центре «Квант» в...

— Восемнадцать ноль-ноль, — растерянно проговорил Бунчуков. — Передо мной в очереди находилась Виктория Александровна Бадаева — она принимает уже пятый курс квантовой терапии, и мы с ней хорошо знакомы. Была еще одна женщина, бывший партработник, крайне нервная и высокомерная особа. Ее тоже пропустили вперед. Надо сказать, мы были этому очень рады, потому что рядом с такими людьми очень дискомфортно... И себе расшатывают нервы, и всем прочим. Правда, после сеанса она несколько расслабилась, но все равно — уходя, даже до свидания не сказала. Она находилась в кабинете около получаса.

— Что было потом?

— Потом наступила опять очередь той молодой женщины. Но она опять отказалась и пропустила вперед Викторию Александровну. Та была ей очень благодарна. Владимир Николаевич занимался с ней тоже минут тридцать-сорок.

— А затем эта женщина пропустила вперед вас?

— Совершенно верно. Признаться, я не стал отказываться. В моем возрасте тяжеловато сидеть в очередях. Хотя что нам, пенсионерам, остается еще делать?

— С вами Владимир Николаевич долго занимался?

— Примерно столько же. Думаю, около восьми часов я был свободен. Попрощался и пошел домой.

— А скажите, Владимир Николаевич не показался вам в тот вечер озабоченным, расстроенным?

— Нет, абсолютно, — покачал головой Бунчуков. — Он выглядел немного усталым, но был полон оптимизма. Мне вообще не приходилось видеть его унылым или раздраженным. Он всегда старался вселить в своих пациентов уверенность и надежду. Он был очень внимателен и никогда не позволял себе отступить от этого правила. Мы все его обожали. С ним можно было разговаривать на любые темы. Это был прекрасный человек, настоящий целитель! Но простите, я отвлекся... Вы имели в виду, что у Владимира Николаевича могли быть проблемы? Мне так не показалось. Он был спокоен и уверен в себе. Как и его помощница Валентина Петровна. Нет, никакой нервозности я в них не заметил.

— Понятно, — сказал Гуров. — А на улице? Ничего не заметили необычного или странного? Может быть, кто-то посторонний заглядывал в центр, пока вы там находились? Может быть, кто-то звонил по телефону?

— Нет, все было как обычно, ничего странного, — ответил Бунчуков. — Если и были звонки, то вполне конкретные. Ну, знаете, как бывает — люди спрашивают, когда можно прийти на прием и все такое...

— Ясно. Значит, у нас с вами вырисовывается такая примерно картина... — сказал Гуров. — Около шести вечера вы приходите в центр «Квант» и оказываетесь в очереди, где перед вами находятся три женщины. Две из них вам известны, третью вы впервые видите. Эта неизвестная оказывается очень внимательной и вежливой особой и старательно пропускает вперед всех, кто ждет своей очереди. Так продолжается до тех пор, пока она не остается последней и единственной пациенткой. Вы ушли примерно в восемь часов вечера и больше уже не видели ни Гладилина, ни этой пациентки. Я правильно излагаю?

— Все так и было, — горячо согласился Бунчуков и, вторя своим мыслям, с чувством проговорил: — Понимаю, куда вы клоните, но не могу в это поверить! Такая тихая, интеллигентная женщина... Нет, просто не могу себе представить!

— И не надо, — подхватил Гуров. — Давайте будем заниматься фактами. Ход событий мы примерно восстановили. Теперь возникает следующий вопрос — вы хорошо запомнили внешность этой молодой женщины? Смогли бы ее узнать?

— На память, слава богу, я пока не жалуюсь, — самодовольно проворчал пенсионер.

— Вот и отлично. Тогда не откажите еще в одной услуге. Сейчас наши эксперты попробуют составить словесный портрет этой дамы. Справитесь?

— Почему нет? Она у меня и сейчас как на ладони.

«Только вот не помнишь ты, платье на ней было или брючный костюм, — мысленно заметил Гуров. — Но что выросло, то выросло. Будем надеяться, что общими усилиями мы что-нибудь слепим».

Общими усилиями удалось слепить не слишком много. Прочие две свидетельницы — уже упомянутая Виктория Александровна Бадаева и бывшая партийная чиновница, а ныне домашняя хозяйка по фамилии Стеклова, — припоздавшие по женскому обычаю, практически слово в слово повторили рассказ Бунчукова. Только, в отличие от него, они совершенно точно указали, что незнакомка была одета в элегантный брючный костюм серого цвета, к которому совершенно не шли туфли на низком каблуке. Причину ее необычайной вежливости женщины видели в коварном желании остаться один на один с Гладилиным. По их тону Гуров понял, что подобные желания возникали у пациенток Владимира Николаевича довольно часто — настолько высок был градус их обожания. Судя по всему, некоторым обожательницам удавалось получить от любимого доктора и что-то сверх стандартной порции «квантов», но подобная предприимчивость очень не одобрялась остальным обществом. Именно поэтому клиентка в сером костюме заслужила у женщин титул выскочки. Предположений о том, что эта дама могла преследовать совершенно иные цели, женщины не высказывали, похоже, даже мысленно. Убить Гладилина, по их мнению, было совершенным святотатством, на которое не способен даже очень плохой человек. Гурову показалось, что они до сих пор не верят в случившееся.

В конце концов их он тоже отправил конструировать словесный портрет, а сам наконец смог пообщаться с Крячко, который в процессе допроса был вызван кем-то из кабинета и потом долго не возвращался. Когда же он вернулся, то на его простецком лице были написаны такие досада и озабоченность, что Гуров заранее насторожился. Крячко, выражаясь словами отставника Бунчукова, также являл собой образец оптимизма, и если отходил от этого образца, значит, проблемы возникали действительно серьезные.

— Что еще? — спросил Гуров, когда, освободившись, остался с Крячко один на один.

— Знаешь, Лева, не хочу тебя расстраивать, но, кажется, нам нужно срочно ехать на Красноказарменную, — сказал Крячко.

— Что стряслось? Не хочешь же ты сказать, что у нас еще один труп? — хмуро спросил Гуров.

— Не знаю, — ответил Крячко. — Но поехать все равно придется. Сейчас позвонил старательный участковый Малюгин... Одним словом, после нашего разговора он вплотную занялся личностью доселе неизвестного ему Гладилина. Наведался к нему в квартиру... — Крячко почесал затылок.

— Ну и что дальше? — рассердился Гуров. — Не размазывай кашу по тарелке! Что в квартире?

— В квартиру он, собственно, не попал. Она закрыта. Но он утверждает, что там не все ладно.

— Что это значит — не все ладно?

— Он говорит, что нам лучше самим приехать. Это все, чего мне удалось от него добиться.

— Значит, нужно ехать, — заключил Гуров. — Ты так превознес достоинства участкового Малюгина, что не прислушаться к его загадочным словам было бы преступной халатностью. Кроме того, интуиция подсказывает мне, что нас действительно ждет крайне неприятный сюрприз. Если на этот раз убит старший Гладилин, то... нет, я даже не хочу думать на эту тему!

— И не думай! — легко сказал Крячко. — Поедем спокойно, без дерганья, без превышения скорости. Вот когда увидим собственными глазами, тогда и будем думать.

Участковый Малюгин, предупрежденный по телефону, ждал их у въезда во двор. Он был подтянут, выбрит и предельно серьезен. В левой руке он держал кожаную папку для бумаг, правой то и дело поправлял кобуру с табельным пистолетом. Гуров подумал, что пистолет наверняка идеально вычищен и смазан.

Малюгин отдал честь вышедшим из машины Гурову и Крячко и сразу же доверительно сказал:

— Согласно инструктажу, который я получил у товарища полковника, — он кивнул на Крячко, — ежедневно наблюдаю за состоянием квартиры гражданина Гладилина. Мною выявлен тот факт, что гражданин Гладилин в квартиру не входил и опять же не выходил. Опрос соседей этот факт подтверждает. Теперь мною произведен визуальный осмотр двери означенной квартиры и выявлен настораживающий факт.

— Какой именно, лейтенант? — спросил нетерпеливо Гуров, которому надоели разговорные бюрократизмы Малюгина. — Говорите нормальным языком!

Малюгин задумчиво посмотрел на него и вдруг сказал:

— Воняет оттуда, товарищ полковник!

Гуров приподнял брови и недоверчиво поинтересовался:

— А конкретнее? Чем воняет?

Малюгин сокрушенно вздохнул и заявил:

— Короче, мертвяком воняет, товарищ полковник. Тут уж, как говорится, ни убавить, ни прибавить.

— Уверен? — нахмурился Гуров.

— На сто процентов, — сказал Малюгин и, подумав, добавил: — Ну, конечно, все может быть — может, у него кошка сдохла? Или собака... Хотя соседи такой факт не подтверждают. Насчет собаки то есть.

— Понятно, — заключил Гуров. — В таком случае принимаю на себя ответственность за вскрытие квартиры. Слесаря быстро найти сможешь?

— Слесарь уже дожидается, — скромно сказал Малюгин. — Я принял меры на всякий случай.

— Молодец, — заметил Гуров. — Только меры вовремя надо принимать, лейтенант, а не когда петух в одно место клюнет. Улавливаешь, о чем я?

— Так точно, товарищ полковник! — не моргнув глазом ответил Малюгин. — Ошибку свою признаю, выводы сделал самые беспощадные. Больше не повторится.

— Ступай за слесарем! — вздохнул Гуров.

Через десять минут, стараясь не привлекать внимания, вся группа отправилась в подъезд, где проживал Гладилин. Малюгин нашел понятых в соседней квартире — молодую супружескую пару. Мрачный, слегка нетрезвый слесарь мигом вскрыл замок.

— Ничего не трогать! — предупредил Гуров и, стараясь не коснуться ручки, открыл дверь.

В нос ему ударил тяжелый запах разложения и смерти. Балкон в квартире был открыт, но толку от этого было немного. Труп, лежавший у стены в коридоре, находился здесь, видимо, уже не один день. За спиной у Гурова протяжно охнула женщина.

— Стас, осмотри помещение! — распорядился Гуров, оборачиваясь.

Лейтенант Малюгин деловито наклонился над трупом, нахмурил брови и с некоторым удивлением сказал:

— Так ведь это не гражданин Гладилин, товарищ полковник! Этого человека я знаю — он в нашем магазине грузчиком работал. Его «профессором» все зовут, потому что вроде бы он раньше наукой занимался. Теперь-то у него одна наука — где бы червонец на опохмел раздобыть. Спился начисто!

— Так, а где же в таком случае сам Гладилин? — спросил Гуров.

— Никого нет, — сообщил Крячко, появляясь в дверях. — В кухне на столе остатки ужина, но остатки очень древние. Похоже, что дня три-четыре здесь никто не появлялся. И еще прошу обратить внимание, что балконная дверь открыта настежь. Конечно, свежий воздух здесь не помешает, но в это время года балконы открытыми обычно не оставляют.

— Хочешь сказать, кто-то ушел через балкон? — спросил Гуров. — Третий этаж ведь!

— Внизу как будто кусты примяты, — ответил Крячко. — В принципе, если подопрет, спуститься можно.

— Вопрос — зачем прыгать с третьего этажа, если можно выйти через дверь? — глубокомысленно произнес Малюгин.

Гуров задумчиво посмотрел на него.

— Это если действительно можно, — сказал он.

Глава 12

Леня Давыдов был человеком легким, но сильным и настойчивым. Если ему что-нибудь действительно было нужно, он добивался своего, невзирая ни на какие препоны. Но делал это всегда с неизменной улыбочкой и шуточками, будто играючи, отчего в глазах окружающих оставался все тем же легкомысленным Леней, на которого нельзя положиться в серьезном деле. Так думали даже близкие друзья. Леню это не расстраивало, а забавляло. Он знал себе цену, но никогда не завышал свои возможности. Далеко не все в его жизни складывалось так гладко, как могло показаться со стороны, но никакие неудачи не могли вогнать Леню в депрессию. Он считал, что в мире слишком много интересного, чтобы зацикливаться на отдельных неудачах. И еще он был уверен, что самое главное — это железное здоровье и тренированное тело. Он удивлялся, что многие не понимают такой простой вещи. Все стремились заработать побольше денег, занять место потеплее и покруче, обзавестись недвижимостью, выгодно жениться, попасть в «ящик», одним словом, суетились. Многие из сверстников Лени действительно сумели разбогатеть, ворочали серьезными делами, разъезжали на «Мерседесах», а некоторые даже регулярно появлялись на телевизионных экранах, но одновременно с ними происходило что-то такое, от чего они неузнаваемо менялись, расплывались, дряхлели и все менее походили на тех молодых энергичных людей, какими были всего пять-шесть лет назад. Им уже не помогали даже дорогие тренажеры и эксклюзивные диеты. Леня же и в двадцать восемь лет оставался таким же подтянутым, улыбчивым и мускулистым, каким был в двадцать три года, когда закончил тренерскую школу. Теперь он тренировал молодых пловцов, которые выглядели не намного его моложе.

Самому ему так и не удалось никогда стать чемпионом, но Леня не слишком комплексовал по этому поводу. Ему нравилась работа, хотя в своих учениках он ничего такого воплощать вроде бы не собирался. «Если вы не выиграете ни олимпиаду, ни даже первенство района, — шутя говорил он им, — то можете утешиться тем, что никогда не утонете». Впрочем, честолюбие среди своих воспитанников он приветствовал и перспективных ребят тренировал с особым удовольствием.

Леня не был женат — может быть, потому, что слишком часто увлекался, а может быть, просто не нашел пока своей половинки. Вот и теперь была у него на примете одна девчонка, с которой он пытался на протяжении двух недель безуспешно познакомиться, но, к своему удивлению, постоянно терпел фиаско. Сдаваться он не собирался, неудача только разжигала его интерес, но решить, насколько серьезно его новое увлечение, Леня пока не мог. Строго говоря, он об этой девушке почти ничего не знал.

Каждый вечер она садилась в поезд метро на станции «Аэропорт» и ехала до станции «Речной вокзал». Лене нужно было ехать дальше, но он выходил вместе с ней и почтительно провожал до дома. Он не наглел, но и отступать не собирался, хотя девушка была с ним неизменно холодна, требовала оставить ее в покое и наотрез отказалась сообщать свое имя. И еще она заявила Лене, что давно уже замужем. Это был серьезный аргумент, но Леня ни разу не видел ее в компании мужчины и сделал для себя вывод, что муж — фигура вымышленная или, по крайней мере, не такая уж значительная, потому что любящие друг друга люди должны хотя бы иногда быть вместе — Леня был в этом убежден. На это можно было возразить, что Леня просто не мог знать подробностей семейной жизни этой девушки. Все, что имелось в его распоряжении — это короткий отрезок времени в вагоне метро и минут десять-пятнадцать после, когда они шли до ее дома. Леня просто рассудил, что если бы он был девушке безусловно неприятен, то рано или поздно она все равно обратилась бы к мужу за помощью. Поскольку этого не происходило, он был уверен, что шансы у него есть.

Первый раз он встретил ее случайно. Просто ехал себе от станции «Динамо», ни о чем таком не думая, как вдруг на остановке «Аэропорт» вошла она — в черных брючках и голубой джинсовой курточке. У нее была смугловатая кожа и волосы цвета вороньего крыла. И еще у нее был такой серьезный, полный достоинства взгляд, что от этого взгляда у Лени зашумело в ушах. Да, у него возникло именно такое ощущение. Она показалась ему переодетой принцессой, наследницей испанского или мексиканского престола — одним словом, ее родина была землей горячей и страстной, залитой солнцем и покрытой экзотическими цветами. Что-то такое он ей и сказал во время первой нечаянной встречи. Но девушка тогда просто не стала с ним разговаривать, и Леня потерял покой.

Теперь он намеренно выходил на станции «Аэропорт» — приезжая туда заранее, раньше ее обычного срока — и караулил девушку у выхода на перрон, чтобы не разминуться. Как ни странно, ему везло, и он почти всегда успевал сесть с ней в один вагон. А потом все повторялось с точностью до мелочей — она независимо шагала к своему дому, а он как тень шел рядом, шутил, рассказывал ей о своей жизни, отпускал комплименты и предлагал сходить куда-нибудь вместе. Потом она, не прощаясь, исчезала за дверью своего подъезда, а Леня, с сожалением улыбнувшись, смотрел на небо и неторопливо возвращался на станцию метро.

Сегодня все было как обычно. Леня увидел девушку издалека и, не торопясь выдавать своего присутствия, вошел следом за ней в первый вагон, скромно пристроившись у нее за спиной, стал обдумывать, что скажет, когда она обернется. Две длинноногие студентки в конце вагона с явным интересом уставились на него. Леня благожелательно им улыбнулся, но на всякий случай сдвинулся в сторону и негромко покашлял.

Его принцесса резко обернулась, и на лице ее появилось выражение досады.

— Это опять вы? — негромко проговорила она. — Боже, как мне это все надоело! Неужели вы не можете найти себе другое развлечение и оставить меня в покое?

Леня добродушно улыбнулся и с притворным вздохом заметил:

— Во-первых, здравствуйте! Во-вторых, я сейчас не развлекаюсь, а еду домой. А в-третьих, вы для меня совсем не развлечение, а самая настоящая мука. Тоже мне развлечение — ходить за вами хвостом и нарываться на грубости! Но вместо того чтобы оценить мою преданность, вы меня отталкиваете. А вот вы бы подумали — вдруг вы свое счастье отталкиваете? Между прочим, такое в жизни случается гораздо чаще, чем принято думать...

Она обожгла его взглядом из-под длинных ресниц и равнодушно сказала:

— Может быть, вы и счастье, но только не мое, извините. Мне делается не по себе, когда я вижу вашу самодовольную физиономию.

— Она не самодовольная, — уточнил Леня. — Она просто счастливая. Потому что, когда я вижу вас, то делаюсь счастливым, несмотря ни на что.

— А не могли бы вы наблюдать за мной издалека? Какая вам разница, если вы все равно счастливы?

— Ну уж нет! Если я буду далеко, то вы никогда не оцените меня по достоинству. А так у меня все же есть надежда.

— Да нет у вас никакой надежды, — сказала девушка. — И я вас очень прошу, не тащитесь сегодня до моего дома. Я очень устала, и ваше присутствие меня особенно раздражает.

— Я понял, — покорно сказал Леня. — Не думайте, что я такой уж монстр. Вы моего присутствия даже не заметите. Я буду провожать вас, как вы предлагаете, — издали. Потому что мало ли что — вдруг на вас нападут хулиганы?

Девушка выразительно посмотрела на него, тяжело вздохнула и отвернулась. Леня не стал наглеть. Кажется, сегодня незнакомка действительно была не в духе. Не исключено, что у нее не складывались дела на личном фронте. Было бы смешно думать, что у нее вообще никого нет. Но счастливые люди выглядят совсем по-другому. Например, как сам Леня. Значит, девушке требуется помощь, хотя она может даже не догадываться об этом.

На станции «Речной вокзал» он вышел следом за девушкой. Она бросила только один сердитый взгляд через плечо, и он почтительно отстал. Перебросив через плечо спортивную сумку, он расслабленной походкой шел за девушкой, любуясь ее точеной фигуркой и черными, как у мексиканки, волосами. Жаль только, что она, чувствуя его присутствие, невольно ускоряла шаги, и это было слегка похоже на бегство. Лене было неприятно, что его образ так долго вызывает неприязнь у самой прекрасной девушки, какую он видел в своей жизни, но тут уж ничего нельзя было поделать. Насильно мил не будешь — оставалось только терпеливо ждать. Чтобы не раздражать девушку, Леня еще чуть-чуть отстал, но когда расстояние между ними увеличилось, Леня вдруг с удивлением заметил, что на душе у него становится грустно и пусто. Вечернее небо, наполовину затянутое тучами, наполнялось тревожным оранжевым светом. «Ого, а ты крепко попал! — подумал он. — Нельзя так раскисать, парень. Кислых вообще никто и никогда не любит».

Они прошли мимо автобусной остановки, потом еще квартал, и Леня все больше отставал, намеренно устраивая себе испытание. Впервые он почувствовал себя неуверенно. Оказалось, что бывают моменты, когда оптимизм и хорошая физическая форма помогают мало. Для Лени это было почти открытием, и открытием неприятным. Этот факт нужно было тщательно проанализировать и сделать выводы. Нужно было менять стратегию, пока он окончательно не потерял голову. Леня с сожалением посмотрел на удаляющуюся фигурку девушки и остановился. Она вот-вот должна была свернуть за угол. Он пожал плечами и заставил себя отвернуться. Самое лучшее сейчас — это улыбнуться какой-нибудь другой девушке, подумал он, клин клином...

На противоположной стороне улицы стояла яркокрасная машина с затененными стеклами, а рядом прохаживалась невысокая стройная женщина в светлом плаще, перетянутом в талии, — наверное, она кого-то ждала — водителя или приятеля. Женщина тоже была светлая, совсем непохожая на ту, которая лишила Леню покоя.

Однако по-своему она тоже была очень привлекательна. К тому же он сразу угадал в ней спортсменку — по манере двигаться, по осанке — и вообще, что-то было в ней такое. Леня издалека поймал ее случайный взгляд и заставил себя ей улыбнуться. Женщина раздраженно отвернулась, и Леня подумал, что сегодня точно не его день.

И тут он услышал противный треск легкого мотоцикла. Эта чадящая машинка выскочила неизвестно откуда метрах в ста от него и скрылась за тем же углом, что и черноволосая девушка. И в тот же миг оттуда донесся душераздирающий женский крик. Леню будто током пробило. Он сорвался с места и с бешеной скоростью побежал по тротуару.

Ему много раз приходилось бегать стометровку, но теперь он наверняка побил все рекорды. Сердце его сжималось от ужаса.

Он забежал за угол и сразу увидел толпу. Она была небольшая — человек шесть, но от соседних домов тоже бежали люди. Леня растолкал всех и почти сразу упал на колени.

Его девушка лежала на холодном асфальте, запрокинув бледное лицо. Ее тонкие пальцы были перемазаны кровью. Леня никак не мог понять, откуда кровь. Дрожащими руками он нашел артерию на ее хрупкой шее и тут наконец-то смог перевести дух — девушка была жива! Бережно придерживая ее за плечи, он обернулся к окружающим его людям и сказал:

— Вызовите же «Скорую», черти!

— Уже вызвали, парень, — сказал какой-то мужчина. — А ты вот куда смотрел? Лоб здоровый, а девушку свою не уберег!

— Это не его девушка, — сказал женский голос за спиной у Лени. — Это Леночка из двадцать второго, я ее знаю — у нее муж в Норвегии на разработках.

Леня даже не стал задумываться, на каких таких разработках находится муж. Главное, что он действительно существует. Хуже новости не придумаешь. Зато он теперь знает, как ее зовут.

— Что здесь случилось? — спросил он.

— Да беспредел! Что еще могло у нас случиться? — разгневанно сказал кто-то. — Выскочили на «козле», сумочку у нее выхватили, сшибли и поминай как звали! А милиции, как всегда, днем с огнем не сыщешь...

Девушка вдруг открыла глаза и с ужасом посмотрела на Леню. Потом взгляд ее прояснился, и она впервые за все время их странного знакомства улыбнулась.

— А-а, мое счастье... — пробормотала она. — Я вас сразу даже не узнала. Оказывается, вы не всегда выглядите таким самодовольным...

— Не надо разговаривать, — растерянно сказал Леня. — Вам, наверное, нельзя. Сейчас приедет «Скорая»... У вас что болит?

— По-моему, все, — сказала девушка. — И голова кружится. Я, кажется, ударилась об асфальт.

— У вас сумочку сперли, — вдруг сообщил Леня.

— Плевать, — равнодушно ответила она. — Там были какие-то пустяки — мобильник, мелочь... А может быть, я встану? Глупо лежать у всех на виду.

— Нет! — испугался Леня. — Вы лучше лежите. А если у вас серьезная травма?

На лице девушки появилось выражение тревоги.

— Вот черт! — сказала она. — Я действительно себя неважно чувствую. Нужно обязательно сообщить отцу, чтобы он подготовил маму...

— Я могу, — поспешно сказал Леня.

Девушка вздохнула, поморщилась, но все же сдалась:

— Запоминайте телефон, счастье мое! Память-то хорошая?

— Память замечательная! — заверил Леня. — И вообще, у меня масса достоинств. Я же говорил вам, Лена, — он впервые назвал ее по имени.

— Ладно, не валяйте дурака, — сказала она болезненным тоном. — Узнайте, в какую меня положат больницу. Папе можно сказать все — он у нас человек сильный. Только сделайте это сразу, ладно?

— Вы можете на меня положиться, — успокоил ее Леня.

Девушка продиктовала ему телефон и назвала имя отца. Но тут наступил момент, когда Лене пришлось выпустить девушку из объятий — приехала «Скорая». Все дальнейшее происходило совсем быстро, но Лене все же удалось набиться в сопровождающие, сказавшись родственником. Девушке это не очень понравилось, но она промолчала. Однако когда стало ясно, в какую больницу ее госпитализируют, и когда прибыли на место, она без сожаления приказала Лене убираться.

— И не вздумайте навещать меня, — предупредила она. — Я всех предупрежу, что вы посторонний. И папе скажете то же самое. А то ляпнете что-нибудь невообразимое. С вас станется.

— Я не ляпну, — пообещал Леня. — Я позвоню и скажу, что просто прохожий. Только нам все равно придется встретиться. Милиция наверняка будет искать свидетелей.

— Какая милиция! — презрительно скривилась Лена. — Никто никого не будет искать. Какая-то шпана вырвала грошовую сумочку. И какой вы свидетель? Вы же ничего не видели, и вас никто не видел...

В сущности, она была права, но уже на следующий день вечером Леня услышал по телевизору, что милиция разыскивает свидетелей происшествия на улице Смольной, а с утра в среду отправился по указанному адресу — на улицу Маршала Федоренко. В отделе криминальной милиции его выслушали без особого интереса, однако поблагодарили и обещали вызвать, если он понадобится. В общем, говорить было не о чем.

Леня вышел из милиции слегка разочарованный, но тут ему на глаза попался щит, на котором висели портреты разыскиваемых преступников. От нечего делать он стал рассматривать его и вдруг едва удержался от восклицания — одно лицо он узнал! Память у Лени действительно была хорошая, и он был уверен, что не ошибся. Тем более он видел это лицо при таких обстоятельствах, которые даже захочешь — не забудешь. Эта самая женщина ждала кого-то возле ярко-красной машины, недалеко от поворота на Смольную. И видел ее Леня как раз за секунду перед тем, как случилось несчастье. Портрет был явно составлен на компьютере, но тем не менее очень похож — короткие светлые волосы, острый подбородок, безразличный, будто уснувший взгляд. Никакого сомнения — это была та самая женщина!

Леня вчитался в текст и обнаружил, что гражданка разыскивается по подозрению в совершении тяжкого преступления, что она чрезвычайно опасна и может быть вооружена. Ничего себе! А он ей еще улыбался! Леня был озадачен. Что-то смущало его в этой ситуации.

Он задумался. Женщина, которую он видел, — преступница. В двух шагах от того места, где он ее видел, в понедельник тоже произошло преступление. Нельзя сказать, что совсем уж тяжкое, но довольно наглое и тоже опасное. Правда, Леня уже справлялся о здоровье Лены — она шла на поправку, но ведь все могло закончиться куда хуже! И вот теперь получается, что на месте преступления была женщина, которую разыскивает милиция. И она чего-то ждала. Леня был далек от мысли, что именно она спланировала это нападение — уж слишком сложно для похищения женской сумочки, — но все равно совпадение казалось ему очень странным. Он еще немного подумал, повернулся и пошел обратно — в следственный отдел, откуда только что вышел.

Тот же милиционер в штатском терпеливо выслушал его сообщение, а потом сунул ему альбом с фотографиями и попросил показать женщину, которую Леня узнал. Леня отыскал нужное изображение и ткнул в него пальцем.

— Уверен? — спросил следователь, нахмурившись.

— Сто процентов, — сказал Леня.

Следователь попросил его на минутку выйти. Из коридора Леня слышал, что тот звонит куда-то, но слов разобрать не мог. Однако и без того было ясно, что на этот раз его приняли всерьез. Вскоре следователь выглянул в коридор и сунул Лене какую-то бумажку.

— Сейчас ноги в руки и дуй на Петровку, — сказал он. — Здесь все написано, куда и что, чтобы ты не перепутал. На проходной представишься, спросишь полковника Гурова. Пропуск на тебя уже будет готов. Все понял?

— Сто процентов, — сказал ошеломленный Леня.

Глава 13

Генерал Орлов вошел в кабинет Гурова как раз в тот момент, когда подполковник Жмырин с торжественным видом водрузил на стол увесистый кейс с никелированными замками и откинул крышку. Он стоял к дверям спиной и потому не мог видеть неслышно ступающего

Н. Леонов, А. Макеев

генерала. Полковник Крячко тоже не видел Орлова, потому что целиком сосредоточился на содержимом кейса, которое, несомненно, его восхищало — такой восторг и благоговение были написаны на его простецком лице. На дне кейса, источая прозрачное сияние, лежали четыре прямоугольные бутылки водки «Смирновская».

— Что за чертовщина здесь происходит? — грозно спросил Орлов, ввергая оперативников в кратковременный шок.

Жмырин мгновенно захлопнул крышку кейса, совершил поворот кругом и застыл по стойке «смирно», преданно глядя генералу в глаза, однако на вопрос не ответил. Крячко с сожалением покосился на кейс, который в одно мгновение сделался совершенно обыкновенной вещью, чуть-чуть подумал и как ни в чем не бывало сообщил:

— Так что, ваше превосходительство, мы вот тут разрабатываем с товарищем план оперативно-разыскных...

— Я тебе дам превосходительство! — рявкнул Орлов. — План они разрабатывают! Видел я этот план! Почему в рабочее время напитки?

— Всего лишь вещественные доказательства, — поспешно сказал Крячко, подмигивая Жмырину. — Вещественные доказательства, и ничего более...

— Не мели! — прикрикнул на него генерал и обернулся к Жмырину: — Спрячь чемодан и ни-ни, понял?! Если увижу, что от вас хоть грамм пахнет... И вообще, ты почему здесь, Жмырин? Мы тебя отстранять собираемся, ты у нас законность попираешь...

— Он уже не попирает, — вмешался Крячко. — Вышло чудовищное недоразумение. Преступные элементы воспользовались несовершенством нашего законодательства, чтобы опорочить честного и мужественного работника уголовного розыска. Это вот его, — показал он на Жмырина. — Но время все расставило по своим местам. Справедливость восторжествовала! Обвинения с нашего товарища сняты, и отстранять его коллектив считает нецелесообразным, товарищ генерал!

Орлов подозрительно уставился на него, а потом полным яда тоном осведомился:

— Что это все значит? Что это ты на время ссылаешься? При чем тут время? Как это обвинения сняты? Кем сняты? Вы что — давление на истца оказывали?

— Что вы, товарищ генерал! — изумился Крячко. — Упаси бог! Я же говорю, случай помог. Тут в воскресенье — кто бы мог подумать? — из больницы Кадошкина выписали. Помните такого любителя прокатиться по Новорязанскому шоссе?

— Дальше! — рыкнул Орлов, пожирая Крячко глазами.

— Дальше они, естественно, решили отметить это знаменательное событие в своем узком кругу — в своей тусовке, как сейчас говорят, — продолжал невинным тоном Крячко. — У них есть пивнуха — «Золотой глаз» называется, — там вся такая публика собирается. Одним словом, к вечеру они все туда прикатили — Кадошкин, его кореша, которые еще живы, плюс дочка истицы, Ксения Владимировна Лемехова собственной персоной. Ну, задали там жару, а потом, когда стемнело, решили прошлое вспомнить. Байкер, он всегда байкер — ему нужно, чтобы впереди дорога, а за спиной — баба...

— Ты мне зубы не заговаривай! — перебил его генерал. — Какое отношение вся эта галиматья к нам имеет?

— А никакого, — честнейшим голосом ответил Крячко. — Вот честное слово, ни малейшего отношения! Просто когда эта тусовка из «Золотого глаза» вывалилась, тут как раз ребята из отдела наркотиков оказались. Шли просто со службы, или что там, я уж не знаю, но когда они увидели эту гоп-компанию, то их будто шилом кольнуло. Дай, думают, проверим их на предмет наличия!.. Короче, интуиция! Ну, проверили, и оказалось, что там целый букет — управление транспортным средством в нетрезвом виде, сопротивление работникам милиции при исполнении, а главное — у троих при себе обнаружено наличие растения марихуаны в количествах, превышающих минимально допустимую дозу. Самое смешное — у Ксении Лемеховой в том числе. Пришлось, естественно, всех задержать...

— Так, и сколько же ребят из отдела там оказалось? — медовым голосом спросил генерал. — Человек десять?

— Восемь, — спокойно ответил Крячко.

— Ты их навел? — спросил Орлов.

— Ну уж! — возмутился Крячко. — Я же говорю — интуиция!

— Что ты говоришь, я слышу, — заметил генерал. — Я с этим делом сам разберусь. Досконально. Если найду что-нибудь — уволю всех к чертовой матери! Где сейчас вся эта тусовка? Сидят или подписку о невыезде с них взяли?

— До утра посидели, — объяснил Крячко. — Потом отпустили, а потом примчался адвокат Лемеховой — тоже опер бывший, между прочим.

— Куда примчался? — подозрительно спросил Орлов.

— Да он везде примчался, — сказал Крячко. — В отдел к ребятам примчался, потом к нам сюда... Короче, мы все тут обсудили и пришли к выводу, что погорячились обе стороны.

— В каком смысле? Что это значит?

— Истица отозвала свое заявление против Жмырина, — с притворным вздохом ответил Крячко. — А молодежь предупредили — еще одно такое задержание, и дело кончится судом...

— То есть как?! — вскипел генерал. — Ты сам говорил — наркотики, сопротивление... Их что же, отпустили, выходит? Это же служебное преступление!

— Тут такое дело, — доверительно сказал Крячко. — Ребята после работы же были, уставшие... Что-то там не так оформили, вещественные доказательства утеряли...

То есть с процессуальной стороны не все гладко. Ну и решили не связываться. Может, потом, когда вещдоки отыщутся...

Генерал посмотрел в его плутоватые глаза и показал ему огромный кулак.

— А знаешь, что тебе за такие номера полагается? — мрачно сказал он. — Гуров в курсе?

— Полковник Гуров еще ничего не знает, — ответил Крячко. — Забыл ему рассказать. Он и так с этой бабой замотался. Вот ведь Никита́ выискалась на нашу голову!.. Ну, теперь Жмырин включится — все полегче будет...

Генерал хотел что-то сказать, но потом только крякнул и махнул рукой:

— Потом мы все равно с тобой разберемся, и с Гуровым тоже! Где он, кстати? Что у вас в самом деле с вашей Никитой? Меня начальство уже за душу начинает брать — пресса волнуется, общественное мнение...

— Гуров как раз сейчас в другом кабинете с парнишкой беседует, — сообщил Крячко. — Парнишка один вроде бы эту бабу лично видел — среди бела дня. Вдобавок, когда он ее видел, кого-то там за углом ограбили. Странная, в общем, история.

— Меня ваши странные истории не интересуют, — отрезал Орлов. — Факты какие-нибудь есть? Кроме очередного трупа на Красноказарменной нашли что-нибудь?

— Разрешите, товарищ генерал? — подал голос Жмырин. — Я тут уже докладывал... Я только что у экспертов был. Еще одна ниточка обнаружилась. В пятницу километрах в сорока от Москвы по Калужскому шоссе, в лесу, был обнаружен труп женщины с огнестрельными ранениями. Один выстрел в грудь, второй, контрольный, — в голову. Там же поблизости стояла брошенная машина. Никаких признаков ограбления. Самое главное, что экспертиза впоследствии подтвердила — женщина убита из того же пистолета «вальтер», что и прочие наши фигуранты.

— Это точно? — озабоченно спросил генерал. — Личность женщины установлена? Кто такая?

— Некая Светлана Игоревна Изотова, тридцати двух лет, незамужняя, мастер по ландшафтному дизайну, — ответил Жмырин. — Ни в каких криминальных архивах ничего по ней нет.

— Что Гуров говорит?

— Гуров говорит — искать будем, — сказал Крячко и после деликатной паузы добавил: — Странная нам Никита попалась — преподавателей университета мочит и дизайнеров. Это мне напоминает движение луддитов. Знаете, были такие противники прогресса...

— Ты помолчи пока, — остановил его генерал. — Мы не на лекции. И твои луддиты нас не интересуют. Меня интересует, кто убивает людей в Москве, у нас под носом, и по какой причине он их убивает. А еще больше меня интересует, когда наконец будет положен конец этому безобразию?

Крячко и Жмырин посмотрели друг на друга и ничего не сказали. Генерал сегодня был в таком настроении, когда не стоило говорить лишнего. Опасное молчание прервал приход Гурова.

— Здравия желаю, — сказал он. — Товарищ генерал лично проверяет посты? Это правильно. За такими ушлыми ребятами нужен глаз да глаз.

— Шуточки ваши мне вот уже где! — заявил генерал и резанул себя ребром ладони по шее. — Ты хоть знаешь, что у тебя под носом творится? Орлы из отдела по борьбе с наркотиками подбросили жмыринской истице анашу, и, между прочим, это безобразие осуществлялось с подачи твоего Крячко!

— Ну, неправда! — жалобно сказал Крячко. — Никакой такой подачи не было. Я просто рассказал ребятам... И анаша была самая настоящая, между прочим! Если бы все было так, как вы тут напридумывали, адвокат ни за что бы не отозвал иск...

— А что, иск отозвали? — удивился Гуров. — Поздравляю, Жмырин! Опять выкрутился! Учти, это в последний раз.

— Так это твоя идея? — спросил генерал.

— Нет, не моя, — спокойно ответил Гуров. — Но поскольку все провернул Крячко, то считаю своим долгом взять на себя ответственность, если это необходимо. И потом, мне сейчас очень нужен толковый человек — такой, как Жмырин, например.

— Понятно, — сказал генерал. — Тогда пока эта тема закрыта. Но если что-то подобное повторится, пеняйте на себя!.. Что за парня ты там откопал? Он в самом деле что-то видел?

— Парень интересный, оптимист, спортсмен, не курит, не пьет, память как часы работает, — сказал Гуров. — Утверждает, что видел женщину, которая изображена на нашем фотороботе. Говорит, даже улыбался ей. Было это дело в понедельник вечером неподалеку от метро «Речной вокзал». Она стояла возле ярко-красной иномарки и будто кого-то ждала.

— И что дальше? — спросил генерал.

— Собственно, про женщину все, — ответил Гуров. — Но есть одна странная деталь. Именно в тот момент, когда состоялась эта мимолетная встреча, рядом на углу ограбили молодую девушку. Двое каких-то мерзавцев на мотоцикле выскочили откуда-то, вырвали у нее сумочку, сбили с ног и скрылись. Оперативники Северного округа расследуют это дело, но пока никаких следов.

— Ну, это в огороде бузина, а в Киеве дядька, — обиженно сказал Орлов. — Мы имеем дело с профессиональным убийцей. При чем тут ограбление? Сумочка какая-то... Что в сумочке-то было?

— По словам девушки, ерунда, — ответил Гуров. — Самое ценное мобильник. Но это еще нужно проверить.

Я хочу прямо сегодня подъехать в восемьдесят первую больницу — там лежит эта девушка сейчас. У нее ушиб бедра, вывих запястья и легкое сотрясение мозга, но она уже поправляется.

— Зачем тебе эта девушка? — спросил генерал. — Гопников собираешься ловить?

— Что-то меня настораживает в этой истории, — сказал Гуров. — Понимаешь, Петр, если там действительно была наша знакомая, то стоит проверить все обстоятельства. До сих пор, где бы она ни появлялась, везде после нее оставались трупы, а тут — сумочка. А вдруг в этой сумочке все и дело?

— Ну, во-первых, наша знакомая, наверное, не всегда работает, — заметил генерал. — Есть и у нее, наверное, паузы. А во-вторых, совсем не ее почерк. Ничего похожего. Но, может быть, ты и прав. В нашем случае ничего не остается, как проверять любые варианты. Тебе про Калужское шоссе уже доложили?

— Да, конечно, — помрачнел Гуров. — Вот, кстати, пример — ландшафтный дизайнер тут при чем?

— Так у нее даже сумочку не взяли! — воскликнул Орлов. — Все убийства заказные — ежу понятно. Ну, за исключением двух первых, конечно. Там сами напросились.

— Ландшафтный дизайнер, шарлатан-целитель, преподаватель университета, еще один преподаватель... Странные объекты для заказных убийств. Кстати, старший Гладилин так до сих пор и не обнаружился. Исчез без следа. Осмотрели его квартиру и только руками развели. Ну, никакой зацепки! Жил скромно. Судя по всему, ничем, кроме науки, не занимался, денег не скопил, дурных привычек не имел. И самое странное — похоже, из дома он ушел в последний раз через балкон. Спрыгнул в кусты. В домашней одежде, в тапочках... Вот такой расклад.

— Не лучший расклад, — заметил генерал.

— Вот и я говорю. Одним словом, я сейчас в больницу, Крячко — в уголовку Северного округа, а Жмырин — в ту дизайнерскую контору, где убитая работала. Будем искать ключи там, где светло.

— Ищите, — разрешил генерал и тут же добавил с угрозой в голосе: — Кстати, о ключах! Ты вот этот чемодан, Гуров, немедленно запри в сейф! И чтобы ни одна собака к нему не прикасалась до тех пор, пока не раскрутите это дело, понятно?

— Понятно, — ответил Гуров с некоторым недоумением.

Крячко и Жмырин с невинным видом смотрели в потолок и, кажется, совсем не интересовались судьбой странного кейса. Решив, что все равно потом все объяснится, Гуров спрятал чемоданчик в сейф и предложил заняться делом. Оперативники с облегчением выскользнули из кабинета.

В больницу Гуров поехал в сопровождении Лени Давыдова. Тот был знаком уже со всеми медсестрами и нянечками отделения, где лежала Елена Гордина, и это было очень кстати. Гурову не хотелось, чтобы его визит выглядел слишком официально — возможно, то, что случилось с девушкой, действительно не имело к ним никакого отношения, так зачем же было огород городить. Он просто хотел задать несколько наводящих вопросов. Леня Давыдов собирался было составить ему компанию, но Гуров пресек это в самом начале и приказал Лене ждать в вестибюле.

— Мне вообще не очень нравится твоя роль в этой истории, — заметил Гуров. — Говоришь, любовь у тебя к ней? А как же муж?

— А может, и мужа-то никакого нет? — возразил на это Леня. — И вообще, всякие могут быть варианты, товарищ полковник. Я надежды не теряю.

— Надежды, брат, не у тебя одного, — сказал ему Гуров. — Муж вот тоже надеется, что дома у него все в порядке. А тут ты... Неоднозначная ситуация получается. Ну, тебе виднее...

Оставив озадаченного Леню в коридоре больницы, Гуров переоделся в белый халат и в сопровождении медсестры прошел в палату, где лежала Елена. Увидев ее, Гуров отчасти понял Леню — даже на больничной койке, без обычных женских штучек эта девушка казалась удивительно очаровательной — было от чего потерять голову. Приходу Гурова она не удивилась.

— Тут уже приходили из милиции, — сказала она. — Спрашивали, что у меня украли и смогу ли я опознать тех двоих. Сказали, если я что-нибудь вспомню — сообщить им. А что я могу вспомнить? Они сзади подлетели, сумку рванули, и я упала. Сознание, кажется, потеряла... Я их вообще не видела!

— Да, печальная история, — сочувственно сказал Гуров. — Надеюсь, ваше здоровье не слишком пострадало и вы поправитесь. Но, откровенно говоря, это неприятное происшествие меня не очень интересует. Скажу больше — вряд ли этих двоих разыщут. Насколько мне известно, свидетели не успели их запомнить, а на номер мотоцикла вообще никто не обратил внимания.

— Да бог с ними, — сказала Елена. — Я не в претензии. Сама виновата. В следующий раз буду смотреть по сторонам, — она смущенно улыбнулась.

— Ну, тут я с вами не согласен, — покачал головой Гуров. — Человек не может быть виноват в чужом преступлении. Я просто реально оцениваю шансы. Однако есть один вопрос, который меня очень интересует. Вполне возможно, вы не знаете на него ответа, но все-таки давайте попробуем ответить. Вам, случайно, не знакомо это лицо?

Гуров показал Елене изображение женщины, которую Крячко упорно называл Никита. Гурову не нравилось это имя, не нравился фильм, из которого имя было взято, но, к своему неудовольствию, он все чаще замечал, что мысленно сам так называет эту женщину. Дурной пример, как всегда, заразителен.

Он внимательно следил за выражением лица Елены, когда она рассматривала фотографию, но на этом красивом лице не появилось даже ни единой морщинки. Елена вернула фотографию Гурову и доброжелательно сказала:

— Нет, эта женщина мне не знакома. Ни разу ее не видела.

— А вы где работаете, Елена? — спросил Гуров.

— Да, честно говоря, ничего интересного, — улыбнулась она. — Я заведую отделом в магазине-салоне. Мы торгуем мобильными телефонами. Сейчас это выгодный бизнес.

— У вас на работе все в порядке? Никаких конфликтов?

— Все нормально, — несколько удивленно ответила девушка. — Я вообще человек не конфликтный.

— А раньше на вас ни разу не нападали? Может быть, случались какие-нибудь странные происшествия? Припомните!

— Н-нет, — растерянно произнесла Елена. — Насколько я помню, ничего такого не было. А почему вы спрашиваете?

— Да, собственно, для проформы, — сказал Гуров. — Вполне возможно, все это не имеет к вам никакого отношения. Скажите, а Леню Давыдова вы давно знаете?

— Давыдова? — удивилась девушка. — Ах, вы имеете в виду этого настырного молодого человека, который тренирует юных пловцов? Недели две, наверное. Но нельзя сказать, что я его так уж хорошо знаю. Просто с некоторых пор он стал навязываться мне, поджидал каждый вечер в метро, провожал до дому... Вообразил, что влюблен без памяти.

— Ну почему вообразил? — заметил Гуров. — Должен признаться, что даже у меня екнуло сердце, когда я вас увидел. Вполне допускаю, что Леня действительно влюбился в вас без памяти.

Елена смущенно рассмеялась.

— Вы шутите, — сказала она. — Я сейчас страшная, как баба-яга. А этот молодой человек влюбляется, по-моему, по пять раз на дню. Просто его задело, что я осталась равнодушна к его обаянию. Хотя, надо признать, человек он вовсе не плохой. Только в моей жизни совершенно лишний. Не знаю, как ему это объяснить, чтобы он понял.

— Вы действительно замужем? — спросил Гуров.

— Да, мой муж специалист по нефтедобыче. Сейчас он в долгосрочной командировке в Баренцевом море — помогает осуществлять совместный российско-норвежский проект. Должен вернуться через два месяца. А пока пишет мне письма.

— Простите, а у вашего мужа никогда не возникало никаких проблем... скажем так, криминального характера? — неожиданно спросил Гуров.

— Ну что вы! — протестующе воскликнула Елена. — Никогда. Он очень интеллигентный и в то же время очень твердый человек. Никогда в жизни не шел ни на какие сомнительные сделки. Предпочитал иметь чистые руки. Да ему это и не нужно — он очень хороший специалист. Такие везде в цене.

— Понятно, — сказал Гуров. — Ну, тогда будем считать, что все случившееся с вами — в буквальном смысле всего лишь досадный случай, который больше не повторится. К сожалению, от таких эксцессов никто не застрахован. Просто нужно быть немного внимательнее... А что касается Лени, то все-таки постарайтесь объяснить ему, что он не там ищет свое счастье. В конце концов, попросите, чтобы кто-нибудь из родственников с ним серьезно поговорил — кто-нибудь из мужчин, отец, например... Кстати, просто из любопытства, — я как-то упустил из виду, — а какая у вас девичья фамилия, Лена?

— Ямщикова, — сказала девушка. — До замужества я была Ямщикова.

Она замолчала и с тревогой уставилась на Гурова, который на секунду тоже потерял дар речи.

— Что-то случилось?

Гуров опомнился.

— Ямщикова? А как имя-отчество вашего отца? — спросил он.

— Алексей Петрович, — неуверенно произнесла девушка. — А что? В чем дело?

— Алексей Петрович Ямщиков, — повторил Гуров, который никак не мог поверить в такое совпадение. — Вы уж простите за такой вопрос — совсем недавно у вас в родне никто не погиб трагически? Это очень важно.

Елена недоверчиво уставилась на Гурова и еле слышно прошептала:

— Д-да... У нас погиб троюродный брат папы. Его застрелили, и до сих пор неизвестно — кто. Правда, я его совсем не знала. А папа был очень расстроен.

— Фамилия вашего родственника?

— Кажется, Гладилин... Да, точно Гладилин. Он занимался чем-то вроде нетрадиционной медицины. А почему вы спрашиваете? Это имеет какое-то отношение ко мне?

— Вряд ли, — сказал Гуров. — Но то, что вы сообщили, очень интересно. Мне обязательно нужно это осмыслить. Пожалуй, назрела необходимость встретиться с вашим отцом. Мне известен его домашний адрес, но, честно говоря, не хотелось бы беспокоить людей в домашней обстановке. Не подскажете, где он работает?

Елена казалась обеспокоенной.

— Даже не знаю, что вам сказать, — растерянно проговорила она. — Папа редко говорит о работе. Практически никогда не говорит. А место работы... Видимо, оно находится где-то в Юго-Западном районе. По крайней мере, однажды утром мы вместе туда ехали... Понимаете, у него... — она понизила голос. — Секретная работа!

— Ну что ж, раз секретная, значит, секретная! — сказал Гуров. — Не буду заставлять вас раскрывать чужие секреты. Пожалуй, все же придется зайти к вашему батюшке в гости. В котором часу это удобнее сделать?

— В девять вечера он почти наверняка будет дома, — ответила Елена. — Правда, он у меня трудоголик. Частенько задерживается на работе, а иной раз даже ночами там пропадает. Мама даже ревнует его. Но отец, по-моему, не интересуется женщинами. То есть, я имею в виду, он — однолюб. И вообще работа у него на первом месте.

— Серьезный человек ваш отец, — заметил Гуров. — Он ведь по образованию физик-электронщик?

— А вы, оказывается, знаете не меньше меня! — сказала Елена. — Да, он занимается электроникой, прекрасно разбирается в связи. Забавно, он утверждает, что мобильная связь в нынешнем виде морально устарела, и предлагает мне срочно подыскивать новую работу.

— А вы?

— Он шутит, — улыбнулась Елена. — И потом, думаю, на мой век хватит...

Она вдруг замолчала и повернула голову к двери. На пороге стоял высокий сутуловатый мужчина в накинутом на плечи халате. В руках он держал пакет с фруктами.

— Папа?! — обрадованно воскликнула Елена. — Надо же! А мы как раз про тебя вспоминали!

Гуров шагнул навстречу мужчине и, наклонив голову, сказал:

— Разрешите представиться, старший оперуполномоченный полковник Гуров! Как говорится, на ловца и зверь бежит. А я-то тут придумывал, Алексей Петрович, как мне с вами встретиться! Необходимо побеседовать. Я буду ждать вас внизу, договорились?

Ямщиков на секунду застыл, а потом кивнул и сказал неторопливо:

— Договорились — ждите.

Глава 14

Ямщиков пробыл у дочери совсем недолго. В вестибюле он появился уже без халата и с пустыми руками. Нашел взглядом Гурова, но ничего ему не сказал, не кивнул даже и сразу направился в раздевалку. Лишь надев плащ — тот же самый, что Гуров видел на нем во время похорон, — он еще раз оглянулся и чуть-чуть задержался у дверей, как бы приглашая Гурова следовать за ним.

«Этому палец в рот не клади, — подумал Гуров. — Привык все делать по-своему и никому не уступать. И до чего же интересные вокруг тебя, друг, дела творятся! Не в характере ли твоем таится разгадка?»

Он спокойно приблизился к Ямщикову и предупредительно распахнул перед ним дверь.

— Насколько я понимаю, вы предлагаете беседу на свежем воздухе? — спросил он.

Ямщиков поблагодарил, вышел на крыльцо и, насмешливо приподняв одну бровь, сказал Гурову:

— Честно говоря, полковник, со временем у меня туго. Вот выбрал минутку заскочить к дочери, а вообще-то я на работе. Может быть, в другой раз? Да и о чем говорить? Неприятно, конечно, с дочкой получилось, но не вижу причин раздувать из всего этого историю. Мало ли сейчас всякой сволочи по улицам шляется? Я даже далек от того, чтобы предъявлять претензии — милиция тут сама в роли козла отпущения оказалась. Ломать легко, а попробуй теперь собери!

— Наверное, доля правды в ваших словах есть, — задумчиво сказал Гуров. — А все-таки поговорить нам нужно обязательно, Алексей Петрович! И не только относительно вашей дочери.

— Вот как? — уже без тени насмешки сказал Ямщиков. — Это любопытно. И о чем же?

— Вопросов у меня к вам много, — признался Гуров. — Но прежде всего я хотел бы спросить о Сергее Николаевиче Гладилине. Вы не знаете, где он?

Н. Леонов, А. Макеев

Ямщиков в упор посмотрел на Гурова, нахмурил брови.

— Вот, значит, в чем дело, — пробормотал он. — Мне следовало бы догадаться. Значит, с Сережкой тоже что-то стряслось?

— Это я у вас хотел узнать, Алексей Петрович, — мягко сказал Гуров.

Ямщиков развел руками:

— Увы, от меня вы мало что узнаете. Сергей Николаевич мой троюродный брат. В молодости мы были друзьями, вместе ходили на футбол, музыку слушали, за девушками увивались... Но потом жизнь нас разбросала, и в последние годы мы виделись очень редко. Порой годами не виделись. Так что... Я рассчитывал, что он придет на похороны Володьки, но он так и не появился. Ему звонили — домой, на работу. Я в том числе несколько раз звонил. Он как сквозь землю провалился. Честно говоря, следовало бы выяснить, в чем дело, но дела, заботы... Закрутился и забыл! А с ним, видимо, совсем плохо, да? Я понимаю, что старший оперуполномоченный просто так не станет интересоваться человеком. Скажите прямо, что случилось?

— Прямо ничего не могу сказать, — ответил Гуров. — Потому что сам ничего не знаю. Но в одном вы правы — дела у Сергея Николаевича совсем плохие. Пока он у нас числится пропавшим без вести.

— Да вы что?! — воскликнул Ямщиков. — Час от часу не легче! Вы уверены, что Сергей пропал?

Гуров пожал плечами:

— Если человек нигде не появляется, его никто не видит и от него никаких вестей, то что прикажете думать?

— Да, действительно, — словно очнувшись, сказал Ямщиков. — Но... Почему, собственно, персона моего родственника привлекла внимание правоохранительных органов? Кто-нибудь делал заявление?

— Не совсем так, — уклончиво ответил Гуров. — Были некоторые обстоятельства... Вот, например, как вы считаете, кто мог убить его младшего брата? Тоже, между прочим, вашего родственника.

— Да, трагическое совпадение, — мрачно кивнул Ямщиков. — Но тут я также некомпетентен. Смерть Владимира меня поразила и огорчила, но причины ее для меня непонятны. Конечно, бизнес, которым он занимался, был, если можно так выразиться, на грани, но, по-моему, он был очень коммуникабельным и изворотливым человеком. Трудно представить, чтобы он перешел кому-то дорогу настолько, что его решили убрать. Повторяю, для меня его смерть — загадка.

— Да, сплошные загадки, — неопределенно сказал Гуров. — И самое загадочное, что все эти загадки как бы сосредоточились вокруг одного человека. Знаете, как мухи вокруг куска сахара... Догадываетесь, какого человека я имею в виду?

Ямщиков ответил ему тяжелым долгим взглядом.

— Тут и дурак догадается, полковник, — сказал он немного погодя. — А я далеко не дурак. Вы меня подозреваете?

— Не угадали, — помотал головой Гуров. — Человек вы, конечно, жесткий — это сразу видно, — но калечить собственную дочь вряд ли бы стали. Насколько я успел заметить, у вас с ней прекрасные отношения.

— Да, мы с женой в Ленке души не чаем, — согласился Ямщиков. — Однако я не понял, с какой стати вы поставили в один ряд мою дочь и расстрел моего троюродного брата?

— И исчезновение еще одного брата, — напомнил Гуров. — А вы считаете, между этими тремя происшествиями нет никакой связи?

— Бог с вами! Какая тут может быть связь? — принужденно усмехнулся Ямщиков. — Голландский философ Оккам предупреждал — не следует умножать число сущностей сверх необходимого. Я считаю, что все это — чистейшей воды совпадение.

— Голландский философ хорошо сказал, сильно, — заметил Гуров. — Но я в таких случаях говорю, что совпадения, как правило, тщательно готовятся. Тоже неплохой афоризм, по-моему. Я в совпадения не очень верю, Алексей Петрович. Жизнь отучила.

Ямщиков покачал головой:

— Как физик, я могу вам сказать, что вы не правы. Совпадения в мире происходят гораздо чаще, чем принято думать. В каком-то смысле мы живем в мире совпадений и случайностей.

— Ну вот уж вашего семейства это не касается, Алексей Петрович! — возразил Гуров. — Буду с вами откровенен — у меня есть основания утверждать, что между несчастьями, свалившимися на вашу родню, существует связь. Что это за связь, я пока точно сказать не могу — некоторые ее признаки я вижу очень отчетливо, а некоторые скрыты от меня туманом. И почему-то мне кажется, что именно вы способны развеять этот туман.

— То есть вы намекаете, что я от вас что-то скрываю, — заключил Ямщиков.

— Не хочется применять резкие выражения.

— Понимаю, гуманизм, — с иронией сказал Ямщиков. — Но суть-то одна. Однако уверяю вас, вы ошибаетесь. Я не в состоянии развеять туман, который вас смущает. Более того, в отличие от вас, я вообще не вижу связи между этими трагическими случаями. На мою дочь напала обыкновенная шпана, которой сейчас хоть пруд пруди. Владимир, скорее всего, наделал ошибок в своем бизнесе, а у Сергея последнее время были нелады в семье.

— А у вас? У вас все в порядке? — спросил Гуров.

— У меня все в порядке, — медленно произнес Ямщиков. — И на работе и дома.

— А где вы, кстати, работаете?

— Есть одна лаборатория, — небрежно сказал Ямщиков. — Немного электроники, немного физики высоких частот. Больше, к сожалению, не могу ничего сказать.

— Ах да! Мне говорили, что вы человек засекреченный! — притворно спохватился Гуров. — На Министерство обороны работаете?

— Вы же сами человек казенный, полковник! — с укоризной сказал Ямщиков. — Я подписку давал!

— Ну конечно, — кивнул Гуров. — Конечно, подписку о неразглашении. Но меня, собственно, интересует не характер вашей работы, а возможные неприятности, с ней связанные.

— Я же сказал, у меня нет никаких неприятностей! — довольно резко повторил Ямщиков. — Вы не там ищете, полковник.

— Ищу там, где остаются следы, — возразил Гуров. — Вокруг вас кто-то ходит кругами, Алексей Петрович, а вы этого не замечаете или делаете вид, что не замечаете.

— И кто же это? — усталым голосом спросил Ямщиков. — Тоже не можете открыть карты?

— Ну почему же? По крайней мере, одну карту я вам покажу, — сказал Гуров, доставая из кармана фотографию Никиты. — Вам, случайно, не знакомо это лицо?

Ямщиков взял фотографию, всмотрелся, потом поднял глаза на Гурова.

— Кто это? — грубовато спросил он. — Похоже, это составной портрет? Что касается меня, могу заявить со всей определенностью — мне это лицо незнакомо.

— Жаль, — сказал Гуров. — А у вас есть оружие, Алексей Петрович?

Ямщиков опустил руку с фотографией, подозрительно уставился на Гурова.

— Что вы имеете в виду? У меня есть охотничье ружье, зарегистрированное. Я им, правда, никогда не пользовался. Так, дурачились с друзьями на даче — по бутылкам стреляли, по банкам...

— Нет, меня интересует боевое оружие, — уточнил Гуров. — Пистолет, например. Никогда не пользовались?

— Ну, почему же? Когда-то я числился в кадрах. Имел офицерское звание и табельное оружие соответственно. Но это было давно — в конце восьмидесятых. После увольнения я, как положено, сдал пистолет и очень этому рад. Не люблю оружия. А вы что, вообразили, что я мог застрелить троюродного брата?

— Так далеко мое воображение не заходит, — улыбнулся Гуров. — Но мне было интересно, вооружены ли вы. Мало ли что.

— Я вас не понимаю, — сердито сказал Ямщиков. — И потом, вы не ответили, что это за женщина? — Он взмахнул фотографией.

— А я и сам пока не знаю, — ответил Гуров. — Но у меня к вам просьба. Если вдруг увидите ее где-нибудь, позвоните. Вот мой телефон. Вот как увидите, так сразу и звоните. Хоть в четыре часа утра. Это очень важно, понимаете?

Ямщиков снова поднес к глазам фотографию и пристально уставился на нее.

— Та-а-ак! — сказал он наконец. — Не понимаю, в чем дело, но, судя по вашему тону, с этой женщиной связано что-то нехорошее?

— Очень нехорошее, — сказал Гуров. — Так позвоните, не обманете?

— Постараюсь. Если будет о чем звонить, — сухо ответил Ямщиков. — Но тогда у меня тоже будет к вам просьба. Оставьте мне фотографию. В таких делах не стоит полагаться на память.

— Забирайте, — сказал Гуров. — Кстати, этот портрет на всех стендах висит.

Ямщиков резко дернул подбородком.

— Так это не она ли... Володю? — сдавленно произнес он.

— Это пока в тумане, Алексей Петрович, — дипломатично пояснил Гуров. — Вы, главное, будьте сейчас повнимательнее.

— Я буду очень внимателен, — задумчиво сказал Ямщиков. — Прощайте.

Он повернулся и быстро зашагал к сиреневой «девятке», припаркованной неподалеку. Гуров подождал, пока он отъедет, запомнил номер и направился к своему «Пежо». Едва он сел за руль, как зазвонил мобильник. Услышав голос генерала, Гуров слегка удивился.

— Вроде недавно расстались, — сказал он, улыбаясь. — Соскучились, товарищ генерал, или проверяете кадры?

— Тут запрос пришел, — серьезно ответил Орлов. — Из Рязани. Там на днях железнодорожная милиция сняла с товарняка гражданина. В тяжелом состоянии, без обуви... У вас Гладилин когда пропал?

— Так... Десятого, — ответил Гуров. — В ночь на одиннадцатое. А что, неужели?..

— Вот одиннадцатого вечером они его и нашли. В бессознательном состоянии. Поместили в железнодорожную больницу. Сегодня он впервые заговорил. Назвался Гладилиным Сергеем Николаевичем, сказал, что его жизни угрожает опасность. Поскольку мы его в розыск объявили, рязанские товарищи сочли нужным сразу же нас известить.

— Молодцы рязанские товарищи, — сказал Гуров. — Я немедленно еду. Крячко не вернулся?

— У меня только и дела, что следить за твоим Крячко! — проворчал генерал. — И так половину работы за вас делаю вместо того, чтобы хорошенько намылить вам шею.

— Наши шеи всегда к вашим услугам, товарищ генерал, — весело сказал Гуров.

Он был очень обрадован сообщением, и никакое генеральское ворчание не могло испортить ему настроения, тем более что было видно невооруженным глазом — Орлов и сам взволнован новостями, иначе зачем бы он стал сообщать их Гурову лично? Если Гладилин и в самом деле нашелся, то это означало, что в деле произошел кардинальный поворот и у них появился шанс получить ответ на самые больные вопросы. Только бы не случилось какой-нибудь ошибки и выдержал бы Гладилин — кто знает, насколько тяжело его состояние?

Когда он вернулся в главк, Крячко уже ждал его. Он все знал и тоже был в приподнятом настроении. Зато про свой визит в уголовку Северного округа он отозвался с пренебрежением.

— Дохлый номер, — сказал он, махнув рукой. — Настоящий «глухарь». У них таких дел накопилась добрая сотня. Половина не раскрыта. Оно и понятно, если по горячим следам на этих артистов не вышли — считай, все! Теперь если только краденый мобильник где-нибудь засветится, да и то надежда слабая.

— Ну бог с ними, — сказал Гуров. — Что выросло, то выросло. Я, признаться, и не рассчитывал, что этих двоих возьмут. Да и вряд ли их показания нам помогут. Даже если они как-то связаны с женщиной, которую мы ищем, то вряд ли это прочная связь. Скорее всего, их наняли на один раз, и больше контактов с ними не будет.

— Ты все-таки допускаешь такую возможность? — осторожно спросил Крячко. — Что этот налет не был случайностью?

— Я бы с удовольствием счел его случайностью, — сказал Гуров. — Если бы девушка, которую ограбили, не оказалась дочерью Алексея Петровича Ямщикова, троюродного брата Гладилиных.

— Да ты что?! — поразился Крячко. — Неужели это правда?

— Стар я, батюшка, врать! — усмехнулся Гуров. — Вся эта кутерьма крутится неспроста и строго вокруг определенной оси. Вот только что это за ось, я никак не могу понять. Может быть, Гладилин наконец-то нам подскажет?

— Гладилин, выходит, тоже жертва, — заключил Крячко. — Были у меня сомнения, но теперь у него, можно сказать, полноценное алиби.

— Еще нужно проверить, тот ли самый Гладилин, — остудил его пыл Гуров. — Отправлю-ка я в Рязань Жмырина — пусть проветрится. Ему сейчас не помешает.

— Да, он говорил, что с удовольствием бы сейчас куда-нибудь закатился на недельку, — сказал Крячко. — В Москве ему везде чудятся адвокаты.

— Неделька ему не обломится, а пара дней гарантирована, — сказал Гуров. — Соединит полезное с приятным. Кстати, он не звонил? Меня очень интересует личность этой несчастной женщины, дизайнера по ландшафтам. Надеюсь, Жмырину удастся откопать что-нибудь полезное.

Жмырин появился через час, деловитый и довольный. Оказалось, что он уже успел пообедать.

— Я после всей этой нервотрепки четыре кило потерял, — объяснил он. — Теперь добираю. Пока не наберу — все время голодный. А вы еще не обедали?

— Мы работаем, — гордо сказал Крячко.

— Война войной, а обед по расписанию, — назидательно заметил Жмырин. — Я свое дело сделал. Побывал в этой ландшафтной конторе. Ну и морока, доложу я вам! Простой человек, сами понимаете, свои шесть соток благоустраивать никому не доверит. Значит, туда кто идет? У кого в кармане лишние баксы шевелятся. Ясное дело, и те, кто поляны с лужайками облагораживает, тоже жизнью не обижены. Бабы французскими духами пахнут, мужики в итальянских ботинках... Ноутбуки у всех, мобилы с наворотами...

— В общем, взыграл тут в тебе пролетарский гнев, Жмырин, — подхватил Крячко. — И ты кого-то из этих перевертышей арестовал. Я угадал? Заковал в наручники...

— Типун тебе на язык! — сказал помрачневший Жмырин. — Я даже не послал никого. Разговаривал — через каждое слово «пожалуйста» да «будьте любезны», — чуть не стошнило. А что толку? Ну, убили у них бабу. Начальница говорит — мы сотрудникам доверяем, даем свободу действий. Если есть возможность, они сами ищут заказчика где только возможно, при необходимости дают консультации. Потом уже заключают контракт. Этой, Изотовой, якобы накануне смерти позвонили на работу, попросили посмотреть участок где-то на Калужском шоссе. Предложили встретиться на следующий день. Изотова ушла на встречу, и больше ее уже никто не видел.

— И это все? — нахмурился Гуров. — Неужели никаких комментариев относительно ее смерти среди сотрудников не было?

— Почему не было? — сказал Жмырин. — Наверняка были. Только со мной никто больно-то не делился этими комментариями. Говорю же, народец там непростой, себе на уме. Говорят, Изотова была дельным работником, идей у нее много было, заказчиков хоть отбавляй, в общем, хоть на Доску почета вешай. С коллегами отношения в основном хорошие. В личной жизни ей, правда, не так везло. Все-таки бабе за тридцать, а ни семьи, ни детей... Был у нее, правда, любовник, но там, говорят, ей ничего не светило — мужик тот семейный и семью бросать не собирался. Она виду не подавала, но такое положение ее, конечно, мало устраивало. Это тамошние бабы между собой так говорят — не знаю уж, правда или нет. Может, просто злословят, как это у баб принято.

— Что ты все — бабы да бабы! — с досадой сказал Гуров. — Мы все-таки не на полевом стане, подполковник Жмырин! Хоть бы раз для разнообразия «женщины» сказал.

— Обязательно скажу, — невозмутимо пообещал Жмырин. — Только бабы — они бабы и есть, как ты их ни называй.

— Ладно, хватит о бабах, — поморщился Гуров. — Давай о мужиках поговорим. Этот самый любовник — кто такой? Выяснить не удалось?

— Ну как сказать, — пожал плечами Жмырин. — Изотова свою связь не слишком афишировала. Однако пару раз ее с этим мужчиной видели. Высокий такой, говорят, представительный... Кто по профессии и откуда — никто не знает, а вот как его зовут, одна ба... женщина в конторе знает. Она слышала, как Изотова с ним разговаривала — он ее то ли после работы встречал, то ли прямо в контору заходил.

— Ну и как его зовут? — спросил Гуров.

— Алексей, — сказал Жмырин. — А если шире брать, то Алексей Петрович. Фамилия неизвестна.

— Та-а-ак! — Гуров отступил на шаг и тяжело опустился на стул. — Ну, братцы, кажется, кроссворд сошелся. Я что-то в этом роде предполагал, но все-таки удивлен, признаюсь.

Жмырин тревожно посмотрел на него и тоже сел.

— Не понял, — сказал он. — Чего ты предполагал? Что у Изотовой любовника Алексеем зовут? Это имеет какое-то значение? Или ты этого Алексея Петровича знаешь?

— Боюсь, что знаю, — сказал Гуров. — Есть, конечно, вероятность, что это не тот Алексей Петрович, но она ничтожно мала, эта вероятность. Если бы в Изотову не стреляли из «вальтера», тогда варианты могли быть разными, но раз это случилось, то мы имеем право думать, что Изотова попала в ту же карусель, что и все прочие — Гладилины, байкеры, Елена Гордина... Как сказал мне недавно один человек — не нужно ничего выдумывать сверх необходимости. Вот, смотрите!..

Он взял со стола лист бумаги, фломастер и начертил в центре листа круг. Крячко и Жмырин недоверчиво посмотрели на этот круг, а потом молча переглянулись между собой. Гуров, в свою очередь, значительно посмотрел на них обоих и стал пририсовывать к этому кругу лучи. Он начертил их семь штук.

— Пусть всегда будет солнце, — сказал Крячко. — Сколько тебя знаю, Лева, а не подозревал, что в тебе погиб художник.

— А он и не погиб, — усмехнулся Гуров. — Картина получается просто загляденье. Только это не солнце, а совсем наоборот. Вот этот кружок — это Алексей Петрович Ямщиков. А это нити, которые к нему тянутся. Два байкера на шоссе, Владимир Гладилин, Сергей Гладилин, ботаник Кипренский, Светлана Изотова, Елена Гордина. Я ничего не упустил?

— Маленько даже перебрал, по-моему, — засомневался Крячко. — Я твою мысль уловил, но мотоциклисты и пьяница Кипренский никакого отношения к Ямщикову явно не имели...

— Но и те и другой в момент своей смерти находились поблизости от Сергея Гладилина, — возразил Гуров. — Видимо, достаточно случайно. Но это стало причиной их смерти. Соседство с Гладилиным, троюродным братом Ямщикова. Держу пари, что, будь Кипренский в ту ночь не в гостях у Гладилина, а, допустим, в вытрезвителе, он до сих пор был бы жив.

— Постой, значит, ты хочешь сказать, что любовник Изотовой — вот этот самый, троюродный? — спросил Жмырин. — И всех его родственников кто-то щелкает?

— Не всех, — покачал головой Гуров. — Вот тут-то, по-моему, и заключена, как сейчас говорят, главная фишка. Смотрите, что происходит. Сначала пытаются убить Сергея Гладилина. Преступление срывается из-за нелепой случайности. Преступники не расстраиваются и почти сразу же убивают Владимира Гладилина. Никакого грабежа — обратите внимание! Только убийство. Затем еще одна попытка убить старшего брата. Теперь являются к нему домой. И опять ему везет. Преступники по ошибке убивают его гостя, а Гладилину удается бежать. Следом они убивают Изотову. И снова никаких корыстных интересов. Чистое, выверенное убийство, профессиональная работа. И только в случае с дочерью Ямщикова происходит нечто иное — имитация грабежа и легкие травмы. Почему? Я думаю, ее пока не собирались убивать. Но намерения свои обозначили четко.

— Зачем? — хмуро спросил Жмырин.

— Затем, что это было последнее предупреждение, — сказал Гуров. — Ну, или предпоследнее, не знаю. Все эти убийства — метод давления на одного и того же человека — так я считаю. Больше никаких целей эти убийства преследовать не могут. Слишком разное имущественное и общественное положение у тех, кто убит. Их связывает только одно — близость к Ямщикову.

— Давят на Ямщикова, — с понимающим видом сказал Крячко.

— На Ямщикова, — подтвердил Гуров.

— И все-таки на хрена это им надо? — спросил Жмырин. — Кто он такой, этот Ямщиков? Олигарх? Начальник таможни? Тайный мафиози?

— Он не мафиози, но секретов в его жизни хватает, — сказал Гуров. — Сам Алексей Петрович утверждает, что не имеет проблем ни на работе, ни дома, но, сдается мне, он тут сильно лукавит. А вообще работает он в какой-то засекреченной лаборатории, как сказали бы раньше, в почтовом ящике. И насколько я понял, занимается проблемами связи. Может быть, тут и надо искать?

— Если он секретный, то это ФСБ дело, — заметил Жмырин.

— Мы не будем трогать секретов, — ответил Гуров. — Но дело это наше, и мы его раскрутим. Предлагаю такой вариант: ты, Жмырин, немедленно отбываешь в Рязань и вытрясаешь там из Гладилина все, что он знает. Вытрясаешь — это в переносном смысле, конечно, так что сильно не радуйся... А мы тем временем устанавливаем наружное наблюдение за Ямщиковым, негласную охрану для его дочери и параллельно проверяем его генеалогическое древо. Нам важно знать, кого может наметить убийца дальше. Судя по всему, он покушается на тех, кого Ямщиков знает достаточно близко.

— Одним словом, Ямщикова кто-то хочет сильно напугать, — заключил Крячко. — Но зачем? В чем причина?

— Неизвестно, — сказал Гуров. — Но причина, смею предположить, достаточно серьезная.

Глава 15

Когда Ямщиков остановил машину на стоянке возле кладбища, пошел дождь, моросящий, мелкий и противный. Это не прибавило настроения — он не захватил с собой зонта. Но возвращаться ни с чем не хотелось.

Он поднял воротник плаща и вышел из машины. За каменным забором кладбища шумели и качались желтеющие кроны. Мокрая листва сыпалась на мокрую землю. Небо сплошь было затянуто тучами.

«Прошла теплая пора, — констатировал мысленно Ямщиков. — Прошла окончательно, а я и глазом не успел моргнуть. И дело тут не только в том, что наступила осень. Дело в том, что всему в этом мире есть конец, и главная наука — научиться с этим смиряться».

Он купил у входа два белых цветка и пошел между рядов могил, неторопливо, но уверенно, будто знал все наизусть. Но он никогда прежде не был на этом кладбище, а где находится могила, вызнал заранее у знакомых.

Он шел с непокрытой головой, смирившись с тем, что дождь щиплет ему лицо и холодными струйками стекает за ворот. «Не слишком тяжкая расплата для тебя, — с горечью подумал Ямщиков. — Несколько капель за шиворот, забрызганные туфли... Вот каково сейчас ей — под землей, без будущего, без красок и звуков?.. Кто знает, может быть, ТАМ все же что-то есть? Только ни в коем случае не рай. Вечная тяжесть, слепота и тоска. Вот что это может быть. И тогда правильно туда никто не торопится. Но не всем удается здесь задержаться. Не всем...»

Посетителей на кладбище почти не было — погода распугала. Мимо Ямщикова к выходу торопливо прошла группа промокших людей, возвращающихся с похорон. Черные зонты блестели от влаги.

Он свернул направо, прошел еще несколько аллей и стал внимательно присматриваться к надгробьям, которые попадались ему на пути. Он равнодушно читал незнакомые фамилии, одну за другой, пока вдруг не застыл на месте, будто застигнутый врасплох сильной болью. В груди запнулось, а потом еще быстрее застучало сердце. Ямщиков почему-то воровато оглянулся по сторонам, а потом осторожно приблизился к могильному камню, на котором было высечено имя «Изотова Светлана Игоревна». Темный гранит был покрыт мелкими водяными каплями.

Ямщиков положил на камень цветы и, сложив руки на животе, несколько минут стоял, глядя исподлобья на последнее пристанище женщины, которую по-своему любил и которой, уж конечно, не желал такого страшного конца.

— Так уж вышло, Светлана, — негромко сказал он, обращаясь к камню. — Я тебя предупреждал, но оказалось — слишком поздно. Тут никто не виноват. Так устроен мир. Может быть, я был слишком самонадеян, это правда... Но теперь все равно ничем не поможешь, да и в моем возрасте люди уже не меняются... Жаль только, что не смог проводить тебя. Вот, сегодня пришел... И, наверное, больше не приду, извини. Мы потеряли друг друга, и с этим нужно смириться.

Он постоял еще немного, повернулся и пошел прочь, не оглядываясь. На душе у него было холодно и одиноко. Дождь усилился, но Ямщиков этого даже не заметил.

В конце аллеи стоял человек. Это был мужчина в мятом плаще и в шляпе, надвинутой на самые брови. Воротник плаща у него, как и у Ямщикова, был поднят — мужчина прятал в него нос и исподлобья следил за приближающимся Ямщиковым. Как только тот оказался достаточно близко, мужчина окликнул его:

— Алексей Петрович!

Погруженный в свои мысли, Ямщиков отреагировал не сразу. Он по инерции сделал еще два шага, остановился и, нахмурившись, посмотрел на окликнувшего его человека.

— Я вас знаю? — недовольно спросил он.

— Вряд ли, — ответил мужчина, сунул руки в карманы и сделал шаг навстречу Ямщикову. — Знаю я вас. А вы можете называть меня Дэном. Или Даниилом. Даже Данилой, если вам так больше нравится, — он скупо улыбнулся. — Главное, чтобы вам было удобно. Так проще найти взаимопонимание.

— Что найти? Что за чертовщину вы несете? — начал заводиться Ямщиков. — Что вам нужно?

— Лично мне — ничего, — уверенно сказал Дэн. — Я на окладе. Плюс бонусы и оплаченное лечение. А вот Седому от вас кое-что нужно.

Ямщиков сузил глаза и с ненавистью уставился на ничем не примечательное, угреватое лицо незнакомца.

— Так вот оно что! — зловещим шепотом произнес он. — Седой! Я подозревал... Но все-таки не думал, что он решится...

— Как видите, решился, — перебил его Дэн. — Более того, я уполномочен передать вам, что Седой намерен идти до конца.

— Что значит — до конца?

— Оглянитесь, — посоветовал Дэн. — Это ответ на ваш вопрос.

— Я вам задал вопрос, отвечайте! — грубо сказал Ямщиков.

— Хорошо, я отвечу. Посетив эту страну шесть месяцев назад, господин Седой сделал вам предложение, которое вы отвергли. Господин Седой предупредил вас, что вы поступаете неразумно и такого рода поступки могут иметь массу неприятных последствий. Если вы до сих пор сомневались в этом, то события последних двух недель должны были вас переубедить.

— Вы, сволочи, устроили эту резню, чтобы заставить меня принять сделку? — со злобой сказал Ямщиков. — Ты, сморчок! Не строй передо мной супермена! Мне плевать, что у тебя там в кармане! Да я пальцами сломаю тебе шею, мозгляк! И оставлю здесь, под березкой. Будешь гнить под дождем...

— Умерьте пыл, Алексей Петрович! — терпеливо сказал Дэн. — Никто не сомневается в вашем мужестве и в вашей силе. Седой всегда отзывался о вас с огромным уважением. Именно поэтому он выбрал такой жесткий метод убеждения. Мы знаем, что на пустяки вы не купитесь. Поэтому так много крови. Но это необходимо, согласитесь! Вы же упрямы как баран. Вы потеряли двух троюродных братьев, любовницу, едва не потеряли дочь. А ведь дочь никуда не исчезла. Она скоро выздоровеет, будет ходить на работу, гулять по улицам... А ведь есть еще ваша жена, которую вы очень бережете, и ваша престарелая мама...

— Стоп! — хрипло сказал Ямщиков. — Закрой свой поганый рот и слушай. Если вы еще раз попытаетесь тронуть мою семью, я иду в милицию...

— И что? — спокойно проговорил Дэн. — И что вы им скажете? Если вы начнете говорить, Алексей Петрович, то придется сказать всё. Вы готовы к этому? Господин Седой уверен, что нет. Мы знаем, что милиция вас уже навещала, но вы же не стали раскрывать потайные уголки своей души... Мы тоже не будем ничего афишировать. Даже если вы заупрямитесь и пойдете ва-банк. Мы не будем фискальничать. Мы просто будем методически уничтожать все вокруг вас, пока вы не останетесь один, как столб на дороге. А потом покончим и с вами. Но это уж в крайнем случае — если разум не возьмет в вас верх.

— Тебе ли судить о разуме, подонок? — презрительно сказал Ямщиков.

— Но я же ничего обидного не сказал, — произнес из-под шляпы Дэн. — Я же как раз предполагаю, что вы — человек разумный. В конце концов, что вы теряете в случае своего согласия? Мне кажется, сейчас вы теряете больше. Конечно, я допускаю, что судьба троюродных братьев вас волнует мало, но сюда-то ведь вы пришли?.. А до сих пор была всего лишь преамбула. Как вы понимаете, дальше будет хуже.

— Не боитесь обломать зубы? — мрачно спросил Ямщиков.

— Не очень, Алексей Петрович, — ответил Дэн. — Все-таки профессионалы. Следов стараемся не оставлять. И вообще мы неплохо подготовились. Вот я сейчас, например, тоже готов к любым неожиданностям. Учитывая ваш горячий характер, я не решился идти на встречу с пустыми руками. В кармане у меня пистолет, заряженный специальными ампулами. Одно ваше неосторожное движение, и вы получите заряд сильнейшего снотворного. Проспите не менее восьми часов. А проснетесь — и все начнется сначала.

— Ну и мрази вы со своим Седым! — сказал Ямщиков.

— Ну, когда-то ведь он был и вашим, — возразил Дэн. — Вам не стоило бы об этом забывать.

— Да уж, этого я никогда не забуду! — процедил Ямщиков.

Они оба замолчали. Ямщиков словно о чем-то размышлял, глядя поверх деревьев на серое моросящее небо. Дэн внимательно смотрел на него, не вынимая рук из карманов.

— Где Седой? — неожиданно спросил Ямщиков. — Мне нужно поговорить с ним лично.

— Разумеется, вы встретитесь с ним лично, — сказал Дэн. — Но только эта встреча должна быть обоснованной. Она должна быть обеспечена информацией, понимаете? Что это будет — бумаги, чертежи, записывающее устройство — не важно, это на ваше усмотрение. Но прежде чем организовать встречу, мы проверим достоверность этой информации...

— Что ты можешь понимать в этом, недоносок? — скривил губы Ямщиков.

— Проверять буду не я, Алексей Петрович, — терпеливо сказал Дэн. — Для этого у нас есть специалисты. Не такие крупные, допустим, как вы, но все же... Подсунуть им пустышку не получится. И, кстати, совсем не обязательно грубить. Меня это не обижает. Я понимаю, что это от бессилия...

— Как же, от бессилия! — зло сказал Ямщиков. — Психолог хренов! В общем, слушай сюда, придурок, — ничего вы от меня не получите, пока я не встречусь с самим Седым, понятно? И ни хрена вам меня не запугать — даже если вы перебьете всех близких мне людей. Я из стали, понятно? Седой должен бы это понимать. Поглупел он, что ли, за кордоном?

— Людей из стали не бывает, Алексей Петрович, — мягко сказал Дэн. — Это всего лишь метафора. У каждого есть болевая точка. И всегда мы ее находим. Рано или поздно.

— Ладно, мне плевать на твои размышлизмы, сморчок! — оборвал его Ямщиков. — Я свое последнее слово сказал. Хочу встретиться с Седым. Телефон мой вы знаете. Вы все про меня знаете — найдете способ связаться. А теперь я пошел.

Он повернулся, преодолев искушение броситься на неказистого человечка в шляпе, которого — он был уверен — смог бы уничтожить голыми руками, и зашагал через кладбище. Он не видел, как Дэн некоторое время смотрел ему вслед, а затем пожал плечами и пошел в противоположную сторону.

Ямщиков уехал с кладбища взбудораженный до глубины души. Он, обычно шутя управлявший машиной, по дороге дважды едва не врезался в соседний транспорт, и это расстроило его еще больше. «Нервничаешь, брат, — сказал он себе мысленно. — Теряешь хватку. А сейчас все должно быть наоборот. Они только этого и ждут — что ты станешь мягким как кисель. Людей из стали не бывает! Что ты понимаешь, жалкая зверушка? Ты убиваешь из-за угла, со спины...»

Ямщиков закусил губу и едва подавил стон, который рвался у него из груди. До сих пор он еще сомневался, но теперь истина предстала перед ним в неприглядной и оглушающей наготе — его дочь, его красавица Елена, обожаемое, безобидное и доброе существо, должна стать жертвой ненасытного чудовища, у которого множество имен — Алчность, Честолюбие, Эгоизм, но сущность у которого одна — набивать бездонную утробу. Сережа Гладилин когда-то сказал, что люди, уничтожающие себе подобных — хоть в прямом, хоть в переносном смысле, — ищут в этом акте спасение для себя. Чужая смерть создает у них иллюзию всевластия и собственного бессмертия. Наверное, Сережа был прав, но у него самого нет даже этой иллюзии. Чудовище сожрало и его. А помог Ямщиков. Помог, исходя из собственных амбиций, из собственных страхов, из жестокого расчета. Чем же он лучше Седого? Он готов поставить на кон даже жизнь жены и дочери. Чем же он лучше?

А ничем. Все дело как раз в том, что жизнь — случайность, ненадежный шанс. Выжить почти невозможно. Только вечное противостояние, постоянное напряжение жил, нежелание уступать ни пяди... Ямщиков горько усмехнулся. Ну да, и тогда тебе начинает казаться, что ты почти бессмертен, почти равен богам...

Но сейчас уже поздно что-либо менять. Путей к отступлению — ни единого. Значит, он перейдет в наступление. Этого от него не ждут, и это единственный выход. Главное, чтобы Седой оказался здесь, а что-то подсказывало Ямщикову, что Седой должен быть рядом.

Этот человек всегда был слишком нетерпелив и жаден. Потому и за границей оказался, потому и стал бизнесменом, угробив тот небольшой талант, который был отпущен ему судьбой, потому и в бизнесе постоянно ходил на грани. Наверное, он кажется себе победителем. Но вечных победителей не бывает. Вот какую истину стоило бы выучить Седому и его «шестеркам».

Ямщиков намеренно не поехал в больницу к дочери. Он понимал, что за ним наблюдают. Так пусть не видят, что он растерян, что он суетится. Сейчас главное — убедить их в своей несгибаемости и добиться, чтобы с ним встретился Седой. Пока все не решится, дочь будет в безопасности. Не на все сто процентов, но в реальной жизни ни одна система не дает такого КПД. Все равно приходится с чем-то мириться.

Ямщиков поставил машину во дворе и поднялся к себе в квартиру. Жена была дома. Последние месяцы у нее были нелады с давлением, а происшествие с Еленой едва не сломило ее окончательно. К счастью, все обошлось, но врачи прописали ей полный покой. Ямщиков и не собирался ее волновать.

— Ты пришел? — удивилась она, когда он возник на пороге. — Весь мокрый... Что-нибудь случилось?

Ямщиков видел, как трудно ей дается показное спокойствие — страх метался в ее глазах. Он взял жену за руку, внимательно всмотрелся в ее напряженное лицо.

— Тебе нельзя волноваться, ты же знаешь, — с мягким упреком сказал он. — И наверняка опять не пила лекарства... Я так и знал. А я пришел, потому что мне так захотелось. На тебя посмотреть... — он засмеялся. — И ровным счетом ничего не случилось. А мокрый я, потому что на улице дождь.

В лаборатории он был ведущим. Судьба проекта зависела от него, от его мозга, воли, таланта. Он сумел поставить себя так, что даже на режимном объекте держался совершенно независимо и свой рабочий график регулировал сам.

— Ты был у Елены? — с надеждой спросила жена.

— Нет, пока не был, — ответил он рассеянно. — Может быть, попозже. С ней все в порядке. Доктор сказал, что она уверенно идет на поправку. Давно бы выписал — просто перестраховывается. Мне-то кажется, что ему просто не хочется упускать такую красивую пациентку...

Жена не отреагировала на шутку.

— Почему мы ничего не сообщили ее мужу? — тревожно спросила она. — Мне кажется, он должен знать.

— Потому что он нам обоим не нравится, так ведь? — ответил Ямщиков. — Да и зачем ему узнавать это от нас? Вот Лена выйдет из больницы — пусть сама и напишет, что посчитает нужным.

— Не знаю, все это мне не по душе, — озабоченно сказала жена и тут же спросила: — Ты будешь обедать?

— Нет, я не проголодался. Ешь без меня.

— Ты уходишь? — заволновалась жена.

— Ненадолго. Впрочем, наверное, к вечеру я все-таки заскочу к Ленке, — сказал Ямщиков. — А вообще мне нужно навестить одного человека. Он может подбросить свежую мыслишку. Что-то я в последнее время отупел.

— Ты переживаешь, — с пониманием сказала жена. — Ты просто не показываешь вида, но я знаю, что ты страдаешь — из-за Леночки и вообще... Столько всего на тебя навалилось!

— Ты имеешь в виду Гладилиных? — спокойно спросил Ямщиков, внутренне проверяя себя на прочность. — Я давно забыл. Все в прошлом, дорогая, все в прошлом... А Ленка поправится, даю тебе слово! Просто, наверное, лучше будет, если она теперь немного поживет у нас, как ты думаешь?

— Она не согласится, — с грустью сказала жена. — Она всегда хотела быть самостоятельной.

— Вот и будет, — заключил Ямщиков. — Будет ухаживать за немощной матерью... Одним словом, обедай без меня.

Перед уходом он зашел к себе в кабинет, убедился, что жена далеко, и тихо открыл сейф. На нижней полке лежала металлическая коробка. Ямщиков достал из нее «ПМ», глушитель и запасную обойму. Он проверил пистолет и спрятал его в боковой карман пиджака. Потом снял трубку телефона, набрал код и номер.

«Хорошо, если бы он оказался дома, — подумал он, вслушиваясь в долгие гудки. — Хорошее начало — уже полдела».

Наконец на противоположном конце провода откликнулись. Мужской голос в трубке казался простуженным и сердитым.

— Але! Кто это?

— Привет, Кулик! — весело сказал Ямщиков. — Не узнал? Да Алексей это! Алексей Ямщиков, припоминаешь?

— А-а, вон это кто! — осторожно протянул голос в трубке. — Сколько лет, сколько зим, как говорится... А я уж думал, что ты того... Сейчас народу мрет — страшно подумать! Но раз живой, то рад тебя слышать. Чего звонишь-то? Только не говори, что соскучился!

— А может, и соскучился? — все тем же жизнерадостным тоном произнес Ямщиков. — Вот захотелось молодость вспомнить. Насчет рыбалки хотел с тобой покалякать...

— Ага, насчет рыбалки! — хмыкнул Кулик и двусмысленно прибавил: — Самое, конечно, время! Ну, рыбак рыбака... Заходи как-нибудь!

— Как-нибудь не получится, — возразил Ямщиков. — Буду сегодня. Время я прикинул — буду у тебя часа в четыре. Встретимся на пустыре за железной дорогой. Как в былое время.

— Как в былое не получится. Там теперь гаражи поставили. Но это еще лучше. Мой гараж там во втором ряду с краю. Я все равно с тачкой возиться буду, так что меня устраивает. Подходи.

— Все, договорились, — сказал Ямщиков и положил трубку.

Не тревожа жену, он тихо покинул квартиру и спустился во двор. Все небо затянула пелена дождя. Двор был пуст, и в промежутках между домами ничего не было видно, кроме полос дождя.

Ямщиков выехал со двора, пересек центр и выехал на Варшавское шоссе. Когда Кольцевая дорога осталась позади, он убедился, что за ним прицепился «хвост». Это был серый «Форд», который следовал за ним неотступно, скорее всего от самого дома. Те, кто сидел в «Форде», даже не маскировались. Время церемоний прошло.

Миновав Северное Бутово, Ямщиков свернул на боковую дорогу и поехал через лес. Здесь было мрачновато и безлюдно. Редкие машины проскакивали мимо, разбрызгивая грязь, исчезали в пелене дождя. Ямщиков выбрал момент, когда на дороге никого не было, и свернул на обочину.

Он заглушил мотор и посмотрел назад. Примерно через полминуты из тумана вынырнул серый «Форд» и промчался мимо. В нем сидели двое. Ямщиков видел, как они повернули головы, разглядывая его машину.

Проводив «Форд» глазами, он неторопливо достал из кармана «ПМ» и навернул на ствол глушитель. Голова его работала ясно и четко. Он не уступит им ни миллиметра. Они избрали его в качестве жертвы, но эта роль не для него. Придется им с этим смириться.

Он вышел, поднял капот и стал ждать. Они должны были вернуться — у них просто не было выхода. Пистолет, снятый с предохранителя, лежал теперь в просторном кармане плаща.

Ждал Ямщиков недолго. Уже через пять минут послышалось жужжание мотора, и все тот же «Форд» появился с противоположной стороны дороги. Он опять было проскочил мимо, но вдруг остановился, сдал назад, и водитель, выглянув в окно, прокричал:

— Эй, приятель! Помощь нужна?

— Не откажусь, — сказал Ямщиков.

Водитель что-то сказал своему спутнику, вышел из «Форда» и вприпрыжку пересек дорожную полосу. Он был худ, подвижен и по моде слегка небрит. Таких типов, словно вылезших из рекламы мыла, Ямщиков терпеть не мог. Он подбежал, сунул руки в карманы брюк и небрежно сунул нос под капот.

— Карбюратор? Зажигание? — скороговоркой спросил он.

Ямщиков бросил взгляд направо. Второй по-прежнему сидел в «Форде», откинувшись на спинку сиденья, и наблюдал за тем, что происходит на другой стороне дороги. «Уверены в себе, сволочи! — подумал Ямщиков. — Ну конечно, они охотники — я дичь. О чем им беспокоиться?»

Он чуть отодвинулся, как бы уступая место у мотора специалисту. Небритый быстро шарил глазами по внутренностям машины, что-то насвистывая сквозь зубы. Кажется, он заранее был уверен, что Ямщиков притворяется.

— Может, бензин кончился? — спросил он. — На счетчик смотрел?

— А надо? — туповато откликнулся Ямщиков, повернулся к небритому спиной и вдруг резко, изо всех сил ударил его локтем под ложечку.

Тот поперхнулся, замычал, ноги у него подкосились, и он, схватившись за живот, рухнул под колеса машины. Ямщиков выхватил из кармана пистолет и, не раздумывая, выстрелил в раскрытое окно «Форда». Брызнуло разбитое стекло. Ямщиков, не давая противнику передышки, еще несколько раз выстрелил по чужой машине. Сидевший в «Форде» человек вывалился с противоположной стороны на обочину, прополз, извиваясь ужом, по грязной земле, нырнул в кусты, а потом опрометью побежал в лес.

Ямщиков еще раз выстрелил ему вслед, и тут у него кончилась обойма. Он полез в карман за следующей и перезарядил пистолет.

— Это вам не женщин убивать! — мстительно пробормотал Ямщиков и обернулся к небритому, который корчился на краю дороги.

Увидев в руке Ямщикова пистолет, он состроил на лице болезненную гримасу и попытался расстегнуть пиджак. Ямщиков спокойно прицелился и выстрелил небритому в колено. Раздался характерный стук ломающейся кости, а незнакомец, вскрикнув от боли, завалился на бок и принялся кататься по земле, хватаясь грязными пальцами за бедро.

— Это вам не женщин в подворотнях караулить! — еще раз сказал Ямщиков, подошел ближе и ударил раненого ногой.

Тот еще раз вскрикнул, ткнулся носом в землю и затих. Похоже, он был без сознания. Ямщиков быстро наклонился и обшарил его карманы. Под пиджаком у небритого нашлось кое-что интересное. Пистолет «вальтер» в мягкой кобуре и паспорт с незнакомым Ямщикову гербом на синей обложке. Ямщиков не стал выяснять, чей это герб, сунул находку в карман и, оглянувшись по сторонам, обошел машину.

Открыв багажник, он достал оттуда канистру с бензином и перебежал через дорогу. Дверца «Форда» была открыта. Ямщиков свинтил пробку с канистры и щедро оплескал бензином салон. Потом он бросил канистру на переднее сиденье и вытащил из кармана коробок спичек.

В детстве была такая забава — чиркнуть спичкой и тут же сунуть ее в наполненный коробок — тот взрывался как шутиха, и если ты не успевал отбросить его подальше, то рисковал здорово обжечься. Сейчас Ямщиков с огромным удовольствием проделал этот старый трюк. Пылающий коробок полетел в салон «Форда», и оттуда почти мгновенно выстрелило жаркое гудящее пламя.

Ямщиков невольно зажмурился и отступил на шаг, едва не поскользнувшись на раскисшей траве. Потом он перебежал дорогу и оглянулся — «Форд» горел как свечка.

Раненый уже очухался и теперь пытался отползти подальше от машины. Он был бледен и смотрел на горящий «Форд» с недоумением. Ямщиков не стал задерживаться — этот небритый ублюдок был ему неинтересен. Он прыгнул за руль, развернулся перед самым носом небритого и помчался обратно. Через минуту он уже выехал на Варшавское шоссе и растворился в потоке машин и осенней мороси.

А еще минут через двадцать Ямщиков уже сворачивал на окраину Южного Бутова. Знакомый пустырь был теперь застроен аккуратными рядами гаражей. Он остановил машину и посмотрел на часы — стрелки показывали без десяти четыре.

— Точность — вежливость королей, — пробормотал под нос Ямщиков и вышел из машины.

Он хотел прийти на встречу пешком. Совсем не обязательно, чтобы номер его машины мозолил кому-то глаза.

Гараж Кулика он нашел быстро. Через приоткрытую дверь доносилось металлическое позвякивание и приглушенный голос радиодиктора. Тот бубнил что-то про коррупцию в высших эшелонах власти. Изнутри на мокрый асфальт падал желтый луч света. Ворота других гаражей поблизости были закрыты — наверное, многие автовладельцы еще были на работе. Ямщиков приоткрыл дверь и спросил:

— Можно?

Коренастый человек, возившийся с белой «девяткой», обернулся. У него было круглое лицо, казавшееся на первый взгляд добродушным, жидкие волосы и порядочный животик. Типичный автолюбитель, пропадающий каждую минуту в гараже, не дурак выпить, бабник и балагур. Только взгляд у Кулика выбивался из общего строя — был он холодный, подозрительный и неприятный. Мало кто мог долго смотреть ему в глаза.

— О-о! Какие люди! — воскликнул он с преувеличенным энтузиазмом. — Рад тебя видеть, Алексей Петрович! А ты все так же пунктуален. Это мне всегда нравилось — на тебя можно положиться.

— Взаимно, — сказал Ямщиков. — Только давай от комплиментов перейдем сразу к делу. У меня времени в обрез.

Кулик кивнул и, вытирая руки промасленной тряпкой, пошел к дверям гаража. Он выглянул наружу, посмотрел направо-налево и нырнул обратно.

— Так в чем проблема? — деловито спросил он.

— Мне нужна взрывчатка, — сказал Ямщиков. — Желательно в шашках. Помощнее и покомпактнее. И желательно прямо сейчас.

Кулик посмотрел ему прямо в глаза и усмехнулся.

— Ах да! Ты же на рыбалку собрался! Я и забыл, — сказал он. — На большую рыбу рассчитываешь? Учти, такой вид ловли законом не поощряется. Спросить могут!

— Ты меня знаешь, — негромко произнес Ямщиков. — Я стальной.

— Я знаю, — кивнул Кулик. — Если бы не знал, я бы тебя еще по телефону послал. А так что же... Будем думать!

Глава 16

— Чертова погодка! — в сердцах сказал Гуров, глядя в окно кабинета, за которым уже второй день наяривал дождь. — Нам сейчас только этой слякоти не хватает.

— Как говорится, и дождь смывает все следы! — подхватил Крячко. — Может, выйдем с заявлением на городскую администрацию — пусть разгонят над столицей тучи. Работать, мол, мешают. У них же есть какая-то техника...

— Может, еще шамана пригласить? — спросил Гуров. — Те, говорят, тоже здорово тучи разгоняют.

— Шаман — это не научно, — возразил Крячко. — Мы должны в ногу шагать с этим... с новым тысячелетием.

— Ладно, бог с ним, с дождем, — вздохнул Гуров. — У нас есть что-нибудь новенькое?

— Только что звонил Жмырин. Прямо из аэропорта. Он уже прилетел. Через час приедет, и будут новости, — сказал Крячко.

Они оба демонстративно будто не замечали двух переминающихся с ноги на ногу оперативников, которые стояли у порога. Капитан Сочнев и капитан Михайлов накануне вели наблюдение за Ямщиковым и прокололись. Гуров вызвал их к себе для разноса.

— А что это у нас за посетители? — вдруг спросил Гуров, по-прежнему глядя в окно.

— Разрешите доложить, капитан Сочнев и капитан Михайлов, товарищ полковник! — с отчаянием произнес Михайлов, который уже докладывал о себе, но услышан не был. — Явились по вашему приказанию!

Гуров медленно обернулся и смерил оперативников взглядом.

— А я думал, телефон пришли чинить или водопровод, — уничтожающе сказал Гуров. — Как-то не пришло в голову, что эти двое растяп — капитаны. Кто-то в штабе явно поторопился.

— Товарищ полковник, разрешите объяснить? — с еще большим отчаянием проговорил Михайлов.

— Что ты можешь объяснить, капитан? — махнул рукой Гуров. — Как вы упустили объект в самый важный момент? А мы с полковником будем слушать ваш лепет?

— Он всегда ездил по одному маршруту, — уныло сказал капитан Михайлов. — А вчера вдруг петлять начал. А мы на Садовом в пробку попали. Пока выбирались, его и след простыл. Мы подумали, может, он домой вернулся...

— Они еще и думали! — многозначительно сказал Гуров. — Вы на себя взвалили прямо-таки непосильную ношу, капитан!

— Так точно. Мы с Киреевым связались, который за домом следил, — монотонно продолжил Михайлов. — Он сказал, что объект не возвращался. Мы вернулись туда, где его потеряли, поискали еще, потом поехали в больницу. Думали, может, он там.

— В больнице наш сотрудник дежурит, — перебил Гуров. — Могли с ним связаться.

— Мы связались, — сказал Михайлов. — Короче, в больницу он приехал, но уже в шесть часов вечера. Машина забрызгана была сильно, из чего мы заключили, что маршрут у Ямщикова был продолжительный. Он навестил дочь, пробыл минут пятнадцать. Потом поехал домой и больше уже никуда не выходил.

— Прекрасная работа, капитан! — иронически заметил Гуров. — Жаль, такую мелочь, как продолжительный маршрут в неизвестном направлении, вы упустили. Но это ведь не единственное ваше упущение за вчерашний день, верно?

Капитан Михайлов покаянно вздохнул и признался:

— Так точно. Вчера утром около десяти часов Ямщиков ушел из своей лаборатории и поехал на Востряковское кладбище. Мы последовали за ним. Сочнев в машине остался, а я за объектом пошел. У входа объект купил цветы, которые потом положил на могилу. Могила принадлежит гражданке Изотовой — я позже выяснил.

— Принадлежит гражданке Изотовой! — покачал головой Гуров. — Ну и лексикон у вас, капитан Михайлов! Впрочем, это не так страшно. Расскажите-ка лучше о собственном ротозействе.

— Да что рассказывать? — уже мрачным голосом произнес Михайлов. — На кладбище у объекта была встреча с неизвестным человеком. Неподалеку от могилы. Разговаривали они минут десять, а потом объект пошел на выход, а тот, другой, отправился в глубь кладбища. Я связался с Сочневым и предупредил его, а сам пошел за неизвестным. Но он скрылся.

— Что значит скрылся?

— Ушел по аллеям. Наверное, заметил слежку, — хмуро сказал Михайлов. — А может быть, заранее наметил себе такой отход. Разговор с объектом у него был бурный. Возможно, он опасался преследования.

— Что за человек — запомнили?

— Дождь был, — совсем упавшим голосом объяснил Михайлов. — А он еще шляпу нахлобучил, плащ на размер больше... А вообще, невысокий такой гражданин, незапоминающийся.

— Ясно. Проворонили все, что можно, — заключил Гуров. — Можете идти, капитаны. В следующий раз, когда вас направят в наше распоряжение, предупредите заранее — я попробую подстраховаться.

Оперативники вышли, низко опустив головы.

— Ты слишком пристрастен, Лева, — заметил после их ухода Крячко. — Каждый имеет право лопухнуться.

— Но не дважды же в один день! — воскликнул Гуров. — Именно в тот момент, когда мы подошли вплотную к разгадке!

— Ну, все-таки кое-что мы узнали, — примирительно заметил Крячко. — Ямщиков засуетился. Вступает в странный контакт со странным типом, запутывает следы... С ним и в самом деле что-то не в порядке.

— Что с ним не все в порядке, мы и так знали, — проворчал Гуров. — Когда у человека одного за другим убивают родственников, трудно сказать, что с ним все в порядке. Но кто был этот человек на кладбище? Куда ездил Ямщиков? Что задумал? Вот что важно! И на эти вопросы у нас нет ответа.

— Может быть, спросим у него самого?

Гуров покачал головой.

— Не получится, — сказал он уверенно. — Не тот человек. Такой ничего не скажет просто из принципа.

А Ямщикову есть что скрывать. У меня создается впечатление, что Ямщиков знает намного больше, чем говорит. Но, похоже, он считает все это своим личным делом. А вот это особенно опасно. Он с характером.

— Да, дров наломать может, — согласился Крячко. — Но все-таки за ним наблюдают. И потом, Гладилин наверняка тоже кое-что знает. Не просто же так занесло его в Рязань.

— Ну что ж, будем ждать Жмырина, — сказал Гуров. — А о местонахождении Ямщикова наблюдатели пусть сообщают каждые двадцать минут — на твой телефон. Это их мобилизует. Обзвони всех, кто задействован, и распорядись, чтобы выполняли беспрекословно.

— На мой телефон! — проворчал Крячко. — А счета тоже наблюдатели будут оплачивать? Нет уж, Лева, пока мы здесь, пусть звонят на служебный, а когда будем в городе, то звонки пополам. Иначе я не согласен.

— Ну будь по-твоему, — улыбнулся Гуров. — Тут я и правда погорячился. Не учел твою кулацкую натуру.

— Кулак сейчас — фигура сугубо положительная, — заметил Крячко. — Означает — крепкий хозяин. Так что сарказм твой пропал даром, Лева.

— А никакого сарказма и не было, — невозмутимо сказал Гуров. — Я это в положительном смысле и говорил.

Жмырин приехал даже быстрее, чем ожидалось. Он выглядел отдохнувшим, был забрызган дождем и полон энергии. К докладу приступил, даже не сняв плаща. Поздоровавшись за руку с Гуровым и Крячко, он сел верхом на стул и объявил:

— Значит, так, товарищи полковники! Ваше задание выполнено, но какой от этого будет толк — не знаю. Прежде всего докладываю — в рязанской железнодорожной больнице лежит, судя по всему, действительно Сергей Николаевич Гладилин. Говорю так потому, что официально личность его никто не удостоверял, а по той фотографии, что вы мне дали, сходство устанавливается весьма приблизительное. Дело в том, что разукрасили парня от и до. Его ведь сняли с товарняка, с вагона, в котором везли железные чушки. Похоже, наш Сергей Николаевич упал вниз головой на эти самые чушки с довольно приличной высоты. Повреждены челюсть, нос, о всяких синяках и ссадинах я уже не говорю. К тому же, — он многозначительно посмотрел на Гурова, — к тому же хирург определяет у него касательное огнестрельное ранение черепа. Одним словом, родился Сергей Николаевич определенно в рубашке, но вид у него сейчас аховый. Говорит еле-еле и не вполне связно.

— Что говорит-то? — не выдержал Крячко.

— Ну, во-первых, он уверен, что кто-то хочет его убить, — сказал Жмырин. — Только не знает кто. И это пугает его больше всего, потому что грехов за собой он не видит. Точнее, как раз грехов он приписывает себе теперь миллион, но несет при этом такую интеллигентскую ахинею, что даже мне плакать хочется.

— Тогда давай ближе к теме, — сурово сказал ему Гуров. — Конкретная информация есть?

— Дамочку по нашему портрету Гладилин опознал с ходу. Говорит, что именно ее подсаживал восьмого сентября по пути в Москву. Уверен, что она была намерена прикончить его, но ей помешали мотоциклисты. А у самого Гладилина в тот день прихватило живот. Вот он по дороге и остановился сходить в кусты, а пока делал свои дела, подъехали байкеры и, сами того не желая, спасли ему жизнь. Но даже не это главное. Говорит, что на дороге дважды видел ярко-красный «Ниссан» и потом видел — стоящим возле его дома. Он на этом «Ниссане» просто помешался. Уверен, что дамочка имеет к нему отношение. Говорит, что в ту ночь, когда он пропал, она проникла в его квартиру, а потом преследовала его все на той же машине. Он чудом от нее сбежал и в панике прыгнул на первый попавшийся поезд.

— А Кипренский тут при чем? — спросил Гуров.

— Кипренский алкаш. Когда-то они вместе работали. Гладилину одному было страшно. Сначала он переночевал у Кипренского, а потом пригласил его к себе, чтобы не оставаться одному в квартире. Можно было бы сказать, что у него шалили нервы, если бы не пуля, которую получил в результате Кипренский.

— А что он сказал про своего младшего брата?

— В тот день, когда застрелили младшего Гладилина, — объяснил Жмырин, — Сергей Николаевич ему звонил и договорился о встрече. Он вообразил, что убийцы спутали его с Владимиром, и собирался его предупредить. Но он опоздал. Правда, для себя Гладилин решил, что брат попросту проигнорировал его просьбу. Однако звонил ему и позже, но, сами понимаете, не дозвонился. А тут и его достали.

— Что же он не пошел в милицию? — поморщился Гуров. — Было же у него такое намерение.

— Намерение это пропало после встречи с участковым, — ухмыльнулся Жмырин. — Сергею Николаевичу показалось, что он выглядит смешным. Обычные интеллигентские заморочки.

— Да, наверное, — сказал Гуров. — Но все-таки участковому Малюгину я бы разок врезал. За плохую работу с населением. И с большим бы удовольствием врезал.

— Ну и врезал бы, — заметил Жмырин. — Зачем лишать себя удовольствия? Их и так в жизни немного.

В ответ на это Гуров только махнул рукой.

— Понимаю, — сочувственно сказал Жмырин. — Репутация. Но тогда могу врезать я. Чисто по-товарищески. Все-таки вы мне так здорово помогли...

— Обойдемся без рукоприкладства, — сердито сказал Гуров. — Ты, Жмырин, все воспринимаешь чересчур буквально. Нужно все-таки думать прежде всего о работе, а не об удовольствиях.

— Кстати о работе, — вмешался Крячко. — Жмырин-то действительно не много узнал. Ну, Никита наша еще раз подтвердилась. Так мы ведь в ней и не сомневались, пожалуй. Ну, появился еще какой-то красный «Ниссан». Сколько в Москве может быть красных «Ниссанов», как вы думаете? В единое целое эта информация все равно не складывается.

— Это естественно, — сказал Гуров. — Потому что Гладилин был только игрушкой. Ему не известны скрытые пружины действия. Главное действующее лицо здесь — Ямщиков. Вот где-то поблизости от него и нужно искать этот красный «Ниссан». Кстати, вспомни — свидетель Давыдов утверждал, что видел нашу Никиту рядом с ярко-красной машиной.

— Пока что никто больше о таком явлении не докладывал, — заметил Крячко. — Вообще, кроме мужика в шляпе, ничего подозрительного рядом с Ямщиковым не замечено.

— Ты уже мог убедиться, как «внимательно» некоторые ведут наблюдение, — с досадой сказал Гуров. — Я убежден, что за Ямщиковым следим не только мы, просто противник делает это тоньше. Ему есть что терять. Предлагаю самим включиться в эту работу. Сейчас самое важное — выявить скрытые контакты Ямщикова.

— А они есть? — с некоторым сомнением спросил Жмырин. — Может быть, их как раз и нет? Ведь, насколько я понимаю, чего-то хотят от него, а не наоборот.

— Ямщиков тоже кое-чего хочет. Он хочет избавиться от своих недругов, — сказал Гуров. — И вчера он куда-то ездил. К сожалению, наши работнички его прокараулили. Это означает, что Ямщиков тщательно скрывает свои намерения. Возможно, он прекрасный человек и законопослушный гражданин, но его поведение не может не настораживать.

Крячко связался с оперативниками, которые вели наблюдение за Ямщиковым, и предупредил их о необходимости докладывать обстановку каждые двадцать минут. Гуров тем временем изучал сводку происшествий за сутки — убийствам он уделял особенное внимание. Однако на этот раз ничего, что могло бы хотя бы косвенно указывать на причастность к убийствам Никиты, он не обнаружил — дорожные катастрофы, вооруженные ограбления, пьяные разборки — родни Ямщикова все это, кажется, не касалось. Заинтересовало Гурова на первый взгляд довольно заурядное по нынешним временам происшествие, случившееся в лесу южнее Северного Бутова, — там среди бела дня сгорел легковой автомобиль «Форд». Жертв не было, как не было и свидетелей происшествия, и заявителей. Автомобиль просто стоял брошенный на лесной дороге — с открытыми дверцами, выгоревший дотла. Принадлежность этого транспортного средства устанавливалась.

«Черт его знает, что творится! — подумал Гуров. — Чикаго времен сухого закона! Жгут, стреляют, грабят... И однако же странно. Машину сожгли не на стоянке, а, можно сказать, во время движения, и ни одного трупа при этом. И никто не заявил в милицию. Скорее всего, машину угнали, а потом сожгли. Из хулиганских побуждений или намеренно, чтобы скрыть следы преступления. Значит, должна быть вторая машина, которая увезла этих людей из леса. Уже вчера шел довольно сильный дождь — вряд ли кто-то будет разгуливать в такую погоду пешком по лесам и дорогам. Местная милиция ничего подозрительного не заметила. Преступлений, совершенных вчера на «Форде», в сводке тоже нет. Странное происшествие».

Гуров сам себе не мог объяснить, почему он решил взять этот случай на заметку. Наверное, это была даже не мысль, а некое ощущение, интуитивное беспокойство. Брошенный среди леса автомобиль был загадкой — что-то наподобие легендарного корабля «Мария-Селеста», с которого совершенно необъяснимым образом бесследно исчезла вся команда.

Гуров решил лично наведаться в отдел МУРа, который занимался угоном транспортных средств, чтобы выяснить, что там думают по этому поводу и кому принадлежит сгоревший «Форд». Крячко должен был сидеть на телефоне и принимать отчеты наблюдателей. Жмырин же объявил, что намерен пойти «проветриться» — среди тех, кто осуществлял «наружку», были его люди, и он хотел проверить их лично.

Именно по этой причине Жмырин первым оказался рядом с Ямщиковым, когда тот около трех часов дня неожиданно покинул свою лабораторию и куда-то поехал. Жмырин принял решение лично отследить его перемещения. Он даже доложил об этом, как положено, полковнику Крячко, но с некоторой задержкой. Очень небольшой, но все-таки дававшей ему преимущество. Он знал, что Гуров захочет к нему присоединиться, но надеялся, что успеет кое-что провернуть до его появления. По его мнению, полковник Гуров был человеком безусловно башковитым, но непростительно деликатным и ужасным занудой. И вообще, пока в дело по-настоящему не включался Жмырин, все едва двигалось. Это было видно невооруженным глазом.

Глава 17

У Ямщикова с утра все шло кувырком. Он не выспался и находился в самом мрачном расположении духа. В лаборатории все это сразу заметили и старались его не тревожить. Это было очень кстати, потому что Ямщиков не хотел никого видеть и слышать. Он пытался работать, но перед глазами то и дело вставала гладкая физиономия Седого, а в ушах звучал его липкий и наглый голос. У Ямщикова сами собой сжимались кулаки и негодующе колотилось сердце.

Он ломал голову всю ночь и сейчас тоже, но ничего не мог придумать. Седой перехитрил его и припер к стенке.

Седой никогда не был простаком — и нужно было учитывать это сразу. Теперь остается кусать локти. Седой здорово сузил ему поле для маневра. Оставалось лишь двое суток. Если за это время он ничего не придумает, ему нужно будет решать только один вопрос: как уйти — с позором или сохранив лицо.

Он вытерпел до трех часов дня, а потом, сухо сообщив, что ему нужно отлучиться, покинул лабораторию. Ямщиков решил взглянуть на то посольство, что дало приют этому подонку Седому. Зачем это ему, Ямщиков не знал, но какая-то сила буквально гнала его на это место. Он не рассчитывал, что Седой выйдет к нему из своего убежища, а тем более станет приглашать его к себе. Но ничего лучшего придумать Ямщиков не мог. Он надеялся, что судьба напоследок все-таки улыбнется ему.

Накануне Ямщиков вернулся домой уже в восьмом часу вечера. До этого он еще заглянул к Елене в больницу — без гостинцев, в неважном настроении и вообще будто впопыхах. Уже потом он понял, что заходить не стоило. Елена чувствовала себя почти совсем хорошо — рука все еще немного беспокоила — и сразу уловила, что с ним что-то неладно. Ямщиков сослался на усталость и неожиданно попросил Елену быть поласковее с матерью.

— Ей это нужно, — сказал он. — Особенно сейчас. Со здоровьем у нее, сама знаешь, неважно. После больницы переселяйся к нам. Между прочим, это был бы поступок зрелого человека. Жить отдельно — не большая доблесть.

Елена встревожилась.

— Ты сегодня какой-то странный, папа, — сказала она. — Конечно, если нужно, я готова пожить у вас. Я люблю маму... Но ведь я замужем. И вообще, мне не нравится, как ты это говоришь. Будто собрался... ну, не знаю — в какую-то далекую командировку.

— Кто знает, может быть, мне действительно придется уехать, — хмурясь, ответил Ямщиков. — А вообще, зря я тебе это сказал. Ты взрослый человек. Сама решишь, как поступить. Не обращай внимания, я сегодня не в форме.

— Тебе надо взять отпуск, — озабоченно заметила дочь. — Ты работаешь на износ, а ведь ты не железный.

«В самую точку попала, — усмехнулся про себя Ямщиков. — В самый нерв. Это у нас сегодня просто тема дня. Вот только, к счастью, ты, доченька, даже не подозреваешь, до какой степени твой отец железный! Только заржавел малость от времени...»

Он решил, что будет гораздо лучше, если он оставит дочь в покое, и сказал с деланым энтузиазмом:

— А что? Про отпуск — это мысль! Наверное, так и надо сделать. Завтра же подкачусь к начальству. Буду валяться на диване, читать детективы, шляться по улицам и отгонять от тебя поклонников...

— Нет у меня никаких поклонников! — сердито заметила Елена. — Этот парень просто ненормальный!

— Ну я-то думаю, что он как раз нормальный, — возразил Ямщиков. — Во всяком случае, в женской красоте он разбирается неплохо. И вообще, кто тебе сказал, что поклонники — это плохо?

Он был не очень уверен, что ему удалось до конца сгладить неловкость своего появления, но ушел он от дочери немного успокоенный. Его ребенок был здоров, за ним присматривали — Ямщиков сразу обратил внимание, что около палаты дежурит молодой человек с весьма характерной внешностью и очень серьезным взглядом, которым он просвечивал каждого, кто шел по коридору больницы.

«Полковник Гуров не дремлет, — подумал он со смешанным чувством досады и благодарности. — Надеюсь, у него не хватит прыти забежать вперед паровоза. Милиция занимается свершившимися преступлениями. Профилактика — это миф, который придумали сами менты, когда случайно предупредили какое-то черное дело. Надеюсь, в моем случае случайностей не будет».

Из больницы он сразу поехал домой, но не прямо, а окружным путем, проверяя, не увяжется ли кто-нибудь за ним. Ему показалось, что слежки нет, но на улице уже темнело, а он не был профессионалом. Впрочем, он не думал, что его сейчас тронут. Для милиции он — законопослушный гражданин, обладающий определенным статусом. Без санкции прокуратуры его не решатся беспокоить. А эти не посмеют его тронуть без согласия Седого. А тот не даст согласия, пока не убедится, что уговаривать Ямщикова бесполезно. На это потребуется время. Скорее всего, Седого сейчас нет в стране. Он не станет рисковать, пока тут по его приказу льется кровь. Без него никто серьезных решений принимать не станет, а значит, в запасе у Ямщикова есть какое-то время.

Под сиденьем у Ямщикова было спрятано несколько динамитных шашек — Кулик удружил. Ямщиков познакомился с ним давно — случайно, но через надежных людей, которых давно уже нет на свете. А Кулик остался. Где он достает оружие и кому его продает, Ямщикова не волновало. Жизнь — непростая штука, и он сам не без греха. Пусть судит бог или в крайнем случае люди с дипломом судейской коллегии. У него свои проблемы. Однажды Ямщиков уже покупал у Кулика пистолет, и тот сослужил ему хорошую службу. Теперь пистолет отыграл свою роль — Ямщиков утопил его в пруду возле Кольцевой автодороги. Теперь пришел черед динамита.

Ямщиков все уже решил для себя. Седой не выдержит — явится на встречу. Для него она слишком много значит. Он будет, конечно, с охраной и появится неожиданно. Но он ни за что не догадается, какой сюрприз приготовит ему Ямщиков. Нужно было только половчее расположить динамит на своем теле да изготовить надежный взрыватель — ну да руками Ямщиков всегда умел работать. А когда он взорвет себя вместе с Седым, все проблемы решатся — никто больше не тронет его родных, и ему не придется давать неприятные объяснения в казенных кабинетах, и на его дочь не упадет тень от неприглядных деяний ее папаши. Погиб смертью храбрых! Жене даже на похороны не придется тратиться, подумал он с мрачным юмором.

Во дворе своего дома он незаметно переложил динамитные шашки в полиэтиленовый пакет. Оставлять их без присмотра было неразумно — машину запросто могли угнать. Не хотелось нести взрывчатку домой, но Ямщиков надеялся, что жена не станет проявлять неуместного любопытства.

Он вошел в подъезд и стал медленно подниматься по лестнице. Жена, наверное, уже места себе не находит, подумал он. Опять давление, опять лекарства. Но ничего не поделаешь — рядом ходит опасность куда страшнее. Скоро все кончится.

Шорох за спиной насторожил его. Ямщиков обернулся и увидел на нижней площадке человека в черной куртке с капюшоном. Невзрачное лицо его показалось Ямщикову знакомым. Он всмотрелся и вдруг понял, что это Дэн — без шляпы и дурацкого плаща он выглядел совсем по-другому. По спине Ямщикова пробежал холодок страха: не за себя — за жену. Он пожалел, что рано утопил пистолет.

— Ты хотел со мной встретиться, и вот я здесь, — вдруг прозвучал сверху негромкий ироничный голос. — Ну, здравствуй, старина! Чертовски рад тебя видеть!

Ямщиков остолбенел и едва не застонал от разочарования. Все его планы летели к черту. Седой обставил его, провел как мальчишку! Он медленно повернулся и оказался с ним лицом к лицу.

За то время, что они не виделись, Седой почти не изменился. Все та же вызывающая самоуверенная улыбочка на губах, холеное лицо, прекрасная одежда. Он был в легком осеннем пальто и щегольском кепи — ни дать ни взять преуспевающий бизнесмен, гольфист, член закрытого клуба. Загар у Седого был явно не московский.

Ямщикову удалось справиться с первым шоком, и он сказал почти спокойно:

— В самом деле, я хотел тебя видеть, Седой. Что за хреноту ты тут устроил? Щепетильностью ты никогда не отличался, но чтобы вот так запросто убивать людей... Может быть, ты сошел с ума?

— Леша! Да господь с тобой! Что такое ты говоришь? — в притворном ужасе воскликнул Седой. — Чтобы я убивал людей! И как у тебя язык повернулся! У меня в кармане иностранный паспорт, виза, все как положено. Я уважаемый человек, бизнесмен, политик... В той стране, где я сейчас живу, в мою честь улицу назвали.

— Наверное, на этой улице сплошные бордели, — заметил Ямщиков.

— Вот тут ты ошибаешься. Конечно, это не Новый Арбат, но улица довольно приличная, — посмеиваясь, сказал Седой. — Белые дома и зеленые пальмы. При желании ты мог бы там поселиться. Представляешь, жить на улице имени собственного друга!

— У меня нет друзей среди убийц, — сказал Ямщиков.

— Ты опять за свое! — досадливо поморщился Седой. — Говорю тебе, я никого не убивал. Для таких дел существуют профессионалы. С одним из них ты знаком. Ты же знаешь Дэна? Кстати, в случае чего он не промахнется. Пули у него не настоящие, но все равно неприятно.

— Не боишься загреметь в родные лагеря? — спросил Ямщиков.

— А чего бояться? — удивился Седой. — Я чист, с какой стороны ни подойди. Здесь я живу в посольстве, до меня не дотянуться. Люди, которые иногда оказывают мне услуги, тоже неплохо защищены, поверь мне. А кроме того, они чисто работают — не оставляя следов.

— По-моему, ты преувеличиваешь их достоинства, — презрительно сказал Ямщиков. — Сегодня я гонял твоих «шестерок» как зайцев. При желании мог бы вытрясти душу из обоих...

— Да, случай неприятный, — покачал головой Седой. — Наверное, мы немного расслабились. Но учтем ошибки. А ты должен понимать, что тебе просто повезло. У ребят были четкие инструкции. Они не могли их нарушить. В сущности, ты сделал сегодня глупость.

— Глупость я сделал гораздо раньше, — мрачно признался Ямщиков. — Когда полгода назад ты вдруг объявился в Москве, я принял тебя за человека.

— Да, ты поступил неосторожно, — согласился Седой. — Но ведь я сразу предложил тебе прекрасную перспективу. С твоим изобретением мы могли бы заработать миллионы! Весь мир был бы у твоих ног! Но ты заартачился, предпочел изображать из себя девственницу. Честно говоря, сначала я подумал, что ты набиваешь себе цену. Оставил тебе адрес, по которому со мной можно было связаться. И за полгода ни единой строчки! Тогда я понял, что положение куда серьезнее. Ты действительно решил заделаться рыцарем без страха и упрека. Патриотом и бессребреником. Предстарческий бзик? Или метишь на Доску почета? Глупо, конечно, но, зная твой характер, я понял, что ты не уступишь. Пришлось пойти на крайние меры. Если бы твой проект реализовался без моего участия, я бы себе этого никогда не простил. Упустить миллионы долларов! Этого я сделать не мог, извини.

— И ты начал убивать моих родственников?

— Это была артподготовка. Сначала я взялся за не очень близких. Просто чтобы ты понял всю серьезность твоего положения. На кону жизнь твоей красавицы-дочери и милейшей жены. Неужели ты позволишь им умереть из-за десятка микрочипов и пары батареек?

— Не боишься, что я пойду в органы и все расскажу? — спросил Ямщиков, заранее зная, что услышит в ответ.

— Не боюсь, Леша, — ласково сказал Седой. — Тогда тебе придется рассказать все. И про себя тоже. И как ты в начале девяностых продавал родину, тоже придется рассказать. Конечно, по сравнению с другими ты ягненок, но, боюсь, сейчас тебя уже не поймут. Получишь срок на старости лет, пойдешь этапом куда-нибудь в Пермяцкий округ, будешь валить лес, жрать баланду, а твои жена и дочь будут привыкать жить с мыслью, что их папа — вор и предатель. Я тебя давно знаю, Леша. Ты всегда был моралистом — даже когда продавал военные секреты заезжим негоциантам. Замаранная репутация для тебя хуже смерти.

Ямщиков неподвижным взглядом смотрел на Седого и внимательно слушал. Когда тот закрыл рот, Ямщиков сказал:

— К сожалению, ты меня действительно хорошо знаешь. Оказывается, даже лучше, чем я знаю тебя. Наверное, все козыри сейчас у тебя. И чего же ты хочешь конкретно?

— Я хочу полную документацию по твоему проекту, — жестко сказал Седой. — В таком объеме, чтобы по возвращении я сразу мог приступить к его реализации. Со мной тут есть специалист, он американец — башковитый парнишка, хотя и подлец отчаянный... Вот ему ты все и передашь. Он проверит достоверность документации, и если все будет нормально, твои неприятности закончатся. Если хочешь, я даже помогу тебе с семьей перебраться за кордон. Будешь получать свой процент, жить как король... У меня много недостатков, но я никогда не был жадиной.

— Ты был неплохим физиком когда-то и компанейским парнем, — сказал Ямщиков. — Теперь ты просто сволочь.

— Не будем выяснять отношения, — сказал Седой. — Не место и не время. У тебя на размышление всего лишь несколько часов. Завтра вечером ты передашь документацию моему человеку. За ночь он все проверит, и если окажется, что ты обманул меня, то за жизнь твоих дорогих женщин я не дам и ломаного гроша.

— Это нереально, — устало произнес Ямщиков. — За такой срок я ничего не успею. Не забывай, что это режимный объект. Я под контролем. Информацию нужно еще скопировать и каким-то образом вынести. Мне нужна, по крайней мере, неделя.

— Не смеши меня, — сказал Седой. — Знаю я нашу систему. Такой умный человек, как ты, всегда найдет способ обойти любой контроль. Особенно когда речь идет о жизни и смерти. А сделать копию при нынешней технике вообще не проблема. Но так и быть, я пойду тебе навстречу. Даю тебе двое суток и ни минутой больше. Послезавтра вечером документация должна быть у тебя. Тебе позвонят на домашний телефон и скажут, куда ее принести. Ты все понял?

— Да, такому умному человеку, как я, дважды объяснять не требуется, — ответил Ямщиков. — Послезавтра так послезавтра. На этот раз ты меня переиграл. Надеюсь, однажды ты все-таки свернешь себе шею.

— Однажды мы все свернем себе шеи, — серьезно ответил Седой. — Так устроена эта поганая жизнь. Но я постараюсь избегать этого как можно дольше. С теми деньгами, которые принесет мне твоя суперсвязь...

— Надеюсь, как раз на ней ты и погоришь, — заметил Ямщиков. — Здесь сразу же поймут, в чем дело.

— Понять — этого мало, — назидательно произнес Седой. — Нужно еще доказать. А я все-таки стоял у истоков проекта. Почему бы мне и в эмиграции не вести собственные разработки? Ничего не выйдет, Леша. Как ты правильно отметил, все козыри у меня. И потом, там все делается быстрее и тщательнее. Я запатентую изобрете-

Н. Леонов, А. Макеев

ние и начну производство раньше, чем вы тут подготовите опытный образец.

— В таком случае желаю тебе подцепить какую-нибудь тропическую лихорадку, — сказал Ямщиков. — Там, где в твою честь называют улицы, наверное, много всякой заразы?..

— Хватает, — усмехнулся Седой. — Но теперь я, пожалуй, переберусь в Америку. Там мою связь оценят по достоинству.

— Не сомневаюсь, — сказал Ямщиков. — Так я пошел?

— Да, ты совершенно свободен. — Седой посторонился, давая Ямщикову дорогу. — Да, кстати! Верни, пожалуйста, паспорт, который ты забрал у моего человека. У нас могут возникнуть сложности с выездом. Первую помощь ему оказали, но требуется вмешательство квалифицированных медиков. Было бы очень любезно с твоей стороны...

— Я его выбросил, — не оборачиваясь, сказал Ямщиков.

Оглянулся он уже, только когда оказался перед дверью своей квартиры. Лестничная площадка была пуста. Незваные гости словно растворились в сумрачном свете люминесцентных ламп, которые освещали подъезд. Ямщиков внезапно почувствовал чудовищную усталость. Он слишком много суетился сегодня, и вся эта суета оказалась напрасной.

Жена вышла ему навстречу и молча, старательно скрывая беспокойство, смотрела, как он раздевается. Вид у нее был неважный.

— Только что от Лены, — сказал он бодрым тоном. — Она чувствует себя прекрасно и даже выразила желание пожить у нас, пока не возвратится муж. Ты рада?

— Ты мог сначала заехать домой, — с обидой сказала жена. — Тебе не пришло в голову, что мы могли вместе проведать дочь?

— Прости, не подумал, — точно отвечая заученный урок, ответил Ямщиков. — Совсем заработался. Но ты абсолютно права. Завтра вечером мы обязательно съездим к ней вдвоем.

Жена хотела еще что-то сказать, но Ямщиков взял пакет и сразу же направился к себе в кабинет, сделав вид, будто ничего не заметил.

— Ты не собираешься ужинать? — негодующе проговорила ему вслед жена.

— Может быть, позже, — сказал он, не оборачиваясь. — Я очень устал, и мне еще нужно просмотреть кое-какие материалы. Это недолго, час самое большее.

Он вошел в кабинет, плотно притворил дверь и еще минуту стоял, зачем-то вслушиваясь в тишину, которая наполняла квартиру. Так ничего и не услышав, он тихо повернул ключ в замке, подошел к столу и высыпал из пакета динамитные шашки. Потом сел за стол и стал думать. Его старания ни к чему не привели. Взрывчатка оказалась просто кучей бесполезного мусора. Тот, кого он намеревался взорвать, унести вместе с собой в могилу, больше не станет с ним встречаться. Для этого он слишком хитер. Он не зря говорил, что знает характер Ямщикова. Он его действительно знает, поэтому остережется новой встречи. Убивать его «шестерок» было противно и бессмысленно — главное зло заключалось в Седом. Как бы пригодился сегодня вечером пистолет! А ведь Седой уже точно знал, что у него есть оружие. Выходит, он просчитал даже то, что Ямщиков постарается поскорее от него избавиться? Или просто так уверен в своем преимуществе?

Ямщиков закусил губу и, запрокинув руки за голову, с ненавистью посмотрел в темноту за окном. Где-то там, в лабиринте сырых улиц, за толстыми стенами посольства, в тепле и комфорте, при свете дорогих люстр блаженствует сейчас Седой. Наверное, потирает руки в предвкушении будущих барышей. Как бы то ни было, сдаваться рано. Нужно найти способ выманить его из раковины.

Глава 18

Подполковник Жмырин неторопливо шагал по тихой улочке, беспечно озираясь по сторонам, а на самом деле ни на секунду не выпуская из поля зрения широкую спину человека, который шел впереди него, сумрачно выглядывая из поднятого воротника плаща. Время от времени он оборачивался назад, но это Жмырина нисколько не беспокоило — Ямщиков не знал его в лицо.

Поочередно они прошли мимо узорной чугунной ограды посольства. Название страны, написанное на полированной табличке у ворот, вызвало у Жмырина внутренний протест. «Тьфу, язык сломаешь! — подумал он. — Сроду не слышал такого названия. И чего только не бывает на свете! Непонятно одно, зачем нашего клиента сюда понесло? Уж не политического ли убежища собрался просить?»

Он посмотрел в спину Ямщикова с особенным любопытством. Люди, которые уезжали за кордон, всегда удивляли его до глубины души. Жмырин не представлял, как можно жить там, где вокруг, например, одни немцы. Или греки. Или вот эти — чью страну не выговоришь, как ни ломай язык. Жмырин был уверен, что он бы непременно погиб.

Однако Ямщиков не стал задерживаться. Посмотрев на светло-кремовый фасад старинного здания, зеленая лужайка перед которым до сих пор сохраняла летнюю свежесть, он преспокойно пошел дальше. Ветер трепал длинные полы его распахнутого плаща. Со стороны могло показаться, что Ямщиков просто прогуливается, но Жмырин думал на этот счет иначе.

«С такой рожей на прогулку не выходят, — решил он. — С такой рожей хорошо под поезд ложиться. Или вот камень на шею и в реку. Этот фрукт неспроста сюда забрел! С работы ушел, машину за углом оставил, башкой вертит, будто у него песок за шиворотом... Вот чует мое сердце, что брать его надо. Фактор внезапности большое дело. Когда их внезапно берешь, у них от неожиданности языки развязываются. Это потом они начинают дурочку ломать — адвоката, имею право хранить молчание... Насмотрелись Голливуда! А у него сейчас, например, нервы на пределе. Он как курок на взводе. Цапни его, и он так хлопнет!»

Смущало Жмырина только одно — по закону Ямщикова брать было совершенно не за что. Допустим, он казался подозрительным, и, будь он обыкновенным гражданином, Жмырин на этом основании давно бы его скрутил. Но Ямщиков был засекреченный, за его спиной стояли серьезные люди, и, как ни крути, под марку обыкновенного гражданина он никак не подпадал. Именно об этом говорил Гуров. Но Жмырин ничуть не сомневался, что с таким настроем они еще месяц будут ходить вокруг Ямщикова, а тем временем у того перебьют всех родственников до единого. Жмырин все больше склонялся к тому, что надо рубить сплеча. Гуров сам потом скажет спасибо.

Ямщиков дошел до угла переулка и вдруг повернул обратно. Жмырин равнодушным взглядом скользнул по его лицу и прошел мимо. Но в душе у него в этот момент разразилась настоящая буря.

«Что за комедию этот артист ломает? — возмущенно подумал он. — Кем он себя вообразил? Штирлицем? Ну я ему покажу!»

Ямщиков не оставлял ему выбора. Жмырин не собирался красться по углам и прятаться за мусорными ящиками, тем более что их на этой улице не было. На углу он развернулся и опять пошел за Ямщиковым — в обратную сторону. Как ни странно, Ямщиков этого, кажется, даже не заметил. Теперь он шел, опустив голову, о чем-то глубоко задумавшись.

Около посольства им обоим пришлось замедлить шаг. Около ворот, заехав на тротуар, вдруг остановилась ярко-красная машина, и из нее вышла женщина. Видимо, она была здесь своей, потому что через охрану она прошла как нож сквозь масло. Жмырин успел только заметить бледное лицо с острым подбородком и иссиня-черные волосы до плеч. Он невольно задержался у ворот и с некоторым недоверием уставился на марку автомобиля, никелем сверкающую на багажнике. Это был «Ниссан».

«Неужели? — подумал Жмырин. — Но та баба — блондинка. Хотя что ей стоит нацепить парик? Рожа вроде похожа... Тогда понятно, зачем Ямщиков здесь крутится. Он их вычислил, и, значит, жди беды. Только непонятно, почему он на нее никак не отреагировал. Притворяется?»

Ямщиков действительно не обратил на женщину никакого внимания. Опередив Жмырина, он медленно шел по переулку. За углом стояла его машина. Если Ямщиков пойдет сейчас к ней, решил Жмырин, его надо брать.

Ямщиков завернул за угол и решительно направился к машине. Жмырин нагнал его и положил на плечо тяжелую руку.

— Минуточку, гражданин! — внушительно сказал он. — Московский уголовный розыск. Можно взглянуть на ваши документы? — Краем глаза Жмырин видел, как оба его помощника разом выскочили из машины и стали обходить Ямщикова с тыла.

— В чем дело? — Ямщиков резко обернулся и попытался сбросить с плеча чужую руку. — Какого черта вам нужно?

Жмырин улыбнулся. Он держал Ямщикова мертвой хваткой. Это было для него делом чести — не позволить сбросить свою руку.

— Спокойнее, гражданин! — с тихой угрозой сказал он. — Сопротивление представителю власти ни к чему хорошему не приведет.

Ямщиков быстро огляделся и увидел оперативников у себя за спиной. На лице у него появилось обреченное выражение человека, падающего с огромной высоты, но все еще пытающегося ухватиться за что-нибудь по пути.

— Это какое-то недоразумение, — сдерживаясь, сказал он. — Вы не знаете, с кем имеете дело. Я еще не видел ваших документов. И уберите, наконец, свою руку!

Жмырин был уверен, что находится на верном пути. Что-то с этим типом было неладно — именно сейчас, в настоящий момент — иначе бы он так не дергался.

— Руку я, допустим, уберу, — сказал он, не делая, однако, этого. — Но только когда буду убежден, что вы, гражданин, понимаете русский язык. Я вам сказал — предъявите документы!

— Это черт знает что такое! — буркнул Ямщиков и полез в карман за паспортом.

Жмырин наконец убрал с его плеча руку, но в паспорт заглянул лишь краем глаза.

— Гражданин Ямщиков, — многозначительно произнес он. — Что вы делаете в этом районе Москвы? Что вы высматривали около посольства дружественного государства?

— Вы идиот? — не выдержал Ямщиков и вырвал из рук Жмырина паспорт. — Идите к черту! Я вам не мальчишка! У вас еще будут неприятности!

Жмырин широко улыбнулся. Он только этого и ждал.

— Сопротивление власти, — удовлетворенно сказал он. — Плюс оскорбление при исполнении... Ребята, вы были свидетелями. Гражданин оказывал сопротивление и оскорблял. Этот гражданин кажется мне подозрительным. Ну-ка обыщите его!

— Что?! — вскипел Ямщиков и сильно толкнул Жмырина в грудь. — Не имеете права!

— Ну ты нарвался, — негромко заключил Жмырин и двинул с правой Ямщикова в живот, а потом, не давая опомниться, нанес сокрушительный удар левой в челюсть.

Оглушенный Ямщиков отлетел к своей машине и ударился спиной о дверцу. Оперативники подскочили к нему и, завернув руки, уложили лицом на капот. Один из них принялся ощупывать Ямщикова и осматривать его карманы. Вдруг он обернулся к Жмырину и озабоченно сказал:

— Товарищ подполковник, тут чего-то непонятное. Во-первых, мы у него чужой паспорт нашли, а во-вторых, у него, похоже, что-то в одежде зашито.

— Ну-ка, ну-ка, — обрадовался Жмырин и, приблизившись, сам захотел в этом убедиться.

— Оставьте меня в покое, придурки! — с трудом проговорил Ямщиков. — Замкнете взрыватель — нас всех разнесет к чертовой матери! Дуболомы!

Жмырин предостерегающе поднял руку, заставив оперативников отступить.

— Что ты сказал? — произнес он с угрозой. — Взрыватель? На тебе взрыватель?

— Не дошло еще до твоих тупых мозгов? — огрызнулся Ямщиков. — На мне динамит.

— Что? — обалдел Жмырин и скомандовал: — Ну-ка, ребятки, быстренько отойдите! Я сам тут...

— Герой! — язвительно сказал с капота Ямщиков. — Если бы я хотел — давно бы вас всех на небеса отправил. Между прочим, стоило бы это сделать. Таким придуркам только там и место.

— Ну ты поговори еще! — неуверенно произнес Жмырин. — Террорист! Знаешь, что тебе за это светит?

— Лучше тебя! Только мне плевать. Эта простая мысль тоже до тебя не доходит?

Жмырин был растерян. Он попал в довольно глупое положение. Похоже, этот Ямщиков действительно был начинен взрывчаткой и в любую секунду мог порвать их всех в клочки. Удерживать его было опасно, но еще опаснее было отпускать. Жмырин не знал, что делать. Он оглянулся на помощников. Лица у оперативников были какие-то серые.

— Да отпусти же меня, придурок! — еще раз сказал Ямщиков. — Ваша взяла, радуйся! Но учти, разговаривать я буду только с полковником Гуровым. Полковник Гуров! Знаешь такого?

Жмырин еще секунду подумал и разжал руки. Черт знает что такое! Он берет этого типа с поличным, рискует карьерой и даже, как выясняется, жизнью, а сливки снимать опять будет Гуров! Это уже судьба. Он обернулся к своим подчиненным и сухо распорядился:

— Наденьте на гражданина Ямщикова наручники! Мы должны доставить его в распоряжение Гурова.

— Никаких наручников! — возразил Ямщиков. — Я сам сдаюсь. Для чего этот цирк?

Жмырин сумрачно посмотрел на него.

— Ладно, не надо наручников, — наконец сказал он. — Только не представляю, как мы его повезем — с бомбой и безо всякой страховки...

Так ничего и не решив, он махнул рукой и включил мобильник, который до сих пор молчал. Звонок от Гурова поступил тотчас же. Гуров был вне себя.

— Черт возьми, Жмырин! В чем дело? Почему никто не отвечает?

— Прости, Лев Иванович, — сокрушенно произнес Жмырин в трубку. — Случайно отключил телефон. А у меня для тебя новости. Я тут Ямщикова взял...

— Что?! — воскликнул Гуров. — Кто позволил?

— Ты погоди, Лев Иваныч, не горячись! Тут очень странные вещи... И он готов давать показания. Но он говорит, что будет общаться только с тобой.

— Ну так вези его срочно в главк! А с тобой, Жмырин, мы еще разберемся, я тебе обещаю!..

— Да ради бога, Лев Иваныч! Только тут такое дело... — он замялся. — Как его к вам везти-то? На нем динамит. Как на ком? На Ямщикове, конечно. Зашит в одежду. Взрыватель, все как положено. Что он задумал, мне пока неизвестно. Но, может, с ним лучше где-нибудь на пустыре поговорить?

— Где вы находитесь? — спросил Гуров и, получив адрес, распорядился: — Ждите, мы сейчас будем. И постарайтесь до нашего приезда не делать глупостей.

Они с Крячко появились через восемь минут. До их приезда Жмырин вообще ничего не делал. Он погрузился в состояние мрачной задумчивости и, казалось, даже забыл про Ямщикова. За тем с особенным беспокойством присматривали молодые оперативники. Но Ямщиков просто угрюмо ждал своей участи. В таком положении их и застал Гуров.

— Я смотрю, вы совсем носы повесили? — сказал он, выходя из машины. — Что же прикажете мне тогда делать? Давайте-ка быстренько разберемся, что у вас тут произошло! Прежде всего, Алексей Петрович, что это за бомба? Проясните!

Ямщиков серьезно посмотрел на него и нехотя признался:

— Насчет бомбы все правда. На мне динамит. Под рубашкой провода. Здесь на запястье — взрыватель. Достаточно нажать вот здесь...

— Зная вас как человека серьезного, — сказал Гуров, — вынужден поверить, что это не шутка. Насколько я понимаю, нас-то вы взрывать не собираетесь?

— Нет. Я собирался взорвать себя, а заодно и Седого. Увы, все сорвалось. Вы помешали моим планам, и теперь мне ничего не остается, как сделать вас орудием возмездия. Чертовски досадно, что так получилось, но я сам виноват. Ничего не попишешь.

— Признаться, не могу разделить вашу досаду, — сказал Гуров. — Не люблю взрывов. А кто это — Седой?

— Мой однокашник, физик. Много лет назад мы вместе начинали. Мы разрабатывали принципиально новую систему связи. В подробности вдаваться не буду, для краткости назову ее суперсвязью. Она куда экономичнее и надежнее нынешней мобильной связи. Связь будущего, одним словом. В те годы мы были молоды, честолюбивы и полны идей. Но потом в стране произошли изменения, наш проект стал никому не интересен, всех интересовало то, что приносит мгновенную выгоду. Оборонные предприятия, лаборатории свертывали работу, проекты замораживались. Люди разбегались кто куда. Леонид Седой решил, что в других краях он скорее найдет свое счастье, и отвалил на Запад. Ему там действительно повезло, но не в той области, в которой он начинал. На Западе он стал бизнесменом, и довольно успешным. Я, впрочем, мало знаю об этом его периоде. Он и сам предпочитает помалкивать о своем бизнесе — наверное, есть причины. Полгода назад он вдруг приехал в Москву. Мы встретились. Я расчувствовался и рассказал ему, что наш проект близок к завершению. Он сначала удивился, а потом задумался. А перед самым своим отъездом предложил мне, грубо говоря, украсть документацию по проекту и уехать вместе с ним на Запад. Я довольно резко отказал ему, а если точнее, послал подальше. Он разозлился и предупредил, что может заставить меня принять предложение и скоро я о нем услышу. Тогда я просто высмеял его...

— А через полгода вдруг убили вашего троюродного брата, — подсказал Гуров.

— Вот именно, — кивнул Ямщиков. — Володьку, Серегу, потом женщину, которую я любил... У меня были подозрения, но я загонял их глубоко в подсознание. Понимаете, невозможно было в такое поверить.

— Когда же поверили?

— Меня встретили на кладбище, когда я ходил на могилу Светланы. Это был один из его «шестерок» — Дэн. Раскрыл карты, распорядился, чтобы я делал, что мне велено. Иначе грозил убить дочь и жену. Я потребовал встречи с Седым. Думал, что Седой еще за границей и у меня есть время. Собственно, уже на кладбище я решил, что буду делать. У меня оставалось два выхода — смотреть, как гибнут дорогие мне люди, или покончить

Н. Леонов, А. Макеев

396

с собой. По натуре я боец, и мне очень не хотелось уступать этой сволочи. Но это означало отнять жизнь у дочери. Понимаете, какая мерзость — сначала дать жизнь, потом забрать — из принципа. Я почувствовал к себе такое отвращение... И понял, что выход один — я покончу с собой, но так, чтобы уничтожить эту тварь, Седого. Я раздобыл взрывчатку...

— Где? У кого?

— Этого я вам не скажу никогда, полковник. Даже не надейтесь. Лучше давайте говорить о том, что для вас действительно важно. А важно то, что Седой меня провел. Он встретил меня в подъезде моего собственного дома, в тот момент, когда я меньше всего этого ожидал.

— Мы производили съемку всех, кто входил в ваш подъезд, — сказал Гуров. — Потом покажете нам, кто на этих снимках Седой. Но что же произошло дальше?

— Ничего, — усмехнулся Ямщиков. — Он вырвал мне зубы. Я еще был не готов. А он больше не намерен со мной встречаться. Завтра вечером я должен представить его помощнику краденую документацию, иначе...

— Понятно, — кивнул Гуров. — А что вы делаете возле посольства одной маленькой, но дружественной африканской страны?

— У меня есть основания думать, что Седой находится за стенами этого посольства, — сказал Ямщиков. — Не знаю, может быть, я рассчитывал на случайную встречу.

— Седой сам вам сказал, что живет в посольстве?

— Нет... То есть да, сказал...

— Лев Иванович, — вмешался Жмырин. — Ребята у него в кармане вот что нашли. Паспорт гражданина как раз этой страны. Вот он. Фотография вроде не похожа...

Гуров взял паспорт, пролистал его и с интересом посмотрел на Ямщикова.

— Алексей Петрович, вы вчера ездили в район Бутова?

— С чего вы взяли?

— А откуда у вас этот паспорт?

— Предпочитаю не отвечать на этот вопрос.

— Тогда я отвечу, — сказал Гуров. — Вчера в лесу под Бутовом был сожжен автомобиль марки «Форд». Как показало расследование, «Форд» принадлежал некоей частной фирме, занимающейся прокатом автомобилей. Его взяли напрокат два иностранных гражданина, и фамилия одного из них странным образом совпадает с фамилией, указанной в этом паспорте. Как вы можете все это объяснить?

Ямщиков с отвращением посмотрел на паспорт, который держал Гуров, махнул рукой и ответил:

— Теперь один черт! Я заметил этих идиотов, когда выехал за Кольцевую. В лесу я притормозил, а потом пугнул обоих пистолетом. Машину сжег.

— У вас и пистолет есть? — удивился Гуров. — Помнится, вы говорили что-то об охотничьем ружье?

— Пистолета уже нет, — хладнокровно сказал Ямщиков. — Я его выбросил. Как оказалось, совершенно напрасно. Седой был у меня в руках, и я упустил этот момент.

— Что касается меня, то я очень рад такой неудаче, — заметил Гуров. — Самосуд я не одобряю в принципе. Почему вы сразу не обратились в милицию, в ФСБ? Почему вы предпочли покончить счеты с жизнью? Что вам помешало обратиться к властям? Даже когда опасность коснулась вашей дочери. Даже когда я сам нашел вас. Что вам помешало?

Ямщиков встретился с ним взглядом. В глазах Ямщикова была безнадежность и тоска.

— У вас есть дети? — вдруг спросил он. — Нет? Тогда вам этого не понять. Когда ваша взрослая дочь вдруг узнает, что в какой-то период ее замечательный и талантливый отец был самым обыкновенным барыгой и сбывал темным личностям секретные технологии...

— Вы были в этом замешаны?

— Да. В то время продавалось все. Никто ничем не интересовался. Все торопились набить карманы. Если бы не украл ты, украл бы другой. Увы, мне тоже тогда показалось, что все рухнуло и спасение утопающих — дело рук самих утопающих. Мы занимались такими делами на пару с Седым. Потом он уехал, а я не решился. Меня никогда не тянуло в далекие края. Наши делишки так и не всплыли, но с памятью у Седого все в порядке. Если вы его возьмете, он не будет молчать.

— Это понятно, что он молчать не будет. Жаль, что так долго молчали вы, — сказал Гуров. — Может быть, это не приходило вам в голову, но тогда и ваш троюродный брат, и Светлана Изотова были бы до сих пор живы.

— Есть вещи, о которых молчишь до последней минуты, — произнес Ямщиков. — У вас самого нет тайн, полковник?

— Вот именно, — ответил Гуров. — У меня нет тайн. Уже давно переминавшийся с ноги на ногу Жмырин подмигнул Гурову и отвел его в сторону.

— И что же мы теперь будем с ним делать, Лев Иванович? — с неожиданной жалобной интонацией спросил он. — Человек в расстройстве. Возьмет и нажмет на кнопку. Разнесет нас всех к чертовой матери!

— Будем надеяться, что не нажмет, — сказал Гуров. — А что еще остается делать? Мне представляется, что он не станет этого делать. Ямщиков не убийца, у него просто сильно развито эгоистическое чувство. Но он разумный человек и знает, когда нужно остановиться. Сейчас мы предложим ему вместе поехать куда-нибудь, чтобы он мог переодеться. А потом отвезем к нам и возьмем показания.

— Его надо ФСБ передавать, Лев Иванович, — сказал Жмырин.

— Передадим, — кивнул Гуров. — Когда все выясним. Может быть, человек все придумал. Может, он пошутил? Сейчас, знаешь, сколько таких шутников развелось? А тем временем мы выясним информацию по иностранному гражданину, у которого Ямщиков отобрал паспорт. Там с этой машиной вышла странная история. В контору, которая сдавала в прокат автомобили, вчера вечером пришел второй иностранец и заплатил хозяину полную стоимость сгоревшей машины, представляешь? Сказал, что вышел несчастный случай, и просил все уладить. Прокатчик деньги взял, но все-таки сообщил обо всем в милицию. Место проживания этих иностранцев известно. Туда поехали ребята из отдела по угону. Вот жду от них сообщений.

— А как мы до Седого доберемся?

— Прежде всего нужно срочно выяснить все по гражданам этой африканской страны, которые недавно въехали в нашу страну. Вот ты этим и займись. Нужно выяснить, что за птица этот Седой. Не исключено, что нам до него не добраться. Прямых улик против него нет. Могут возникнуть дипломатические осложнения. Но у меня есть одна мысль. Мы попробуем подобраться к этому мерзавцу через его «шестерок». Теперь мы знаем, что на него работали, по крайней мере, четверо — двое в «Форде», некий Дэн и самая колоритная персона — Никита...

— А она, похоже, здесь, — сказал Жмырин.

— Где здесь? — не понял Гуров.

— Здесь, в посольстве, — объяснил Жмырин. — Я, кажется, ее только что видел.

Глава 19

— У вас есть карты, Алексей Петрович? — неожиданно спросил Жмырин.

Ямщиков резко поднял голову, точно пробудившись от беспокойного сна, и озабоченно уставился на подполковника.

— Карты? Что вы имеете в виду? Какие карты?

Жмырин ухмыльнулся и пояснил:

— Обыкновенные игральные карты. Я подумал, нас тут как раз четверо — почему бы не расписать пулю? Чтобы убить время, а?

— Гениальная мысль, — сказал Крячко. — Играть будем на щелбаны. До получки еще далеко.

— У меня нет карт, — ответил Ямщиков. — Могу предложить шахматы.

— Ну-у, шахматы! — разочарованно протянул Крячко. — В шахматы только Гуров умеет играть. Это неинтересно.

Гуров, Жмырин и Крячко сидели в домашнем кабинете Ямщикова и ждали звонка. На улице уже темнело, а звонка все не было. Темнота Гурова не смущала — даже наоборот, но Седой медлил, и это наводило Гурова на неприятные мысли. Пронюхать он вроде бы ничего не мог — все было сделано аккуратно, а возможности самого Седого были все-таки ограничены. Развернуть тотальную слежку за Ямщиковым он не мог. Это привлекло бы к нему внимание. Да и вряд ли на него работало много людей. В то же время Гуров значительно усилил охрану больницы и особенно палаты, в которой лежала дочь Ямщикова, а квартирой Ямщикова занялся лично.

Алексей Петрович представил их троих жене как коллег по работе и сказал, что им нужно серьезно позаниматься, поэтому мешать им ни в коем случае нельзя. Бедная женщина сделала вид, что поверила в такое объяснение, но по ее глазам Гуров понял, что она совершенно сбита с толку и рисует в воображении всякие ужасы. Но, к сожалению, объяснить ей он ничего не мог.

Закрывшись в кабинете Ямщикова, они принялись ждать. К телефону Ямщикова был подключен магнитофон — запись предстоящего разговора могла пригодиться. Сами молчали — все было переговорено. Гуров не был уверен, хочется ли тому вообще жить — похоже, черту под своим существованием Алексей Петрович подвел уже тогда, когда решился превратить себя в живую бомбу. Вряд ли бы такой человек снизошел до признания, но важнее всего ему было сейчас отомстить, а другого шанса у него уже не было. Гуров догадывался, что чувствует сейчас этот человек, впереди у которого были суд, позор и годы изоляции от общества. И еще угрызения совести за напрасную смерть близких. Ямщиков действительно был сильным человеком, но не настолько, чтобы окончательно утерять человеческие чувства. Ужас происшедшего становился теперь для него все яснее и яснее. Наверное, это мучило его больше всего.

Негромкий смех Ямщикова вызвал у Гурова недоумение. Ему казалось, что смеяться Алексей Петрович разучился надолго. Гуров вопросительно посмотрел на него.

— Мне подумалось, какой вы получите за меня нагоняй, — сказал Ямщиков. — В лаборатории никто ни о чем не догадывается. Проект близится к завершению, у всех приподнятое настроение, предвкушение премиальных и прочее... А тут вдруг появляется ведущий сотрудник в наручниках и с муровцами по бокам — действительно смешно. Если бы это были спецслужбы, все бы выглядело гораздо солиднее. Вам наверняка поставят это в упрек. Можете иметь большие неприятности.

— Мы переживем, — сказал Гуров. — Я уверен, что лучше нас никто с этим делом не справится. Когда Седой будет у нас на крючке, можно будет и спецслужбы пригласить — мы в секретные дела не суемся.

— А вы честолюбивый человек, полковник! — с некоторым удивлением заметил Ямщиков. — Я бы даже сказал, игрок!

— Наверное, — пожал плечами Гуров. — Только играть я предпочитаю в шахматы, а не в рулетку.

— Шахматы тоже могут быть азартной игрой, — сказал Ямщиков.

— Это если на щелбаны играть, — вмешался Крячко.

Н. Леонов, А. Макеев

— А все-таки зря мы не захватили карты, — вздохнул Жмырин. — Кто знает, сколько нам еще тут торчать?

— Ну, тебе-то тут торчать еще долго, — успокоил его Гуров. — Ты не о картах бы думал, а о безопасности.

— Лев Иваныч! — обиженно отозвался Жмырин. — Если не доверяешь, так лучше бы Крячко вместо меня с собой взял. Я на свежем воздухе работать предпочитаю. Чтобы простор был.

— Тебе много простора давать опасно, — с намеком сказал Гуров. — Но за жизнь Алексея Петровича и его супруги ты отвечаешь головой, так что проникнись!

— Уже проникся, — заявил Жмырин. — Будь уверен, мимо Жмырина даже мышь не проскользнет. Да и сдается мне, не сунутся они сюда. После того как у них «Форд» спалили, наверняка этот Седой призадумался. Один прокол — неприятность. Второй прокол — прямая дорога к провалу. Он будет теперь осторожничать.

Гуров и сам так думал. Оба иностранных подданных, которые брали напрокат «Форд», исчезли. Из гостиницы съехали в тот же день. Где они теперь — милиция не знала. Гуров предполагал, что они также могли укрыться в посольстве. Поскольку они были людьми Седого, он наверняка нашел способ оказать им поддержку. Как оказалось, господин Седой был в Африке не последним человеком. Подполковник Жмырин навел о нем справки — Леонид Седой был гражданином небольшой, но амбициозной африканской республики, владел там недвижимостью и являлся почетным секретарем некоей Партии Возрождения, которая была, по сути дела, правящей партией. Как все это Седому удалось, Гурова не интересовало, но с ним нужно держать ухо востро. Находясь в стенах посольства, тот мог рассчитывать на полную безопасность. Похоже, Никита была при нем и тоже не особенно напрягалась в смысле личной безопасности. Разумеется, кому могло прийти в голову, что такая опасная и циничная преступница после очередного убийства преспокойно скрывается на территории иностранного государства? Господин Седой, наверное, в восторге от собственной предприимчивости. Скандал, однако, его ждет страшный — даже если ему удастся вывернуться из сетей, которые ему расставил Гуров.

Ничего сверхъестественного Гуров не задумал. У него была единственная возможность вступить в контакт с бандой Седого — воспользоваться передачей секретной информации. Просто вместо Ямщикова на встречу должен был поехать сам Гуров и Крячко. Алчность Седого не позволит ему бросить все на полпути. Возможно, в глубине души он даже согласен на компромисс. Скорее всего, Седой понимает, что все данные по суперсвязи он не сумеет получить, но даже какие-то отдельные материалы были бы для него находкой. Новые технологии — дорогой товар. И еще Седой уверен, что Ямщиков будет молчать.

Наверное, он не ошибался в Ямщикове, и тот действительно молчал бы до последней минуты. К неудовольствию Гурова, язык ему развязал Жмырин, который опять пустился на самоуправство. Генерал Орлов называл такие действия партизанщиной. На этот раз партизанщина сработала — случай помог. Но все могло обернуться большой бедой. Поэтому Гуров так и не решил — злиться ему на Жмырина или объявлять ему благодарность. Точно так же, как не решил для себя вопрос — закрыть глаза на фокусы Ямщикова со взрывчаткой или дать делу ход. Ямщикова и без того ждали суровые испытания, обвинение в организации взрыва могло намного их усугубить. Гурову попросту было жаль этого человека. Но, с другой стороны, где-то продолжал действовать тот, кто продал Ямщикову динамит, и вот его следовало обязательно обезвредить.

Зазвонил телефон. Все напряглись. Гуров и Ямщиков встретились взглядами. В глазах Ямщикова Гуров прочел сожаление — он до сих пор хотел расправиться

Н. Леонов, А. Макеев ■

с бывшим товарищем собственными руками и откровенно завидовал Гурову. Чуть-чуть помедлив, Гуров кивнул и тут же надел наушники, подключенные к магнитофону.

Ямщиков встал с кресла и решительным жестом снял трубку. Все впились в него глазами.

— Алло! — сказал он. — Ямщиков слушает.

В наушниках у Гурова зашуршало, и бодрый мужской голос произнес:

— Добрый вечер, Алексей Петрович! Это Даниил, узнаете?

— Предпочел бы не знать, — сухо ответил Ямщиков. — Говорите по делу!

— Собственно, я жду, что скажете вы, — нисколько не обидевшись, произнес Дэн. — Вы готовы выполнить нашу просьбу?

— Чью это вашу? — грубо оборвал его Ямщиков. — Я хочу разговаривать с Седым.

После короткой паузы Дэн мягко сказал:

— Вы уже имели такую возможность, Алексей Петрович. Все вопросы были решены. Повторный контакт возможен только в том случае, если вы выполняете наши условия. На меня возложена обязанность посредника. Так что все дела теперь будете вести со мной, Алексей Петрович. Это не обсуждается.

— Черт с вами! — буркнул Ямщиков. — У меня есть то, что вам нужно. Где вы находитесь, посредник?

— Минутку, вы уверены, что располагаете именно тем материалом, который нам нужен? — вежливо, но строго переспросил Дэн. — Подумайте хорошенько! Ошибка может привести к непоправимым последствиям, Алексей Петрович!

— Вы за идиота меня принимаете? — зло произнес Ямщиков. — Я дважды повторять не буду.

— Хорошо, — покладисто сказал Дэн. — Вас предупредили. В таком случае поступите следующим образом — берите товар и подъезжайте на то самое место, где вы на днях устроили маленький фейерверк.

— Что? Вы имеете в виду Бутово? А поближе нельзя?

— Поближе нельзя, — терпеливо сказал Дэн. — И, надеюсь, вы понимаете, что необходимо соблюдать строжайшую секретность? Мы ждем вас одного и без оружия...

Гуров подал знак Крячко. Тот кивнул и сразу же вышел из кабинета.

— Что значит — одного? — с презрением сказал Ямщиков. — А я как раз хотел прихватить пару приятелей и ящик пива...

— Понимаю, это шутка, — сказал Дэн. — Но, должен заметить, шутка очень неважная. Мне не смешно.

— Мне тоже, — ответил Ямщиков. — Когда мне выезжать?

— Выезжайте прямо сейчас. Если у вас все в порядке, то за жизнь своих близких можете не опасаться. Мы привыкли держать слово.

— Я выезжаю, — сказал Ямщиков и положил трубку.

Он поднял голову и вопросительно посмотрел на Гурова.

— Очень хорошо, — сказал тот. — Разговор мне понравился. Жаль, что не позвонил сам Седой, но нельзя требовать от судьбы слишком многого. Место встречи меня тоже устраивает. Похоже, они опасаются подвоха и хотят иметь поле для маневра. Но нам оно тоже не помешает. И еще нам не помешает немного удачи.

— Ни пуха ни пера, — сказал Жмырин.

— К черту. Значит, я поехал. Крячко подсядет ко мне во дворе. Мы продумали, как это незаметно сделать, — сказал Гуров. — Алексей Петрович, у нас с вами похожие габариты — с вашего позволения я надену ваш плащ — на всякий случай. Еще раз предупреждаю — за время моего отсутствия к телефону не подходить, в окна не высовываться. Береженого бог бережет.

Они вышли в прихожую. Ямщиков и Жмырин молча смотрели, как он одевается. На пороге Гуров вдруг обернулся и сказал:

— Вы бы объяснили все жене, Алексей Петрович! Она же волнуется. Так не годится. Я знаю, вам это тяжело, но, поверьте, жена вас поймет и, думаю, простит. Недоговоренность и неизвестность еще тяжелее — поверьте мне.

— С этим я сам разберусь, — хмуро отозвался Ямщиков.

— То-то и оно, что сам, — вздохнул Гуров. — Всего сам не переделаешь. Ну да ладно, это не моя грядка, вам виднее.

Он вышел, низко наклонил голову и быстро спустился во двор. За двором и прилегающими улицами присматривали оперативники. Ничего подозрительного они пока не обнаружили, но на всякий случай Гуров решил подстраховаться.

На выезде дорогу ему перегородила встречная машина, за рулем которой сидел один из ребят Жмырина. Пока он препирался с Гуровым, из-за мусорных ящиков выскользнул Крячко и незаметно юркнул на заднее сиденье.

— Лежи там и не высовывайся, — пригрозил Гуров. — Не дай бог, за нами «хвост».

— Я посплю тогда, — беззаботно объявил Крячко. — Когда начнут стрелять, разбуди меня, пожалуйста.

— Типун тебе на язык! — рассердился Гуров.

Он рассчитывал, что обойдется без стрельбы. Подопечные Седого и так много накуролесили. Лишний шум им ни к чему. Когда станет ясно, что милиция вышла на их след, они станут как шелковые — Гуров был уверен в этом. Впрочем, несмотря на уверенность, бронежилет он все-таки надел и Крячко заставил сделать то же самое. Собственно, это и было причиной шуточек насчет перестрелки, которые периодически отпускал Крячко.

Они проехали центр, пересекли Садовое кольцо и покатили в южном направлении. Сопровождать их Гуров запретил категорически — если бы банда Седого что-то заподозрила, то, как выразился по этому поводу Жмырин, можно было бы тут же «сливать воду». Поэтому, когда за автомобилем Ямщикова с некоторых пор увязался какой-то невзрачный «жигуленок», Гуров совершенно определенно мог сказать, что это не его люди. Не исключено, что ему сели на хвост от самого дома, но, поскольку преследование не прекращалось, можно было надеяться, что подозрений у преступников не возникло.

Гуров сообщил о «гостях» Крячко и поднял воротник плаща. Он опасался, что преследователи захотят убедиться, что в машине действительно находится Ямщиков. Но «жигуленок» исправно скрипел позади, не пытаясь обогнать Гурова. Видимо, в стане Седого были убеждены, что у Ямщикова не хватит духу обратиться за помощью к правоохранительным органам. Как бы то ни было, Гурова такое положение устраивало.

До Северного Бутова доехали без происшествий, в усыпляющем, почти прогулочном ритме. Потом Гуров свернул с шоссе и вскоре въехал в лес. Его окружила тревожная тьма, в которой под лучами фар влажно светилась дорога. «Жигуленок» на какое-то время пропал.

Гуров сбросил скорость и пристально всмотрелся в дорогу.

— Что там, Лева? — сонно спросил Крячко. Кажется, он и в самом деле вздремнул.

— Там полная темнота и неизвестность, — ответил Гуров. — И «хвост» пропал. Начинаю опасаться, что мы неправильно поняли сценарий.

— Если это отвлекающий маневр, то в городе они сядут в лужу, куда более глубокую, чем здесь, — рассудительно заметил Крячко. — Они потому и выбрали природу, что здесь меньше людей в погонах. Посмотри внимательнее — наверняка они где-то здесь.

И тут Гуров действительно их увидел. Свет фар выхватил из темноты автомобиль с потушенными огнями, притулившийся на обочине. В ту же секунду фары его призывно мигнули и снова погасли.

— Ты прав, — тихо сказал Гуров. — Они на месте. Теперь держись.

Он затормозил и тоже помигал фарами. Впереди произошло какое-то движение. Гуров различил два силуэта, которые медленно направлялись в его сторону. Он выбрался из машины, но навстречу не пошел, а стал ждать делегатов на месте. За спиной в воздухе засеребрились полосы света — из-за деревьев выехала еще одна машина.

— Вот и «хвост» вернулся, — сквозь зубы произнес Гуров и тут увидел, что один из приближающихся силуэтов принадлежит женщине. Сердце его забилось.

«Жигули» остановились метрах в тридцати за его спиной. Гуров слышал, как хлопнули дверцы. «Взяли в кольцо, — подумал он с некоторым неудовольствием. — Не самая приятная фигура. Но ничего, главное, чтобы у Стаса не сдали нервы. Глупее всего будет, если в последний момент все рассядутся по машинам и разъедутся. Обидно будет до слез».

Двое подошли совсем близко. Теперь Гуров видел, что перед ним невысокого роста брюнетка в сером плаще и какой-то неуклюжий сутулый очкарик, явно стесняющийся своего роста, длинных рук и вообще всего на свете.

«Наверное, это и есть тот самый специалист, о котором Седой говорил Ямщикову, — подумал Гуров. — Этот вряд ли опасен. А вот женщина... Сменила имидж? Жмырин говорил, что она могла надеть парик. Почему бы и нет? И повод как раз подходящий. А женщине только дай повод...»

За его спиной на обочине тихо поскрипывал гравий — кто-то заходил сзади, прикрывал тылы.

«Сколько их там? По звуку один, но, возможно, кто-то остался в машине. В общем, держись, Гуров! Сам заварил, сам и расхлебывай, жаловаться не на кого».

Брюнетка с очкариком были совсем рядом. Женщину, кажется, очень нервировало то обстоятельство, что Гуров продолжал неподвижно стоять в тени и она никак не могла рассмотреть его лица. Хладнокровия ей было не занимать, но у нее оно не было безграничным.

— Господин Ямщиков? — произнесла она, останавливаясь.

Очкарик тоже послушно притормозил и с любопытством уставился на темную тень, застывшую у машины. Ему, видимо, не терпелось заполучить в свои руки схемы новейшей суперсвязи.

«Специалист! Ничего не поделаешь! — подумал Гуров. — Жаль, но придется испортить тебе вечер, парень!»

Теперь он ясно видел лицо женщины — худощавое, с острым подбородком, и ее неприятный, как бы застывший, взгляд. Никаких сомнений не оставалось — это была она. Та самая. Никита. Седой облегчил ему задачу.

Гуров сделал шаг навстречу.

— Зараза! — сдавленным голосом сказала женщина. — Это подстава!

Она с акробатической легкостью вдруг совершила кувырок куда-то вбок, в темноту, и Гуров, на мгновение потерявший ее из вида, ощутил сильнейший удар в грудь, от которого перехватило дыхание и потемнело в глазах. Он осел на дорогу и бессильно оперся спиной о крыло автомобиля.

Рядом с ним из раскрывшейся дверцы выпал Крячко и, перекатившись через голову, тут же выстрелил куда-то. Сзади тоже выстрелили. Раздался треск лопнувшего стекла.

Очкарик застыл посреди дороги как соляной столб. Вокруг него свистели пули, но он стоял как заговоренный и только ошарашенно поводил головой.

— Ложись! — через силу крикнул ему Гуров и непослушной рукой достал из кобуры пистолет.

С обеих сторон зарычали моторы. Кажется, переговорщики намеревались смываться. Гуров поднял пистолет и без раздумий выпустил несколько пуль в сторону разворачивающегося автомобиля. Тот вдруг заюлил, странно зафыркал и медленно сполз в кювет, задрав вверх багажник.

Гуров почувствовал, как сильные руки поднимают его с земли.

— Цел, Лева? — с тревогой спросил Крячко, заглядывая ему в лицо. — Слава богу! Прыгай в машину, я сам управлюсь!

Крячко сильно дернул очкарика за руку и швырнул его к машине.

— Лезь в тачку, гад! — заорал он.

Очкарик вздрогнул и без слов забрался на заднее сиденье. Гуров увидел, что водитель «жигуленка» бежит назад, к машине.

— Стоять! — крикнул он и выстрелил в воздух.

— На них это не действует, — авторитетно сказал Крячко и без колебаний выпустил в сторону «Жигулей» целую обойму. Было слышно, как от ударов пуль разлетаются стекла и скрежещет металл.

Водитель рухнул на землю, а потом крикнул:

— Спокойно! Я сдаюсь. Я без оружия.

Он медленно встал и, подняв руки, пошел к оперативникам. Гуров узнал этот голос — совсем недавно он слышал его в наушниках.

— Слыхали, он без оружия! — язвительно произнес Крячко. — Сбросил, гад! Ничего, найдем.

Едва водитель приблизился, он надел на него наручники и предупредил:

— Только попробуй рыпнуться!

Дэн только пожал плечами.

Вместе с пленником они дошли до торчащей в кювете машины. Это был ярко-красный «Ниссан». Человек за рулем был мертв. Пуля попала ему в шею. Приборный щиток весь был залит кровью.

— Так, перестарался, — глухо проговорил Гуров. — А где женщина?

Крячко мельком посмотрел на него и сказал негромко:

— Уже нигде.

— Плохо, — покачал головой Гуров.

— Лучше бы она тебя? — спросил Крячко. — Ты уже у нее на мушке был, Лева! Я еле успел ее снять, потому и этого чуть не проворонил, — он кивнул на Дэна.

— Пойдем посмотрим, — распорядился Гуров.

Вернулись обратно. Крячко нырнул в темноту и выволок на дорогу хрупкое тело в сером плаще. В свете фар мертвое женское лицо казалось умиротворенным и даже нежным. Черный парик слетел с нее, открыв короткие льняные волосы.

— Красивая! — произнес за спиной Гурова Дэн. Непонятно было, удивляется он или сожалеет.

Гуров неодобрительно покосился через плечо.

— Бывает, трупы находят, — сказал он. — В лесу или в поле... А на трупе — бабочки примостились, крылышками помахивают. Тоже красивые... А от этого почему-то еще тошнее.

— Она из России, — равнодушно пояснил Дэн. — Школу милиции здесь окончила. Потом в нехорошую историю влипла, эмигрировала... На Западе с какими-то наемниками связалась. Срок ей светил — еле отмазалась. А потом ее подобрал господин Седой. Она для него могла сделать все, что угодно. По-моему, она его любила...

— А ты? — спросил Гуров. — Ты его тоже любишь?

— Я деньги люблю, — спокойно сказал Дэн. — С детства. А Седого сдам с потрохами, если увижу, что его дело проиграно.

— А ты тоже русский, что ли? — ревниво спросил Крячко.

— Седой вокруг себя всегда земляков собирал, — пояснил Дэн. — Он говорит, что у иностранцев душа непонятная — как у марсиан.

— И этот очкарик — тоже? — кивнул Гуров на машину.

— Нет, очкарик не русский. Чех, кажется, но он в технике разбирается — в радио, в компьютерах. У Седого он вроде технического советника.

— А ты вроде палача, выходит? — спросил Гуров.

— Ну уж нет, — сказал Дэн. — Стал бы я на такой должности вам сдаваться! Мое дело — убеждение.

— Какого калибра? — ехидно спросил Крячко. — Я ведь видел, как ты в нас шмалял, гад! Ствол найдем — получишь на полную катушку!

— Я просто напугался, — спокойно сказал Дэн. — Вокруг стрелять начали, ну и я пальнул за компанию. Я же не знал, что здесь должностные лица. Разве бы я посмел? — он едва заметно улыбнулся. — И вообще, я требую, чтобы сюда пригласили моего консула, — неожиданно закончил он.

— Ладно, ступай в машину и сиди тихо! — приказал Гуров, доставая из кармана мобильник. — Будет тебе консул.

Дэн повернулся и медленно побрел к машине, где его дожидался перепуганный насмерть очкарик. Крячко наморщил лоб и озабоченно посмотрел на Гурова.

— Этот подонок серьезно? — спросил он. — Ты в самом деле будешь связываться с посольством?

— Я следственную бригаду вызывать буду. И ФСБ, — сказал Гуров. — Пусть они разбираются, с кем связываться. А я сегодня что-то устал, Стас!

Грудную клетку невыносимо ломило, и Гуров непроизвольно попытался погладить ее ладонью. Но, ощутив под пальцами лишь тугую поверхность бронежилета, он махнул рукой и принялся набирать номер.

Содержание

Литературно-художественное издание

РУССКИЙ БЕСТСЕЛЛЕР. ИЗБРАННОЕ

Леонов Николай Иванович
Макеев Алексей Викторович

КОМНАТА СТРАХА

Ответственный редактор *А. Дышев*
Художественный редактор *А. Стариков*
Технический редактор *Н. Духанина*
Компьютерная верстка *А. Москаленко*
Корректор *Е. Дмитриева*

В оформлении супероболожки использован коллаж
из рисунков художника *Валерия Петелина*

ООО «Издательство «Эксмо»
123308, Москва, ул. Зорге, д. 1. Тел.: 8 (495) 411-68-86.
Home page: **www.eksmo.ru** E-mail: **info@eksmo.ru**

Өндіруші: «ЭКСМО» АҚБ Баспасы, 123308, Мәскеу, Ресей, Зорге көшесі, 1 үй.
Тел.: 8 (495) 411-68-86.
Home page: www.eksmo.ru E-mail: info@eksmo.ru.
Тауар белгісі: «Эксмо»
Қазақстан Республикасында дистрибьютор және өнім бойынша
арыз-талаптарды қабылдаушының
өкілі «РДЦ-Алматы» ЖШС, Алматы қ., Домбровский көш., 3«а», литер Б, офис 1.
Тел.: 8(727) 2 51 59 89,90,91,92, факс: 8 (727) 251 58 12 вн. 107; E-mail: RDC-Almaty@eksmo.kz
Өнімнің жарамдылық мерзімі шектелмеген.
Сертификация туралы ақпарат сайтта: www.eksmo.ru/certification

Сведения о подтверждении соответствия издания
согласно законодательству РФ о техническом регулировании
можно получить по адресу: http://eksmo.ru/certification/

Өндірген мемлекет: Ресей
Сертификация қарастырылмаған

Подписано в печать 12.02.2018. Формат 84x108 $^1/_{32}$.
Гарнитура «Newton». Печать офсетная. Усл. печ. л. 21,84.
Тираж 1800 экз. Заказ 1595/18.

Отпечатано в соответствии с предоставленными материалами
в ООО «ИПК Парето-Принт», 170546, Тверская область, Промышленная
зона Боровлево-1, комплекс № 3А, www.pareto-print.ru.

ISBN 978-5-04-093218-4